SGEN I'M SYNIAD

SNOGS, SECS, SENS

I'r person gorau dwi'n ei nabod, fy chwaer, Elin.
Diolch am fod y clustiau cyntaf i wrando ar unrhyw beth
dwi'n ei sgwennu ac am fod yn *biggest fan* i mi; gobeithio
bo chdi'n gwybod mai fi ydi dy *biggest fan* dithau.

Ac er cof am Nain: ni fydd diolch i chi fyth yn ddigon.

SGEN I'M SYNIAD

SNOGS, SECS, SENS

GWENLLIAN ELLIS

Rhybudd cynnwys:
Ceir themâu a golygfeydd
all beri gofid i rai yn y gyfrol hon.

Argraffiad cyntaf: 2022

Newidiwyd rhai enwau er mwyn gwarchod preifatrwydd.
Cyd-ddigwyddiad llwyr yw'r ffaith eu bod yn
enwau cymeriadau Brad Pitt hefyd.

Dymuna'r cyhoeddwyr gydnabod cymorth ariannol
Cyngor Llyfrau Cymru

Clawr a darluniau: Elin Lisabeth

Rhif Llyfr Rhyngwladol: 978 1 80099 193 4

Cyhoeddwyd, rhwymwyd ac argraffwyd yng Nghymru gan
Y Lolfa Cyf., Talybont, Ceredigion SY24 5HE
gwefan www.ylolfa.com
e-bost ylolfa@ylolfa.com
ffôn 01970 832 304
ffacs 832 782

Diolchiadau

RHAG OFN MAI dyma'r llyfr olaf i mi ei sgwennu a rhag ofn mod i fyth am ennill Oscar, dwi isio diolch i'r bobl sydd wedi fy helpu ar hyd y daith – efo sgwennu ac efo bywyd.

Yn gyntaf oll diolch i Taylor Swift, Laura Marling, HAIM, Harry Styles, Iolo Ffug a Charli XCX: mi wnaeth eich lleisiau gadw cwmni i mi tra o'n i'n eistedd o flaen fy nghyfrifiadur am oriau mân y bora tra roedd gweddill y byd yn cysgu.

Dwi'n ddiolchgar i Meinir ac Efa Edwards am roi colofn i mi yng nghylchgrawn *Cara* wnaeth sbarduno'r llyfr.

Diolch i bawb yn y Lolfa am gredu yn y syniad ac am y gefnogaeth.

Diolch i Marged am fod y golygydd mwyaf hael ac ystyriol; diolch am fod yn ffrind hyd yn oed mwy hael a meddylgar. Diolch hefyd am fy annog i sgwennu a byw bywyd heb ofn.

Mawr yw fy niolch i Alys, Eiri, Mirain ac Elin am ddarllen draffts cynnar o'r gyfrol ac am eu geiriau cefnogol. Mae eich ffydd ynof i wedi 'ngwthio mlaen pan doedd gen i ddim ffydd ynof fy hun.

Diolch i Ffraid am ddarllen proflen o'r llyfr ac am dy ymateb a'th eiriau caredig wnaeth dawelu fy meddwl. Dwi'n gobeithio, un diwrnod, y bydd gen i gymaint o sens â chdi.

I'r artist *extraordinaire*, Elin Parc, diolch am ddylunio clawr gwell na fyswn i erioed wedi gallu ei ddychmygu – mae dy dalent yn stratosfferig ac mi wyt ti'n seren.

Diolch i Anti Mariel am ddragio fi ar gyrsiau sgwennu,

am fy ngwthio i fod yn ddewr ac am ein sgyrsiau hirfaith. Diolch i Anti Bethan ac Anti Einir am ddysgu cymaint i mi: am fwyd ac am fywyd.

Diolch i Mam a Dad am eich cefnogaeth ddi-ben-draw ac am fy ngharu fi hyd yn oed pan tydach chi ddim yn fy nallt i. Diolch am ddweud eich straeon, am adael i mi ddweud fy straeon ac am greu cartref sy'n gwneud lle i bawb rannu eu straeon hwythau. Mae 'na hud yn Gwynfryn ac mi ydan ni i gyd mor lwcus.

Diolch i Kathryn, Lucy, Sam a Sophie am wastad yrru neges arall (er mod i'n hoples am ateb) ac am fod yno'n cefnogi o hyd er na fyddwch chi'n dallt gair o'r *finished product*.

Diolch i Megan, fy enaid hoff cytûn, am dy *voicenotes*, am garu'r sesh gymaint â fi ac am fod yr *hype girl* orau fyswn i'n gallu gofyn amdani. Ni allaf ddianc...

Diolch i'r efeilliaid am fod mor gyson a thriw ac am flynyddoedd o ddysgu gan ein gilydd. *The bond is too strong*.

Diolch i Alys, fy nghindred spirit, am fod efo fi bob cam o'r daith. Wna i fyth flino ar ein galwadau ffôn.

Diolch i Telyn am fod y person cyntaf dwi'n ei ffonio mewn argyfwng, am y nosweithiau *glamorous* yn yfed siampên ac am y rhai distaw yn trefnu, yn trafod ac yn llnau popty.

Diolch i Gwenno am yr holl straeon – y rhai drud, y rhai gwirion a'r rhai fysan ni'n dwy yn hoffi eu hanghofio. Am y nosweithiau diddiwedd yn yfed Sauvignon Blanc, y dyddiau diddiwedd yn hel ein tinau rownd caffis ac am wastad allu pigo fyny o le naethon ni adael pethau y tro dwythaf.

Diolch i Mirain ac Arthur am wneud mwy na'ch *fair share* o siopa bwyd, gwagio'r biniau a hwfro'r lownj dros y flwyddyn ddwythaf. Diolch am ofalu amdana i, am adael i mi watsiad ail gyfres *Bridgerton* saith gwaith ac am eich anogaeth ddi-ben-draw: yr *housemates* a'r ffrindiau gorau fysa hogan yn gallu gofyn amdanyn nhw. Ydach chi'n coco?

I'r genod sy'n fy nabod erioed: Alys, Beca, Elin Parc, Fflur a Glesni, Llio, Mali, Mari, Megan, Mirain, Mirsi: diolch am ddal fy nghyfrinachau mor ofalus, am beidio beirniadu ac am eich cariad. Mi ydach chi i gyd, pob un ohonoch, yn hollol anhygoel.

I'm ffrindiau i gyd, y rhai a fu, y rhai sydd o hyd a'r rhai sydd ddim yn dallt Cymraeg. Criw UK, Criw Milltir Sgwâr, Clwb Campio Cŵl, Clwb Cyri, Criw Meitar, Criw Cachu'n Drôr, Criw Barbican, Criw Whitehall, Criw Canna Deli, Criw Sesiwn Fawr, Genod Shrewsbury, Criw Coleg, Friday Night Club, Criw Soho House, Criw Cae Carafans a Criw Holibobs. Chi sydd yn parhau i'm siapio; hir oes i'r nosweithiau gwallgo a'r prynhawniau diog yn yfed te. Tydi cyfeillgarwch ddim angen cael ei floeddio drwy'r megaffon bob amser, ond os oes 'na fyth amser, dyma fo.

'If only you knew how little I know about the things that matter.'

Elio, *Call Me By Your Name* (2007 / 2017)

On the days you find the mirror so hard to look at,
Remember there is a myth which says the face you have
in this life
Is the face of the person you loved most in your last.
I know it's just a myth.
But think of how much more love you would give
yourself if it were true.

Nikita Gill, 'Affirmation for Days of Self-Loathing'

Be very careful out there
Stop trying to have so many friends
Don't be intimidated by all the babies they have
Don't be embarrassed that all you've had is fun
Prioritise pleasure
Don't send those long paragraph texts
Stop it, don't
Getting married isn't the biggest day of your life
All the days that you get to have are big

Self Esteem, 'I Do This All The Time' (2021)

1. Brechdan wy a brechdan pêst

Pethau sy'n bwysig i mi yn 7 oed

- Y Spice Girls achos maen nhw mor cŵl
- Gwallt
- Llyfrau Jacqueline Wilson
(*The Lottie Project* a *Double Act*)
- *Sabrina the Teenage Witch, Sister Sister*
a *Saved by the Bell* ar Nickelodeon
- Amser cinio

MAE 'NA SAWL oglau yn f'atgoffa i o 'mhlentyndod: glaswellt newydd gael ei dorri; siampŵ Strawberry Smoothie L'Oréal Kids; cath fôr yn ffrio mewn menyn bob nos Wener yn nhŷ fy nain; gweddillion eli haul ar groen hallt, tywodlyd ar ôl prynhawn ar draeth Pwllheli; yr oglau hufennog, oer sy'n hitio cefn fy ffroenau wrth gerdded fewn i siop hufen iâ Cadwaladers; y cloddiau eithinog, gwyddfidog sy'n amgylchynu ffosydd Pen Llŷn.

Ond yr oglau sy'n f'atgoffa o 'mhlentyndod fwyaf ydi oglau brechdan wy. Roedd brechdan wy yn *real treat* yn fy nghartref i – doedd o ddim yn rhywbeth oedd yn digwydd bob diwrnod. Mae 'na ymdrech yn mynd i wneud brechdan wy – gorfod aros i'r wyau ferwi, oeri'r wyau, plicio'r plisgyn, malu'r wyau, ychwanegu *mayonnaise* ac yna halen a phupur i fewn i'r gymysgedd. Roedd o'n achlysur arbennig, neu roedd 'na *ymdeimlad* o achlysur os oedd Mam yn gwneud brechdan wy; roedd cinio'r diwrnod hwnnw am fod yn un sbesial. Byddai gwên lydan yn ymestyn ar wyneb pawb wrth gerdded fewn i'r gegin a'r oglau'n hitio'n ffroenau.

Brechdan pêst oedd ar y fwydlen ginio yn amlach na dim byd arall. Pêst samon neu ham a chaws oedd yn dod mewn jaryn bach wedi ei sbredio'n drwchus ar dafell o fara. Doedd 'na'r un wên ar wyneb wrth weld mai brechdan pêst oedd i ginio. Bwyd carchar o bosib, ond roedd o'n ein cynnal. Ac i ddweud y gwir ro'n i'n ddigon bodlon efo brechdan pêst os oedd o'n golygu mod i'n cael bwyta, mor fawr oedd fy archwaeth o oed ifanc iawn. Doedd gen i ddim rheolaeth pan ddeuai at fwyd.

Amser cinio oedd fy hoff amser yn yr ysgol. Ro'n i wrth fy modd efo cinio Anti Jean ac Anti Ela, y ddwy ddynas famol, fochgoch oedd yn bwydo plant Ysgol Pentreuchaf. Ro'n i wrth fy modd yn gadael y dosbarth am hanner dydd, yr oglau'n llenwi'r coridor, a thrio rasio i flaen y ciw. Mi o'n i wrth fy modd efo cinio: y dyddiau da cyn i Jamie Oliver newid bob dim: sgŵps hufen iâ o datws mash; pitsas sgwâr, trwchus; sbwnj pinc a'r cwstard pinc i bwdin. Os oedd 'na weddillion gan unrhyw un, mi o'n i'n cynnig eu gorffen yn syth, cyn i neb arall folyntirio. Erbyn mod i ym mlwyddyn chwech, roedd Anti Jean ac Anti Ela yn gwybod mod i'n fwytwr mawr, felly mi oeddan nhw'n gwneud yn siŵr eu bod nhw'n rhoi llwyad ychwanegol neu sleisan fawr ar fy mhlât i. Unwaith eto, roedd fy niffyg rheolaeth yn cymryd drosodd, mi o'n i jest yn caru bwyta.

Doedd gen i'n sicr ddim hunanreolaeth pan ddeuai at frechdan wy. Mi fyswn i'n llowcio'r frechdan a mynd yn fy ôl i lyfu'r fowlen, mor farus o'n i, mor desbret i wneud yn siŵr mod i'n cael pob tamaid oedd ar gael i mi. Ac ar drip ysgol (trip ysgol = achlysur arbennig) doedd y diffyg hunanreolaeth yn ddim gwahanol. Roedd o'n waeth os rhywbeth achos doedd 'na neb yn medru fy stopio i. Mi fyswn i wedi mynd i'r afael â 'mhicnic cyn cyrraedd yr amgueddfa neu ardal o harddwch naturiol, er mwyn cael blas o'n hoff frechdan.

Doedd brechdan wy ddim yn ennyn yr un brwdfrydedd yn fy ffrindiau yn anffodus. Byddai agor ffoil ar fws i Celtica a rhyddhau stensh rhechlyd wy yn achosi i bawb golli eu pennau (a'u ffroenau) yn llwyr. Ac i ddilyn, roedd 'na lond bws o blant ysgol yn gweiddi ac yn sgrechian ar yr A487 rhwng Corris a Machynlleth.

'Ych a fi! Mae gan Gwenllian frechdan wy!'

'Yyy, pwy sy 'di rhechan?'

'Yyy, ma'r ogla 'na'n afiach!'

Oedd, roedd o'n codi 'chydig o embaras arna i, ond diflannai'n llwyr wedi i mi gymryd un brathiad. Ro'n i'n hollol fodlon fy myd yn bwyta'r frechdan wrth wylio'r coed tywyll yn gwibio heibio ar y lôn droellog.

*

Mae Pwllheli yn dre lan môr, dwristaidd ym Mhen Llŷn yng ngogledd-orllewin Cymru, sy'n gartref i siopau trin gwallt, siopau elusen, ambell i dafarn, dau draeth hirfaith ac Asda. Un o'n hoff siopau tra o'n i'n tyfu fyny oedd Woolworths lle roedd 'na wal gyfan o Pick 'n Mix, a fanno fyswn i'n cael dewis fy anrhegion Nadolig bob blwyddyn. Mae'n amhosib cael lle parcio yn nunlla ym Mhwllheli rhwng gwyliau Pasg

a Gŵyl y Banc fis Awst diolch i'r Saeson sy'n heidio yno
– do'n i fyth yn dallt pam fod pawb wrth eu boddau'n dod
i Bwllheli o bob man. I mi roedd o'n ddiflas ac yn llwm a
doedd 'na uffar o ddim byd yn digwydd yno.

Tyfais i fyny ar ffarm o'r enw Gwynfryn, rhyw filltir i fyny
allt serth tu allan i Bwllheli. (Mae hyn wedi bod yn fendith
i ambell i ffrind oedd yn methu cael tacsi adra o Bwllheli
dros y blynyddoedd. Mae fy rhieni'n aml iawn yn deffro'n y
bore i lond tŷ o bobl ifanc, weithiau pan dwi'm hyd yn oed
adra.) Roedd Nain yn byw mewn bwythyn dros ffordd, yn
cerdded deg cam ar draws yr iard i'n tŷ ni bob amser paned
am sgwrs a dibêt efo pwy bynnag oedd wedi sgwosho rownd
y bwrdd. Fel pob tŷ ffarm, tydi'r drws ffrynt fyth ar glo ac
mae 'na wastad tua tri o bobl yn ormod yn y gegin fach.
Mae hi 'run gegin roddodd fy nain i mewn tua 40 mlynedd
yn ôl ond neith Mam dal ddim ei hadnewyddu, dim hyd yn
oed pan mae'r cypyrddau'n disgyn o'u colfachau. Mae 'na
wastad rywun yna i roi'r teciall ymlaen a rhoi'r byd yn ei le.
Mae hi'n gegin sy'n llawn bywyd, dim ots faint o'r gloch ydi
hi, ac mae wedi bod yn llygad-dyst i berthnasau'n blaguro,
i berthnasau'n chwalu, i sgyrsiau meddw, i ddawnsio ar y
bwrdd, i ddagrau hapus, i ddagrau trist, i ddagrau meddw
a merched ifanc yn taflu fyny mewn sosbenni. Mae hi wedi
gweld cannoedd o gwpanau te a phlatiau o wyau ar dost.
Dyma'r lle mae cyfrinachau'n cael eu cadw'n saff ac mae'n
lle saff i bawb, er fod y drws ffrynt fyth ar glo.

Fues i erioed yn 'hogan ffarm' yn yr ystyr traddodiadol.
Do'n i ddim yn helpu 'nhad i odro'r gwarcheg nac yn mynd
am dro yn y tractor neu ar y *quad* efo fo, ac mi fyswn i'n cael
sterics os fyswn i'n cael fy ngorfodi i fynd allan i helpu i symud
y gwartheg neu fwydo'r ŵyn llywaeth. Mi o'n i'n teimlo'n
llawer mwy cartrefol yn y tŷ, yn darllen neu'n gwatsiad teli
neu'n chwarae efo'r ymwelwyr oedd yn heidio i'r ffarm bob

13

gwyliau ysgol. Roedd Gwynfryn 'chydig bach yn anarferol o achos y *visitors*. Roedd ganddon ni fythynnod gwyliau a chae o garafannau oedd yn llawn ymwelwyr dros fisoedd yr haf ac mi fyswn i'n treulio pob diwrnod o bob gwyliau ysgol yn chwarae efo David and Mark a Kate and Claire, fy ffrindiau Saesneg. Am chwe wythnos drwy'r haf, roedd 'na wastad barti neu farbeciw gyda'r nos, *marshmallows* i'w tostio, ffilmiau sgeri i'w gwylio a straeon sgeri am y tŷ dros y lôn i'w hadrodd, ac roedd hi'n teimlo fel mod innau ar fy ngwyliau. Roedd y ffaith mod i'n medru siarad Saesneg ac efo ffrindiau o Sheffield a Bolton yn gwneud i mi deimlo bod fy mywyd, o leia, 'chydig bach yn cŵl a mod innau 'chydig bach yn cŵl; do'n i ddim wrth gwrs. Ond am chwe wythnos, roedd hi'n bosib anghofio pa mor ddiflas o'n i'n meddwl oedd fy nhref fach i.

*

Yn ail i frechdan wy Mam oedd brechdan wy Caffi Spar.

Cyn mynd ymhellach, mae'n rhaid i mi egluro pa mor chwedlonol ydi Spar Pwllheli. Yn tyrru dros y siopau eraill yng nghanol y maes sydd yng nghanol y dref, mae'n Harrods Food Hall yn fy ngolwg i. Mae Spar yn ogoniant o gynnyrch lleol; yn ysblander o ffrwythau a llysiau a chig a bara o bob congol o Ben Llŷn a gogledd Cymru. Mae ar agor tan ddeg o'r gloch bob nos ac mae hyd yn oed ar agor ar ddiwrnod Dolig. Un flwyddyn ar noswyl Nadolig darganfyddwyd fod twrci ein cymdogion off a phwy wnaeth helpu i achub Nadolig teulu Caeau Gwynion? Spar Pwllheli. Mae'r ymadrodd 'Dwi'n piciad i Spar' yn cael ei adrodd yn amlach na 'Dwi'n dy garu di' yn ein cartref ni. Dyma lle mae breuddwydion bwyd yn cael eu gwireddu a straeon cariad yn cael eu creu.

Byddai Nain yn mynd yno bob prynhawn Gwener ar ôl nôl y *basics* o Kwik Save (tuniau Heinz, bara 29 ceiniog i'r cathod, Dairy Milk) a'i *catch of the day* i swper o'r siop bysgod (cath fôr fel rheol, neu samon os oedd o'n rhad). Yn Spar fyddai'r danteithion go iawn yn cael eu prynu: llysiau lleol, bara Llanaelhaearn, *coleslaw* Blas ar Fwyd, *shortbread* Popty Prysur.

Ond uchafbwynt y trip oedd cael mynd i Gaffi Spar. Roedd o'n eistedd uwchben y siop ac roedd rhaid dringo grisiau serth i'w gyrraedd ond roedd yn werth pob cam. Roedd y ffenest lydan yn gwneud i chi deimlo fel eich bod chi ym mhenthouse suite yr Empire State Building efo *infinity balcony*. Roedd Caffi Spar yn edrych allan ar holl anturiaethau'r maes; yn dyst i dicedi parcio, i ddadleuon teuluol, i bobl ifanc yn blasu'u smôc neu'u seidr cyntaf.

Ar brynhawn Gwener, roedd Caffi Spar yn llawn bywyd a chymeriadau a chrîm cêcs. Byddai Anti Gwen, Anti Margaret ac Anti Anwen wedi hawlio'u lle wrth y bwrdd yng nghanol y ffenest fawr a Nain a finnau yn gorfod eistedd wrth fwrdd cyfagos i hel clecs efo nhw. Os nad oedd bwrdd cyfagos, yna mi fysan nhw'n gweiddi ar hyd y stafell, heb gywilydd yn y byd. Dyma oedd eu lle *nhw* ar brynhawn Gwener.

Y traddodiad oedd fod Nain yn cael pot o goffi du a finnau'n cael pot o de a brechdan wy. Roedd hi'n frechdan swmpus yn llawn o lenwad wyog, blasus ac wedi ei thorri yn bedwar triongl – mi fyddai Nain wastad yn dwyn un triongl. Byddwn yn bwyta mewn parchedig ofn o'r bedair dynas aruthrol o 'mlaen oedd yn siarad fel clagwyddau ar draws ei gilydd. Roedd hyn yn gystal addysg ag unrhyw wers yn yr ysgol.

Wedi i mi orffen fy mrechdan, byddwn yn cael *éclair* siocled i rannu efo Nain. Y rheol oedd y bysa un person yn torri a'r llall yn cael dewis pa ddarn oeddan nhw isho. Mor farus, mor debyg oedd ein glythni nes y bysan ni'n torri'r *éclair* druan gyda chywirdeb llawfeddyg yn trin organ hanfodol, yn siŵr o gymryd yr hufen oedd yn byrstio allan ohoni i ystyriaeth hefyd. Yr hyn ddilynai, heb os, fyddai'r ddwy ohonom yn taeru mai *nhw* oedd â'r darn mwyaf wrth sgloffio'r cyfan i lawr a llyfu ein bysedd i sicrhau ein bod yn cael blas ar bob tamaid.

Wrth gwrs, dros y blynyddoedd byddai deinamig y grŵp yn newid; weithiau doedd pawb ddim yn medru ei gwneud hi ar brynhawn Gwener – byddai ceir yn torri lawr, cyrff yn methu, gwŷr yn marw. Byddai'r sgyrsiau'n ddistawach, yn ddagreuol, a ninnau'n estyn braich ar hyd bwrdd efo hances ac yn sibrwd 'dwi yma'.

Dyma lle 'nes i ddysgu rhannu, sut i fwyta allan, sut i yfed te.

Dyma lle 'nes i ddysgu sut i gyfri newid cyn y til. Wrth i Nain dalu'n ddi-ffael efo *cash* ('*cash is king*, Gwenllian, cofia di'), byddai hi'n nadu i'r person oedd yn gweithio wrth y til roi'r newid i ni tan y byddwn i wedi gwneud y syms.

Dyma lle 'nes i ddysgu, wrth fwyta brechdan wy yn gwylio fy nain a'i ffrindiau, am gyfeillgarwch a'i fod o'n beth ffyddlon a ffyrnig sy'n para dros 50 mlynedd os ti'n gwneud yn siŵr dy fod di'n cael digon o hwyl a hel clecs.

*

Brechdan wy

Ddim yn aml mae wy yn cael cyfle i serennu – mae o fel arfer yn dod ar ben rhywbeth, neu ar yr ochr, fyth yn *the main event*. Ond mewn brechdan wy mae o'n *star of the show*.

Ma 'na lot o wahanol ffyrdd i wneud brechdan wy a'r gymysgedd *egg mayo* – rhai pobl yn *team mayonnaise*, eraill yn *team salad cream*, rhai philistiaid yn defnyddio'r ddau.

Dwi'n gwybod am rai sy'n ychwanegu nionyn, eraill yn ychwanegu *cress*, rhai hwligans hyd yn oed yn ychwanegu tomatos. Ond mae'n well gen i gadw'r gymysgedd yn hollol bur. Dyma sut fydda i'n gwneud brechdan wy.

Cynhwysion
Wyau o safon, y rhai sydd efo melynwy oren (yn syth o din yr iâr os medrwch chi)
Tafelli *oversized* o fara brown Becws Llanaelhaearn, gyda haen dew o fenyn ar eu pen
Mayonnaise (Hellmann's)
Halen a phupur

Dull
- Berwch yr wyau mewn dŵr am 9 munud (neu nes fod y melynwy bron â bod yn hollol galed).
- Oerwch yr wyau mewn dŵr oer a'u plicio.
- Malwch yr wyau (dwi'n defnyddio cyllell gan mod i ddim isio malu'r gymysgedd yn rhy fân) ac ychwanegwch binsiad hael o halen a phupur.
- Ychwanegwch lwyad fawr o fayonnaise a'i gymysgu. Ychwanegwch lwyad fawr arall os 'dach chi ffansi.
- Pentyrrwch yr wy yn hael ar un dafell o fara ac ychwanegwch y llall am ei ben.
- Bwytwch a gadwch i'r brathiad cyntaf 'na eich cludo nôl i'r gegin lle'ch magwyd.

*

Yn Spar Pwllheli ges i fy nghyflwyniad cyntaf i gylchgronau merched. Roeddan nhw'n sgleinio ar silff wrth ymyl y tiliau, yn flodau ac yn galonnau drostynt a'r merched tenau a'u gwynebau perffaith yn fy nenu yn agosach, yn fy nhemptio i drio sleifio copi o *Girl Talk* ar y *conveyor belt* wrth i Mam dalu (*Smash Hits* neu *Top of the Pops* os oedd y Spice Girls ar y clawr). Nid y cynnwys oedd y peth gorau, ond yr anrheg bach oeddach chi'n ei gael 'am ddim' gyda phob rhifyn; *lipgloss* pinc neu *eyeshadow* glas, amrywiaeth o sticeri gliterog. *Dyna* sut roeddan nhw'n eich cael chi.

Ro'n i'n hollol *obsessed* efo'r merched oedd ar y cloriau. Roeddan nhw mor cŵl, yn *glitter*, yn *lime green* ac yn oren, yn batrymau i gyd. Roedd 'na reswm pam eu bod nhw'n gwenu cymaint – eu dillad a'u gwalltiau mor brydferth a pherffaith. Mi o'n i'n genfigennus, ond roedd o'n hedfan, yn aros am eiliadau yn unig: doedd yr effeithiau hirdymor o ddarllen cylchgronau ddim wedi ffurfio'n iawn eto.

Yn rhyfeddol, doedd gan y tro cyntaf i mi deimlo'n hyll ddim byd i'w wneud efo cylchgronau. Y tro cyntaf i mi deimlo'n hyll mi o'n i'n bump oed ac yn eistedd mewn siop wallt yn Abersoch. Dywedodd Mam wrth Benita, y trinydd gwallt, am dorri 'ngwallt yn gwta achos bo ni'n mynd ar wyliau, ac roedd Mam yn meddwl y byddai gwallt byr yn haws (*hyd heddiw*, tydw i methu dallt pam ei bod wedi gwneud penderfyniad mor *life-altering* yn sgil pythefnos yn Ffrainc). Fanna o'n i, ar gadair plentyn wedi ei phwmpio'n uchel, yn edrych ar fy ngwallt hir, melyn, yn taro'r llawr o fy amgylch, y dagrau'n barod i ffrwydro allan ohonaf i. Wedi i Benita orffen torri, syrthiodd distawrwydd llethol dros y siop, heblaw am fy udo i, oedd yn swnio mwy fel anifail gwyllt yn y jyngl na merch bump oed yn crio.

Edrychais ar fy adlewyrchiad drwy'r dagrau.

'Dwi'n edrach 'tha hogyn!' gwaeddais drwy'r holl feichio crio. Neidiais i lawr o'r stôl. 'Dwi'n CASÁU o bai ddy wê! CASÁU!'

Roedd Mam a Benita'n edrych ar ei gilydd, o bosib yn

dechrau difaru'r modfeddi ar y llawr a'r hogan fach oedd yn torri ei chalon o'u blaenau.

'O's 'na ffor o sticio fo nôl?' Stranciais o amgylch y siop yn crio, yn gwrthod gadael.

'Paid â crio, mae o'n ddel.'

'Ti'm yn edrach 'tha hogyn siŵr! Ti'n biwtiffyl.'

Doedd y ffalsio a dweud fod y gwallt byr yn fy siwtio i yn amlwg ddim yn gweithio a bu raid i Mam newid tacteg i geisio 'nghael i adael y siop.

'Llai o'r lol 'ma rŵan. Neith o dyfu nôl, gneith. Stopia 'wan!'

Doedd gen i ddim amser i aros i'r gwallt dyfu – roeddan ni'n mynd i gyngerdd y Spice Girls mewn wythnos a doedd y Spice Girls ddim am edrych ar hogan fach efo gwallt cwta, siŵr. Doeddan nhw ddim am bigo *hogyn* i fod yn rhan o Spice World efo nhw, *girl power* oedd eu *motto* nhw. Roedd ganddyn nhw walltiau tu hwnt o brydferth ac mi fysa hi'n amhosib i mi ffitio fewn a bod y chweched Spice Girl efo'r gwallt hogyn 'ma.

'Tyd 'wan, dwi angan piciad i Spar,' meddai Mam.

Aparyntli, do'n i ddim digon hen i gael aros yn y car tra oedd Mam yn mynd i siopau. Felly'n stremps i gyd, dyma fi'n gwisgo fy nghôt *puffer* oren llachar o Next a chlymu'r hwd am fy mhen a chau y *toggles* yn dynn; do'n i ddim am adael i neb weld y erchylltra ar fy mhen.

'Paid â bod yn wirion rŵan, Gwenllian. Tynna'r hwd 'na.'

Doedd hi'n amlwg ddim yn dallt yr helbul o'n i'n mynd drwyddo. 'Na!' gwaeddais wrth iddi fy llusgo drwy'r drysau awtomatig.

Ac felly dyna lle'r o'n i: yn cerdded o amgylch Spar Pwllheli efo gwyneb tin a hwd oren yn cuddio'r gwallt hogyn am fy mhen. Rhyfedd mod i, hyd yn oed yn bump oed, yn

19

teimlo fod hogan i fod i gael gwallt hir ac mai i hogia oedd gwallt byr.

Aeth Mam, Anti Siân a finnau i weld y Spice Girls wythnos yn ddiweddarach. Ro'n i wedi gorfodi'r dair ohonan ni i ddysgu'r geiriau a'r *dance moves* i *bob un* cân, a fanna oeddan ni'n dawnsio yn uchelfannau Manchester Arena, heb obaith yn y byd o gyfarfod Posh, Scary, Sporty, Baby na Ginger. Ond ro'n i mor brysur yn mwynhau nes i mi anghofio am y gwallt am y tro cyntaf ers wythnos. Do'n i ddim yn trio cuddio na smalio mod i'n sâl, ro'n i'n neidio, yn gweiddi ac yn wên o glust i glust heb unrhyw ots yn y byd.

Yn glwyddau i gyd, dywedais wrth fy ffrindiau Mali, Mererid ac Elen fod y Spice Girls wedi aros yn Gwynfryn y penwythnos hwnnw.

'Nathan ni ganu, dawnsio, gwneud *make-up* a chwarae efo Barbies. Nathan ni fynd i nofio a nathan nhw fynd i odro efo Dad hefyd. A nathan nhw ddweud bo nhw'n licio 'ngwallt i.'

Llai nag wythnos yn ddiweddarach roedd Elen wedi torri ei gwallt hithau'n fyr – am fod y Spice Girls yn meddwl fod o'n cŵl o bosib; ond yn fwy tebygol oherwydd fod 'na ddwy fam yn siarad am ba mor hawdd ydi cael hogan fach efo gwallt cwta pan mae 'na *outbreak* llau pen yn yr ysgol.

Ers y diwrnod hwnnw mae gwallt (hyd *a* lliw) yn ofnadwy o bwysig i mi; dwi wedi cael lot o ddisastyrs – bòb coch oedd 'chydig bach yn rhy fyr i 'ngwyneb, ffrinj 'chydig bach yn rhy *edgy* i rywun fel fi; gwallt pinc, piws a melyn sydd bron yn wyn. Fyswn i'n licio mynd nôl a dwyn 'chydig o ysbryd a chalon yr hogan bump oed 'na efo gwallt hogyn pan dwi'n cael *bad hair day*.

*

Brechdan wy a brechdan pêst

Ar ôl *Girl Talk*, daeth *Mizz, Shout* a *Sugar* ac roedd 'na bethau mwy cyffrous rhwng y cloriau hyn: snogs a *periods, lads, crushes* a *cringe moments*. Dyma Feibl i ferch *pre-teen* o Ben Llŷn oedd yn ofni siarad am *ovulation* a bras heb sôn am acshli siarad *efo* hogia.

Tydw i erioed wedi bod yn lwcus efo hogia. Tydw i ddim yn trio bod yn hunandosturiol, ond dyma ffaith syml amdana i: dwi jest ddim yn eu dallt nhw, dwi erioed wedi a tydw i heb fynd i fawr o ymdrech i drio'u dallt nhw dros y blynyddoedd chwaith. Hyd yn oed yn Ysgol Pentreuchaf pan oedd gweddill y genod yn fy mlwyddyn i yn paru efo hogyn, do'n i ddim (dim gafael llaw, dim bod yn 'gariad' i neb; fi oedd y gweinidog oes oeddan ni'n chwarae priodi ar yr iard). Roedd 'na wastad rywbeth yn fy nal i'n ôl.

Mi o'n i'n byw yn fy mhen fy hun – weithiau efo'r Spice Girls ond gan amlaf gyda fy ffrindiau dychmygol, Chod a Pî. Tydi ddim yn syndod i mi fod yr unig hogia o'n i'n medru siarad efo nhw yn bodoli yn fy mhen i'n unig. A'r peth oedd, mi o'n i'n ddigon bodlon yn byw hanner fy mywyd ar y ddaear a'r hanner arall yn fy mhen. Ro'n i'n dianc i lyfrau, i ffilmiau, i gylchgronau neu'n creu byd ffantasïol a naratifs dychmygol yn fy mhen. Ro'n i wastad *on the cusp*, un droed ar y ddaear a'r llall yn rhywle gwahanol, yn gorfeddwl, yn ymgolli yn fy ffantasïau. Yn fy ffantasïau, mi o'n i'n mynegi fy hun yn glir, byth yn baglu dros fy ngeiriau nac yn *podgy* a do'n i ddim yn dalach na phawb. Yn fy mhen mi o'n i'n serennu ac mi oedd pethau acshli'n digwydd i mi.

I mi, roedd y merched tu fewn i *Mizz* efo'u *cringe moments* a'u *crushes* yn teimlo fel y merched mwyaf aeddfed, soffistigedig a gerddai'r ddaear. Roeddan nhw'n *Tammy Girl* o'u corun i'w sawdl, yn gwaedu bob mis, wedi mynd tu hwnt i *crushes* a bellach yn snogio hogia. Doedd eu Yncl Alan nhw ddim yn gyrru cerdyn Sant Ffolant iddyn nhw bob blwyddyn yn dweud 'wela i di ar y slopes... sws gan dy Secret Admirer'. A doeddan nhw'n sicr ddim yn bodoli ym Mhwllheli lle doedd 'na'r un peth *exciting* wedi digwydd ers i Woolworths fynd ar dân.

Fel arfer mi fyddwn i'n mynd yn syth i'r dudalen *CRINGE!* lle roedd 'na ferched wedi sgwennu am eu hanesion *embarrassing*. Roedd profiadau'r merched bron yn sicr o gynnwys hogyn neu *period* neu'r ddau, a doedd fy stori i am rechan mewn arholiad mathemateg ym mlwyddyn 5 ddim am ei gwneud hi'n fan hyn.

Ymlaen wedyn i'r cwis siart llif er mwyn darganfod sut fath o *babe* o'n i neu sut fath o snogiwr o'n i. Yn amlwg, doedd dim rhaid i mi boeni am sut fath o snogiwr o'n i gan mod i heb hyd yn oed siarad yn iawn efo hogyn. Ond na phoener – roedd 'na wersi am sut i fod yn *Pulling Pro* ar y dudalen nesaf. Wedyn roedd y dudalen broblemau, lle roedd 'na ferched yn gofyn am gymorth am eu *relationships* neu sut i fagio eu *crush*.

Ro'n i'n darllen y tudalennau mewn edmygedd llwyr o'r merched hyn oedd yn gwneud pethau oedd yn teimlo mor bell o 'ngafael i. Yn ddeg oed, roedd fy nghenfigen at y merched yn *Mizz* wedi'i lygru â mymryn o dristwch a hunangasineb. Ro'n i'n cwestiynu pam mod i methu siarad na snogio hogia a pham eu bod nhwythau ddim isio fy snogio innau. Mi oedd 'na rywbeth yn bod arna i, mae'n rhaid, oherwydd doedd 'na yr un hogyn wedi sbio arna i tra o'n i'n Ysgol Pentreuchaf.

Roedd 'na ffeithiau diddorol drwy'r cylchgronau hyn fel:

The average person spends two weeks of their life kissing.

Do'n i'm hyd yn oed wedi treulio dwy eiliad o fy mywyd yn cusanu. (Do'n i'n sicr ddim yn cyfri'r tro 'nes i snogio'r drych i ymarfer.) Roedd gadael Ysgol Pentreuchaf am fod yn ddechrau newydd i mi; ro'n i am ddechrau'r ysgol uwchradd ac ro'n i am snogio llwyth o hogia a chael *cringe moments*.

CWIS: Ydi dy *crush* yn dy ffansïo di?

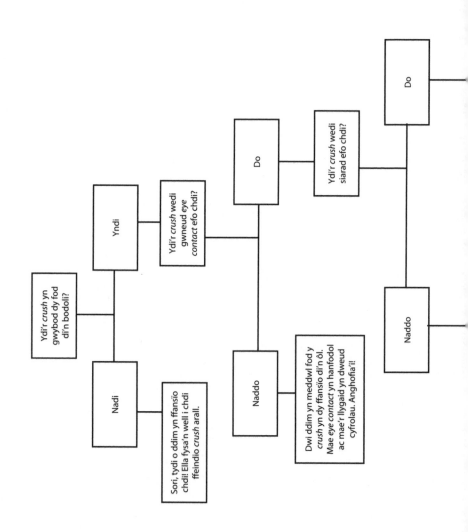

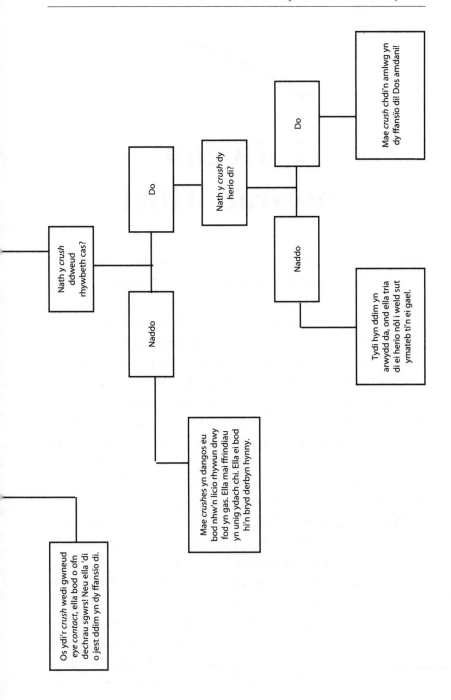

Nath y *crush* ddweud rhywbeth cas?

Do

Nath y *crush* dy herio di?

Do

Mae *crush* chdi'n amlwg yn dy ffansio di! Dos amdani!

Naddo

Tydi hyn ddim yn arwydd da, ond ella tria di ei herio nôl i weld sut ymateb ti'n ei gael.

Naddo

Mae *crushes* yn dangos eu bod nhw'n licio rhywun drwy fod yn gas. Ella mai ffrindiau yn unig ydach chi. Ella ei bod hi'n bryd derbyn hynny.

Os ydi'r *crush* wedi gwneud *eye contact*, ella bod o ofn dechrau sgwrs! Neu ella 'di o jest ddim yn dy ffansio di.

25

2. Hogan chwarae ffliwt

Roedd cyrraedd ysgol uwchradd yn tu hwnt o siomedig. Mi o'n i'n disgwyl i fy mywyd gael ei drawsnewid, i fy mywyd acshli *gychwyn* – a hynny dros nos. Ond wnaeth o ddim a doedd o ddim byd tebyg i'r hyn oedd gen i yn fy meddwl. Dwi'n beio'r disgwyliadau afrealistig ar raglenni teledu Americanaidd. Mi o'n i wedi tyfu fyny yn hollol *obsessed* efo *Sabrina the Teenage Witch* a *Saved by the Bell* ac wedi dychmygu y bysa mynd i'r ysgol uwchradd yn debyg i be o'n i wedi bod yn wylio ar Nickelodeon. Yn anffodus, doedd yna 'run o'r stereoteipiau Americanaidd – *jock*, *geek* na *prom queen* – yn Ysgol Glan y Môr, Pwllheli. Yn lle hynny, roedd hi'n bosib didoli pawb yn Ysgol Glan y Môr i ddwy garfan – *townies* a josgins.

Doedd eich statws o fod yn un ai *townie* neu josgin ddim wir i'w wneud efo lleoliad eich cartref neu'ch ysgol gynradd – roedd o fwy am eich agwedd, eich osgo, eich edrychiad, os oeddach chi'n smocio ac yn gwisgo'ch coler i fyny neu'n berchen ar gotiau Helly Hansen.

Roedd y *townies* (a'u coleri fyny yn eu cotiau Helly Hansen), yn rheoli pob agwedd o'r ysgol, yn cael y seti gorau yn y ffreutur, ac yn gwneud i bobl fel fi gilio i ochr y coridor os oeddan nhw'n cerdded heibio. Rhain oedd y bobl boblogaidd, y rhai i'w hofni. Roedd y merched yn gwisgo *push-up bras* a *thongs*, eu boliau'n fflat a llinell drwchus oren o *foundation* rhwng eu bochau a'u gyddfau. Roedd yr hogia'n gwisgo *trainers* du i'r ysgol ac yn jelio'i gwalltiau'n uchel ar y ffrynt. Fel y bobl o'n i'n darllen amdanyn nhw yn y cylchgronau, roeddan nhw'n edrych ac yn ymddwyn fel tasan nhw'n 16 oed er mai dim ond 12 oed oeddan nhw, yn barod yn smocio ac yn mynd ar seshys i'r *beach*, yn snogio'i gilydd, ac mi o'n i'n sicr fod y genod yn cael *periods*. Do'n i methu hyd yn oed gwneud cysylltiad llygaid efo'r rhain – do'n i methu ymlacio o'u cwmpas, fy ngwddw yn stiff os o'n i'n digwydd bod yn gorfod eistedd ar ddesg o'u blaenau. Mi o'n i wastad *on edge*, yn poeni eu bod am ddweud rhywbeth cas wrtha i neu am dynnu sylw at ba mor hen ffasiwn oedd fy sgidiau Clarks.

Doedd y josgins ddim mor cŵl a doeddan nhw ddim wir yn rheoli unrhyw agwedd o'r ysgol. Roeddach chi'n fwy tebygol o ffeindio'r rhain yng nghefn gwlad Pen Llŷn neu mewn eisteddfodau lleol.

Mi o'n i'n byw ar ffarm ac yn hogan dda oedd yn chwarae ffliwt (ddim i gael ei gamddarllen fel hogan oedd yn dda am chwarae ffliwt), felly mi o'n i'n disgyn yn gadarn i garfan y josgins. Yn waeth fyth, mi o'n i'n disgyn i'r is-garfan: *band geek*. Mi o'n i hefyd yn cymryd fy ngwaith ysgol o ddifri – yn gwneud fy ngwaith cartref ac yn gwrando yn fy nosbarthiadau. Dwi acshli'n meddwl mai'r rheswm dros hynny oedd mod i ofn cael row gan berson oedd efo awdurdod, ac mi oedd gwneud fy ngwaith cartref a bod yn hogan dda yn cynnig bywyd haws.

Nain wnaeth fy annog i ddechrau chwarae offeryn pan o'n i ym mlwyddyn 4. Mi o'n i isio chwarae'r *oboe* ond doedd gen i ddim gwefusau *oboe* yn ôl Anti Rhona, ffrind Nain, felly bu'n rhaid i'r gwefusau tenau 'ma sticio efo'r ffliwt. Mi o'n i'n chwarae ffliwt ym mhob cyngerdd, eisteddfod a noson wobrwyo am bum mlynedd ac yn amlwg, wnaeth hyn ddim byd i fy *street cred*. I wneud pethau'n waeth roedd Elen yn chwarae ffliwt yn lot gwell na fi. Roedd ganddi hi ddawn gerddorol amlwg, a doedd gen i'n amlwg ddim. Mi oedd hi'n pasio'r arholiadau ffliwt efo rhagoriaeth a finnau dim ond jest yn pasio. Roedd hi'n ffynnu cyn mynd ar lwyfan, a finnau'n hyperventilatio a chwysu drwy fy nhin. Hi oedd y ffliwt gyntaf, a finnau'r ail.

Doedd bod yn *band geek* ddim yn gwneud dim i'm statws yn yr ysgol. Doedd bod yn *teacher's pet* ddim chwaith, ac mi wnes i dderbyn mod i byth am gael fy nerbyn gan y *townies*. Ella mai'r peth gorau i'w wneud oedd cadw 'mhen i lawr a thrio bod yn neb. Am flynyddoedd 'nes i lwyddo.

*

I bob plentyn o ogledd Cymru, roedd mynd i Wersyll Glan-llyn yn *rite of passage*. *Llangrannog of the North* yn ôl yr hwntws. Roedd o'n gyfle i gyfarfod pobl newydd ac i wneud ffŵl o dy hun o'u blaenau wrth drio gwneud rafft neu ganŵio ar Lyn Tegid. Aeth Elen a fi i Lan-llyn a threulio wythnos yn gwasgu mewn i *wetsuits* tamp a sgwrsio ar ein bync-beds tan oriau mân y bore. A phan doeddan ni ddim yn gwneud hynny, roeddan ni'n crusho ar ein swogs, Jim a Brad, dau hogyn 16 oed o dde Cymru. Mi o'n i'n meddwl mai'r rhain oedd yr hogia mwya golygus, doniol a bydol i mi eu cyfarfod erioed. Ro'n i wedi fy nghyfareddu a'm swyno'n llwyr ganddyn nhw. Doeddan nhw ddim byd tebyg i hogia Glan y Môr. Doeddan nhw ddim yn gas ac mi oeddan nhw acshli'n siarad efo fi! Doedd ganddyn nhw ddim bwys mod i'n *teacher's pet* neu'n *band geek*. Do'n i heb deimlo fel'ma o'r blaen: roedd yr hogia 'ma'n gwneud i mi deimlo'n rhyfedd, yn benysgafn ac o'r diwedd, roedd gen i grush.

Yn y sioe dalentau, doedd 'na ddim cwestiwn be fysa Elen a fi'n wneud. Ar ôl i ni berfformio chwip o ddeuawd i bawb, gwelais Jim a Brad yn gwenu ac yn piffian chwerthin yn eu seti. Cochais wrth gadw'r ffliwt yn y bag.

'O'n i'n gwybod 'sa well 'san ni 'di neud ymgom,' sibrydais wrth Elen yn flin.

Yn y disgo'r noson honno, roedd 'na rywun wedi cael gafael ar *vodka* ac yn mynd o amgylch y neuadd yn topio *fizz* pawb i fyny. Dyma fy mlas cyntaf o'r diod di-ddim ac mi oedd jest y dropyn bach 'na wedi gwneud i mi deimlo'n rhydd ac yn fwy hyderus.

Gwelais Jim a Brad yn y gongl.

'Oh, hiya, Michelle!' dywedon nhw gan chwerthin wrth i mi gerdded tuag atyn nhw.

'Michelle? Be, sori?'

Roeddan nhw'n dal i chwerthin.

'Ti wedi gwylio *American Pie?*'

Do'n i heb.

'Dylet ti. "This one time, at band camp!"' Parhaodd y chwerthin.

'Be, sori?' holais innau. Do'n i methu dallt pam fod yr hogia 'ma'n gwneud hwyl am fy mhen. Mi o'n i'n meddwl eu bod nhw'n neis.

'Allen ni'm dweud 'tho ti. Rhaid ti wylio *American Pie.*'

Michelle o'n i am weddill yr wythnos ar ôl y noson honno. 'Michelle, ti moyn nofio neu kayako?' 'Michelle, mae bwyd nawr.' 'Dere, Michelle.' Doedd gan neb *smartphone*, felly doedd hi'm yn bosib gwneud *internet search* i weld be oeddan nhw'n sôn amdano. Mi o'n i'n gorfod bodoli ar dir neb creulon yn teimlo fel ffŵl. Roedd Jim a Brad yn debycach i hogia Glan y Môr wedi'r cyfan.

29

Roedd 'na fwy o *vodka* wedi cael ei sleifio'n anghyfreithlon i ddisgo diwedd yr wythnos, pawb yn dawnsio i Eden a Mega o dan y goleuadau a breichiau'n chwifio i bob man. Llyncais fy niod i gyd gan wgu wrth iddo hitio cefn fy ngwddw.

'Plis newch chi ddweud wrtha fi?' gofynnais i Jim a Brad, yr anobaith yn glir yn fy llais. 'Pwy 'di Michelle?'

'This one time, at band camp!' dywedon nhw eto gan chwerthin.

'Plis, jest dudwch.'

Cerddodd Efa, hogan o dde Cymru, heibio efo ryw foi o Aberystwyth, yn amlwg yn fwy ffed yp na fi.

'Oh, for god's sake, Gwenllian, sticio flute lan pussy hi ma Michelle. "This one time at band camp, I stuck a flute in my pussy." Ok?'

Cochais a dweud dim, jest sbio arnyn nhw. Do'n i ddim yn gwybod be i'w ddweud na'i wneud ac mi oeddan nhw'n edrych yn annifyr yn eu chwerthin erbyn hyn.

'Dwi obviously ddim yn sticio flute i fewn i pussy fi,' sibrydais a cherdded yn ôl at y disgo lle roedd pawb bellach mewn cylch yn canu 'Yma o Hyd' ar dop eu lleisiau. Do'n i heb glywed y gair *pussy* yng nghyd-destun y fagina o'r blaen, heb sôn am sticio fy ffliwt i fyny hi.

'Nes i ddim sbio ar Jim a Brad y bore wedyn; mi o'n i'n teimlo eu bod nhw wedi 'mradychu. Roeddan nhw wedi rhoi gobaith i mi ond yna mi wnaethon nhw jest sementio'r teimlad 'na oedd yn ddyfn tu mewn i mi'n barod, fod hogia, dim ots os oeddan nhw'n dod o Bwllheli neu Gaerdydd, yn rhan o *species* hollol wahanol na fyswn i fyth yn ei ddallt nac yn ei licio – a fysa 'na'r un hogyn fyth yn fy licio innau.

*

Os 'dach chi wedi cael eich magu yn y nawdegau ac o gwmpas y mileniwm, mae'n debygol fod eich mam wedi bod ar ddeiet o leiaf unwaith yn ystod eich bywyd. Doedd fy mam i ddim gwahanol – mi wnaeth hi drio bob deiet ar wyneb y ddaear: Weight Watchers, Slimming World, SlimFast, Atkins, The Special K Diet a hyd yn oed The Cabbage Soup Diet. Doedd dynas byth yn medru bod yn ddigon tenau a roedd fy mam i'n *sucker* am y deiets i gyd.

Roedd hithau yn *victim* i'r brainwashio. Roedd tenau yn golygu lot o bethau: hapusrwydd, bod yn olygus, bod hogia'n dy ffansïo di, bod pethau da yn digwydd i chdi. Ond mewn gwirionedd doedd o'n golygu dim o'r pethau 'na; a dweud y gwir, mi oedd o'n golygu'r gwrthwyneb, achos mae bod ar ddeiet jest yn druenus.

Un ffordd 'nes i feddwl y byswn i'n cael hogia i'n licio fi oedd drwy edrych fel y merched yn y cylchgronau, fel y *townies*. Do'n i ddim yn anferthol, ond mi o'n i'n gwybod mod i ddim yn denau a do'n i'n amlwg ddim yn ddeniadol, felly mae'n rhaid mod i'n dew. Mi o'n i wedi dechrau derbyn cwestiyna fel 'Ti siŵr bo chdi angan heina?' wrth i mi ymestyn am fy ail baced o Wotsits y diwrnod hwnnw. Mi oedd tyrru dros fy ffrindiau *petite* ers blynyddoedd yn gwneud i mi edrych a theimlo'n fwy hefyd. Doedd hogia ddim yn licio genod mawr – lleia'n byd fyswn i, gorau'n byd. Do'n i methu newid pa mor dal o'n i, methu newid fy ngwyneb, ond mi fyswn i'n medru colli pwysau.

I ddechrau mi fyswn i'n rhannu platiad o ginio o'r ffreutur efo Romy, oedd yn trio colli pwysau hefyd. Mi wnaeth rhywbeth digon diniwed droi'n chwerw'n sydyn iawn. O fewn dim, roedd o fel ras, y ddwy ohonom yn cystadlu i golli mwy o bwysau yr wythnos honno, yn gweddïo y bysa'r person arall yn baglu neu dwyllo a bwyta rhywbeth 'drwg' neu'n rhoi pwys ymlaen er mwyn rhoi teimlad o orchfygaeth i'r llall. Os oedd Romy'n mynd heb ginio, mi fyswn innau hefyd. Os oedd Romy'n rhedeg, mi fyswn innau hefyd.

Dwi bellach yn dallt mai dyma pryd ddechreuodd cylchgronau merched wyrdroi sut mae merched ifanc yn gweld ac yn meddwl am eu cyrff a'u hunan-werth. Roedd y brainwashio yn digwydd o oed ifanc; roedd hyd yn oed *Girl Talk* yn rhoi pwyslais ar golur a *glitter* (a'r rhai i hogia yn eu dysgu i fod â diddordeb mewn trenau, chwaraeon, peiriannau neu bethau sydd yn cael eu brandio'n 'wrywaidd'). Byddai'r cylchgronau yn brainwashio cymdeithas i feddwl fod 'na ffordd benodol roedd rhaid i ferched edrych. Mi o'n i'n cael fy nysgu o oed mor ifanc i feddwl fod merched yn gorfod disgyn i ddau gategori: tenau (*heroin chic, size* 0) neu *curvy*. Llithrig iawn oedd y llethr hwn a megis dechrau o'n i. Dwi'm yn meddwl 'nes i sylweddoli hynny nes ei bod hi'n rhy hwyr.

Ro'n i hefyd yn pori drwy gylchgronau fel *Heat* a *Closer* lle roedd selébs yn rhannu eu deiets a chynnwys eu hoergelloedd; roedd pawb yn yfed dŵr poeth a lemon i frecwast a doedd yr un *carb* yn bodoli rhwng y cloriau. Roedd *carbs* yn bethau i'w hofni, roeddan nhw'n *ddrwg*. Mi fyswn i'n dilyn bwydlenni *30 day flat tummy challenge* ac yn gwneud yn siŵr mod i ond yn bwyta *mayonnaise extra light* ac yfed llefrith sgim. Mi o'n i'n prynu cylchgronau ffasiwn fel *Vogue* ac *Elle* ac yn gweld y modelau *size zero* yn eu dillad *couture* ac yn erfyn i'm *collarbones* a'm *hips* sticio allan fwy. Mi fyswn i'n sbio yn y drych ac yn casáu faint o fflab oedd o amgylch fy mol.

Wrth i mi golli mwy o bwysau, byddai mwy o bobl yn dweud mod i'n edrych yn dda a byddai hynny'n gwneud i mi deimlo'n anhygoel, yn fy annog i ddal ati. Roedd o'n hollol *addictive*. Mi o'n i wedi mynd o fod yn faint 14 i faint 8 neu 10, ond mi o'n i isio bod yn deneuach. Mi fyswn yn gwneud cant o *sit-ups* yn fy stafell wely, yn lynjio ac yn ychwanegu un am lwc bob tro. Mi o'n i isio stumog fflat, isio medru gwisgo *bikini*, isio bod yn ferch oedd hogia isho. Ac mi o'n i'n meddwl fod hyn wedyn am fy ngwneud i'n hapus.

Wrth i mi fynd yn fwy eithafol, mi wnes i ddechrau torri lluniau o fodelau *size zero* o *Vogue* ac *Elle*, a sgwennu drostyn nhw'n fawr mewn beiro goch: *Nothing tastes as good as skinny feels.* Roedd o i fod i fy atgoffa bob bore mod i angen bod yn denau. Mi o'n i'n esgus mai bod yn *edgy* o'n i, yn gwneud *collages* cŵl tu mewn i'm wardrob, yn *pixie dream girl* o Tumblr. Ond mewn gwirionedd mi o'n i ar ddibyn oedd yn bygwth dymchwel.

Y peth gwaethaf am lwgu fy hun oedd mod i'n caru bwyd, yn caru bwyta ac yn caru coginio. Mi o'n i wedi tyfu fyny efo Mam a Nain ac Antis oedd yn wych am wneud stiwiau a *lasagnes* a chacennau ac mi oedd gen i archwaeth mawr am fwyd *full fat*: menyn go iawn, llefrith hufennog, caws, bara. Mi o'n i'n cael fy nghanmol am fy archwaeth tra o'n i'n tyfu fyny ond rŵan mi oedd o'n rhywbeth oedd yn dod â siom a chywilydd i mi.

Roedd gen i swydd bob dydd Sadwrn yng nghaffi fy Anti Bethan ac mi o'n i wrth fy modd yn blasu a bwyta'i chacennau a'i thatws rhost, ond rŵan mi fyswn i'n sipian coffi yn y gongl neu'n smalio mod i'n brysur pan oedd hi'n amser cinio. Tric arall oedd gen i oedd helpu i bobi cacennau yno, er mwyn tynnu sylw oddi wrth y ffaith mod i ddim yn bwyta. Mi fyswn i'n gweiddi 'Sbïwch neis 'di hwn!' dros y caffi wrth ddod â chacen lemon o'r gegin, er mwyn gwneud yn siŵr fod pawb wedi gweld, er mod i heb flasu congl o'r sbwnj hyd yn oed. Mi fyswn i'n torri tamaid o'r gacen a'i rhoi mewn *cling film* 'er mwyn ei bwyta wedyn' – dyna o'n i'n ddweud, ond mi fyswn i'n stopio ar y ffordd adra i ollwng y gacen yn nhŷ fy ffrindiau, fel presant bach iddyn nhw.

Mi o'n i wastad yn desbret i gael tamaid o'r gacen ond erbyn hyn ro'n i mewn cystadleuaeth efo fi fy hun. Doedd Romy a fi ddim hyd yn oed yn gymaint o ffrindiau ddim mwy. Mi fyswn i'n gwneud bets efo fi fy hun: os ti ddim yn bwyta'r gacen, fydd 'na rywun isio mynd efo chdi; os ti'n gwneud cant ac un *sit-up*, mi fydd gen ti gariad cyn diwedd y flwyddyn. Y peth gwaethaf oedd fod 'na dal ddim hogia yn fy ffansïo i, felly do'n i dal ddim digon tenau. Mi oedd yn golygu mod i'n hyll hefyd.

Un amser cinio tra o'n i'n gweithio yn y caffi, ro'n i'n bwyta salad gwyrdd, heb domatos, oherwydd mod i wedi darllen fod 'na ormod o galorïau ynddyn nhw.

'Blydi hel, ti'n wirion 'de,' dywedodd Llinos wrtha i yn ddi-lol. 'Blydi tomatos ydyn nhw.'

Edrychais arni'n syn, fel lleidr oedd yn cael ei ddal wrth ei waith.

'Ti'm yn byta.'

'Yndw, dwi jest yn bod yn iach.'

'Byta'r tomatos 'ta. Maen nhw'n iach.'

Rhedais o'r bwrdd mewn hyff yn lle mod i'n bwyta tomato.

Do'n i'm hyd yn oed yn colli mwy o bwysau erbyn hyn chwaith, ond mi oedd 'na rywbeth yn dal yndda i yn gwneud i mi ddal ati ac atal fy hun rhag bwyta oherwydd mi oedd yn rhaid i mi fod yn denau neu fyswn i fyth yn hapus. Mae merched yn cael eu cyflyru o oed ifanc i feddwl fod bod yn denau yn gyfystyr â bod yn hapus, yn dod â gwerth, ond mewn gwirionedd dim ond gwneud fy hun yn llai o'n i. Gwneud fy nghorff yn llai a gwneud fy mhersonoliaeth yn llai oherwydd doedd gen i fyth egni. Mae *diet culture* a chylchgronau yn ffynnu ar y syniad fod merched angen gwneud eu hunain yn deneuach a chymryd llai o le. Byddai'n amser hir eto cyn i mi sylweddoli fod gwerth ddim yn dod o'r ffordd ro'n i'n edrych ac yn sicr ddim yn dod o ba mor denau o'n i. Roedd sut o'n i'n gweld fy hun wedi ei glymu efo be oedd hogia yn feddwl ohonaf i a doedd hynny ddim yn ffordd iach o feddwl, ddim yn ffordd iach o feddwl o gwbl.

*

Cacen lemon Anti Bethan
Dyma fy hoff gacen sbwnj a hoff gacen sbwnj fy ffrindiau hefyd. Anaml fydda i'n pobi cacennau ond os fydda i, hon fydda i'n wneud. Mae hi'n syml a wastad yn codi gwên.

Cynhwysion
225g o farjarîn
225g o siwgr mân (*caster sugar*)
4 wy mawr
2 lemon (bydd angen y sudd a'r *zest*)
225g o flawd codi
Siwgr eisin
Sblash o lefrith
Flake

Dull
- Rhowch y popty mlaen i gynhesu ar 180 gradd. Estynnwch am y tin cacennau a'i iro efo marj.
- Cymysgwch y siwgr a'r marjarîn tan fod y gymysgedd yn llyfn. Gallwch wneud hyn efo bowlen a whisg ond mae prosesydd bwyd yn haws os oes ganddoch chi un.
- Ychwanegwch flawd a wyau am yn ail yn ara deg. Gofalwch nad ydi'r gymysgedd yn cyrdlo.

35

- Ychwanegwch *zest* y lemons i greu cymysgedd hufennog ei lliw.

- Rhowch y gymysgedd yn y tin a'i choginio am ryw hanner awr neu tan iddi godi'n sbwnj euraidd. Yn y cyfamser, llyfwch y fowlen yn lân cyn ei golchi.

- Rŵan, gwnewch eisin efo'r siwgr eisin a dŵr poeth. Ychwanegwch sudd lemon a sblash o lefrith i'r eisin i'w wneud o'n llyfn a blasus.

- Wedi i'r sbwnj orffen pobi, bydd angen profi pa mor amyneddgar ydach chi efo'r *ultimate test of will power* a gadael i'r sbwnj oeri cyn ychwanegu'r eisin am ei ben.

- Rhowch friwsion Flake ar ben yr eisin am fwy o felysrwydd.

- Torrwch damaid i chi'ch hun ac i'ch ffrindiau. Yfwch baned o de. Mwynhewch. Anghofiwch am galorïau.

3. Snogio

Pethau sy'n yn bwysig i mi yn 14 oed

- Snogio hogyn, dim ots pwy ar y stêj yma chwaith,
  dwi jest angen stopio bod yn *frigid*
- Cael hogia i fy licio i a chael rhywun i fynd allan efo fi
  (mi fysa wythnos yn ddigon hir)
- Gwneud yn dda yn fy arholiadau ond dim rhy dda achos
  tydi hogia ddim isio hogan sydd yn rhy glyfar
- Bod yn denau
- Bod yn ddel
- Bebo a chael rhywun i fod yn *other half* i mi
- Bod yn ffrindiau gorau efo Fflur a Glesni

Y PETH PWYSICAF i ferch 14 oed o Ben Llŷn oedd ffeindio cariad neu o leiaf ffeindio hogyn fysa'n ei snogio. Tasg amhosib i hogan oedd yn methu hyd yn oed siarad efo hogia. Do'n i ond angen i un sbio arna i ac mi fasa 'ngwyneb i'n llosgi, yn goch fel tomato. Roedd hogia fel creaduriaid mytholegol. Mi oeddan nhw'n edrych yn wahanol, yn ymddwyn yn wahanol a do'n i methu gweithredu'n gall o'u cwmpas.

Mi o'n i'n disgwyl i fy holl broblemau ddiflannu – jest i mi gael un snog efo hogyn. Mi fyswn i'n saliwtio pob pioden, byth yn sefyll ar gracs yn y palmant, yn cnocio ar bob un darn o bren cyn gadael y tŷ, yn ysu i'r dydd hwnnw fod *y* dydd. Y dydd fysa'n newid bob dim, y dydd fyswn i'n cael fy snog gyntaf.

Doedd o ddim yn helpu fy *self-esteem* bod fy ffrindiau gorau, Fflur a Glesni (efeilliaid a *byth* yn Glesni a Fflur) yn wych am siarad efo hogia. Roeddan nhw hefyd yn *petite*, yn cŵl, yn tu hwnt o dlws ac roedd yr hogia i gyd yn heidio atyn nhw. Mi aethon nhw ar wyliau i Crete ac mi wnaeth Glesni gael cariad o Wlad Belg, *dyna* pa mor dda oeddan nhw am siarad efo hogia; eu prydferthwch yn goresgyn rhwystrau iaith a daearyddiaeth. Roedd Glesni wastad un cam o flaen pawb, hi oedd yn arwain y ffordd. Y cyntaf i gael snog, i gael *holiday romance*, i gael cariad ac i gyrraedd uchafbwynt pwrpas bywyd: colli ei *virginity*.

Doedd 'na ddim siâp gwneud hynny arna i – roedd ffeindio snog yn ddigon anodd. Mi o'n i'n lletchwith, yn *geeky*, yn dalach na lot o hogia 14 oed ac yn gwisgo Crocs gwyrdd (*cyn* iddyn nhw fod yn cŵl).

'Ti'n gweithio mewn gegin?' gofynnodd Jeffrey i mi un noson yn Iwth Clyb.

Right on cue teimlais fy hun yn cochi, y lletchwithdod yn lledaenu fel tân ac yn gwibio drwy 'ngwythiennau fi.

'Ei, ti'n gweithio mewn gegin?' gofynnodd unwaith eto.

'Pwy, fi? Ym, yndw. Dwi'n gweithio'n caffi Anti fi yn...'

'Na, mêt, cymyd y piss dwi. Gweld y Crocs 'na nesh i a meddwl na jest chefs sy'n gwisgo Crocs fel arfar 'de?'

Os oedd o hyd yn oed yn bosib, mi wnaeth fy mochau ddechrau llosgi fwy. Cerddodd Jeffrey at y *lads* dan chwerthin, heb sylwi ei fod o wedi gwneud i mi deimlo mor wirion a mor fach.

A dyna'r noson olaf i mi wisgo'r hen Grocs gwyrdd 'na.

*

Roedd hi'n teimlo fatha bod pawb o 'nghwmpas i'n snogio pan o'n i'n 14 oed. Roeddan nhw'n snogio ar sêt gefn y bws, yn sleifio i ffwrdd ar dripiau ysgol i chwarae *tonsil tennis*, yn denig tu ôl i'r gampfa amser cinio i wneud. Roeddan nhw'n tecstio'i gilydd drwy'r wythnos er mwyn cael *free weekends* i decstio'i gilydd drwy'r penwythnos. Ro'n i'n teimlo fatha mod i ar y cyrion, yn ysu i gael bod yn rhan o'r clwb egsgliwsif 'ma, ond yn methu hyd yn oed pasio'r egsám cyntaf.

Y peth anoddaf o bosib oedd nid y ffaith mod i heb fod *efo* neb ond y ffaith fod pawb yn gwybod mod i heb. Mi oedd gorfod mynd i'r ysgol a derbyn cwestiynau fel 'ti'n frigid?' neu 'pa mor bell ti 'di mynd 'ta?' yn teimlo fel hunllef. Mi fyswn i'n gorfod ateb efo 'yndw' a 'dim yn bell o gwbl', wedi fy mychanu yn llwyr a hyd yn oed yn teimlo fatha mod i wedi gwneud rhywbeth o'i le. Yn sicr, mi gafodd hyn effaith ar y ffordd o'n i'n gweld fy hun ac yn teimlo amdana i fy hun a fy hunan-werth. I mi, mwya'n byd o hogia oeddach chdi wedi bod efo nhw, neu wedi gwneud rhywbeth efo nhw, gorau'n byd. Roedd hynny'n golygu bod rhywun yn ddel ac yn denau ac yn ddeniadol.

Oedd, roedd hi'n teimlo fel fod pawb arall *yn y byd* wedi mynd yn bellach na fi. Roedd gan Glesni gariad erbyn hyn, y ddau yn snogio wrth y loceri bob amser cinio.

Diolch byth felly am Ralis Ffermwyr Ifanc.

Mi o'n i'n gwisgo jîns gwyn yn fy Rali cyntaf yn 14 oed, mor naïf yn fy nghyffro. Doedd gen i'm syniad be i ddisgwyl – o'n i'n meddwl mai mynd i osod blodau a chneifio dafad o'n i, ac ella yfed ambell botel o Smirnoff Ice, heb syniad mai'r noson hon fyswn i'n cael fy snog gyntaf.

'Un botal o Smirnoff Ice, Gwenllian!' gwaeddodd Mam o'r car wrth fy ngollwng ger y bws. 'A bihafia.' (Er nad o'n i erioed wedi rhoi rheswm iddi feddwl na fyswn i'n bihafio.)

Ar ôl i mi gael trydydd yn y gystadleuaeth gosod blodau, dyma ni wedyn yn newid ar gyfer rhan bwysicaf y dydd – y rali nos. Os nad ydach chi wedi bod mewn Rali Ffermwyr Ifanc o'r blaen, y ffordd orau o'i ddisgrifio ydi casgliad o blant horni wedi cael eu rowndio i sied ar ffarm fwya'r sir efo arogl tail a llwch ffarm yn lingro o'ch cwmpas. Roedd y bar wedi ei wneud allan o hen ddeunydd ffarm ac roedd hi'n ddigon hawdd ffeindio rhywun i brynu diod i chi. Roedd hi'n josgin *central* a'r Smirnoff Ices yn llifo.

O dan fflachiadau'r disgo yng nghanol y *dancefloor*, roedd hi'n teimlo fel bod unrhyw beth yn bosib. A dyma ffug-hyder y diod melys yn fy llaw i'n dechrau treiddio, yn gwneud i mi symud yn wahanol, i 'nghorff i lacio, i 'ngwrido fi feddalu. Ac yna roeddan ni'n dawnsio, fy mreichiau rownd ei wddw fo, a dyma fo'n rhoi ei wefusau ar fy rhai i gan wthio'i dafod mawr i 'ngheg innau. Roedd o'n *sloppy*, yn wlyb ac yn ddiarth ond mi oedd o wedi digwydd o'r diwedd efo hogyn o'r enw Gerry. Ar ôl snogio'n ddianadl am dri deg eiliad dyma fi'n tynnu nôl i gael sbio ar y boi yma o 'mlaen yn iawn. Dyma fo'n fy nhynnu i'n ôl am ail snog, ac yna diflannodd i'r dorf heb air. Rhedais at y genod i ddweud mod i ddim yn *frigid* ddim mwy, eu hocheneidiau o hapusrwydd yn gwneud i mi deimlo fel mod i, *o'r diwedd*, yn rhan o'r clwb.

Yn fy mhen i, roedd Gerry am ofyn am fy rhif, am decstio ac wythnos wedyn fysan ni'n mynd allan efo'n gilydd ac yn gorfod cynnal perthynas o bellter rhwng Pwllheli ac Ysbyty Ifan, ein cariad yn ddigon cryf i'w *gwneud* hi, er mod i'n gwybod absolwtli *dim byd* amdano fo, dim hyd yn oed enw ei ffarm. Mor siomedig o'n i pan o'n i'n codi llaw arno fo wrth i'r bws ddreifio nôl am Ben Llŷn, y tro olaf i mi ei weld o erioed.

'Pam bod o'm 'di gofyn am 'yn rhif i?' gofynnais i fy

ffrindiau yn hunandosturiol, heb sylweddoli fod snogio rhywun yn dod â set hollol newydd o broblemau i'w datrys.

*

Digwyddodd dau beth wnaeth siapio fy arddegau yn nhafarn Twnti yn Rhydyclafdy, tafarn wledig oedd yn gweini diodydd alcoholig i blant 15 oed Pen Llŷn – *neutral ground*, lle i'r *townies* a'r josgins gymysgu. Fysa 'na blant o bob pegwn o'r penrhyn yn dod i dafarn Twnti ar nos Sadwrn, y merched wedi ymbincio mewn gwahanol *shades* o oren, yn trotio fewn i'r bar ac yn heidio i'r bwrdd gwag yn y gongl, gan sibrwd ymysg ei gilydd be oeddan nhw am ordro (*vodka*, *lime* a lemonêd) a phwy fyddai'n mynd i'r bar gyntaf. Byddai'r hogia i gyd wrth fwrdd arall yn yfed peintiau o Carling ac yn trio dal llygaid. Roedd y *vibe* fel disgo ysgol gynradd i gychwyn, a'r minglo'n digwydd yn araf wrth i bawb ddechrau meddwi, y ddwy garfan wedi'u lledaenu ar hyd y ddau fwrdd erbyn diwedd y noson.

Dim ond ar ddechrau fy ngyrfa snogio o'n i yn ystod y cyfnod hwn, dal yn trio dallt hogia, dal yn trio gweithio allan sut i fynd â phethau'n bellach, dal i drio gweithio allan sut yn union i gyfathrebu efo nhw (ac yn methu). Fy steil arferol oedd gadael i'r hogyn fy arwain i drwy'r snogio ac unrhyw sefyllfaoedd oedd i ddilyn – o'r dechrau i'r diwedd.

Erbyn hyn mi o'n i'n ordro fy chweched *vodka* o'r noson ac yn sefyll ger y bar wrth ymyl John.

'Hon neith hogan iawn i chdi, John!' meddai'r hen ddyn oedd yn gweithio tu ôl i'r bar.

Trodd John i sbio arna i a jest dweud, heb unrhyw oedi, 'Yy, dim diolch', gan droi nôl at yr hen ddyn i chwerthin.

Dyna dro arall i hogyn, heb sylwi, wneud i mi deimlo mor wirion, mor fach, a do'n i'm hyd yn oed yn gwisgo Crocs y noson honno.

Dyma ddau air wnaeth hongian uwch fy mhen am flynyddoedd wedyn. Er mod i'm hyd yn oed *isio* mynd efo John, mi oedd y gwrthodiad, mor sicr, mor sydyn, wedi codi cywilydd arna i a wedi gwneud i mi deimlo yn ddi-werth, yn ddi-ddim. Ond y noson honno mi wnes i gladdu'r teimladau 'na a llusgo fy hun yn ôl at fy ffrindiau gan wenu heb ddweud dim am yr hyn oedd newydd ddigwydd, er ei fod o'n pwyso arna i fel tunnell o frics. Yn sydyn, mi o'n i'n tu hwnt o hunanymwybodol, yn meddwl mod i'n hyll, yn difaru gwisgo fy sgert lwyd, yn teimlo'n dew, yn poeni am wenu achos bod fy mraces i'n dangos. Dwi'm yn meddwl fod John wedi meddwl am y sefyllfa 'na erioed wedyn, ond mi wnes i, achos mod i'n arfer gadael i hogia gael gormod o bŵer dros sut o'n i'n teimlo.

Yr ail brofiad a ddigwyddodd yn Twnti wnaeth siapio fy arddegau oedd cael fy myseddu am y tro cyntaf. Do'n i ddim yn ffansïo Billy o fath yn y byd, ond mi o'n i'n bellach fewn i'm gyrfa snogio ac mi o'n i'n meddwl ei bod hi'n amser cyrraedd y lefel nesaf, sef *hand-jobs* a ffingro. Ar ôl gwneud cysylltiad llygaid efo Billy yn y bar, ac wedi i ni fflyrtio mymryn wrth yfed *vodkas*, dyma ni'n sleifio i'r cefn am snog. Yna roeddan ni'n cerdded i lawr y lôn droellog i gae cyfagos, a dyna lle rosh i fy *hand-job* cyntaf a derbyn fy myseddiad cyntaf.

'Sut o'dd o?' gofynnodd Fflur y bore wedyn.

'Iawn sti, nath o'm brifo achos dwi'n iwsio tampons, dydw?' atebais, heb ddychmygu y dylai pleser gael ei ystyried fel rhan o 'mhrofiad rhywiol cyntaf erioed. Doedd 'na ddim rhamant, doedd 'na ddim hyd yn oed sbarc rhyngon ni; mi oeddan ni'n ddau berson oedd yn fodlon halio'n gilydd am 'chydig i gael *notch* arall ar bostyn y gwely i brofi bo ni'm yn *frigid*.

Dwi'n gweld rŵan mod i wedi bod yn berson *passive* yn y profiadau cynnar 'ma. Yn gadael i bethau ddigwydd i mi heb ystyried na chwestiynu pam mod i'n eu gwneud nhw ac os o'n i wir *isho*'u gwneud nhw. Ro'n i'n byw bywyd yn teimlo fod cael sylw gan rywun, dim bwys pwy, yn well na chael dim. Doedd gen i ddim wir ddiddordeb yn yr hogia 'ma, dim ond *mild attraction* fysa'n gwneud y job am noson. Duw a ŵyr os oedd gen i rywbeth yn gyffredin efo nhw chwaith achos do'n i byth yn sticio o gwmpas ddigon hir i holi. Mi oedd gen i gymaint o ofn y bysan nhw'n cwestiynu pethau amdana i – y dillad o'n i'n wisgo, lliw fy *eyeshadow*, y pynciau o'n i'n wneud – a phenderfynu bo nhw ddim yn licio hynny ac y bysan nhw wedyn yn fy ngwrthod.

A doedd gen i ddim math o *agency* yn y profiadau yma chwaith – ro'n i'n disgwyl i ddynion ddod ata i, i wneud y cam cyntaf, i fynd fewn am y snog, i'm harwain i gongl dywyll, i sleifio llaw ar fy mron. Os o'n i'n ymddwyn fel'ma, mi o'n i'n llai tebygol o gael fy ngwrthod, neu o gael hogyn yn sbio arna i a dweud 'Dim diolch'. Mi oedd *yr ofn* yn bresennol ym mhob eiliad o'r dydd, yn fy nilyn i bob parti, yn lingro ar bob trip i'r traeth – ond roedd peidio cael y profiadau 'ma efo hogia yn waeth fyth. Bod yn *frigid* oedd y peth gwaethaf erioed.

*

Lle anoddach i'w droedio na hyd yn oed y byd go iawn oedd y tirwedd digidol. Doedd gen i ddim diddordeb mewn eistedd o flaen fy nghyfrifiadur ar ôl ysgol yn trio creu sgwrs efo hogia, ond dyma oedd rhaid i mi ei wneud os o'n i am gael siot ar snogio mwy.

'Ti angan rhoi dy hun allan 'na fwy sti,' dywedodd Glesni. 'Jest cael Bebo fatha pawb arall.'

I'r rheiny ohonoch sydd ddim yn gyfarwydd efo hyn, cyn Facebook ac ar ôl MySpace, roedd Bebo – yn chwaer fawr *trashy* i Facebook a hen gariad *trashy* i MySpace. Roedd hi'n teimlo fatha bod pawb ym Mhen Llŷn yn ei ddefnyddio (heblaw am Mirain oedd yn defnyddio MySpace achos bo hi'n mynd drwy *emo phase*). Mi fysa pawb yn brysio adra o'r ysgol i gael mynd ar Bebo tan i dy rieni weiddi mai *nhw* oedd yn talu'r bil.

Y cam cyntaf oedd cael llun addas ar gyfer fy llun proffil, ac roedd hynny'n anodd iawn. Doedd gen i ddim lluniau da ohonaf i, neu dim lluniau fysa'n fy ngwneud i'n ddeniadol i hogia ('nes i ddim dychmygu y byddai hyn yn rhywbeth fyswn i'n goro delio efo am flynyddoedd i ddod). Dyma Glesni, fy ffotograffydd personol, yn cyfarwyddo *shoot* i mi a chynghori sut dylwn i sefyll, be ddylwn i wneud efo fy ngwyneb a 'ngwallt. Ar ôl golygu'r lluniau *to within an inch of my life* (lleihau y disgleirdeb, ypio'r cyferbyniad – *foolproof trick* i ferch ansicr 15 oed) mi oedd gen i lun addas. Y cam nesaf oedd dewis cefndir, darganfod ffrindiau ac yna ychwanegu gwybodaeth bersonol fel fy *relationship status*. Roedd 'na 5 dewis ac mi ddewisais i *down for anything*, er mwyn ei gwneud hi'n hollol amlwg i 'nghyfoedion mod i'n sengl ac yn hapus i wneud be bynnag. Y cam olaf, ac o bosib y mwyaf cas, oedd trio ffeindio rhywun i fod yn *other half*. Doedd bod yn ffrind gorau i rywun yn golygu dim wrth drio gwe-lywio'r platfform creulon hwn. Byddai triawdau'n cael eu chwalu, cariadon yn cael eu dympio heb yr un gair. Ond roedd y creulondeb yn parhau wrth i chi ei ddefnyddio tra oedd Bebo yn ysglyfio ar wendidau a phryderon plant ifanc ar hyd y byd – roeddach chi'n rancio eich ffrindiau, yn gyrru *love* i bobl ac yn gweld faint o weithiau oedd eich proffil wedi cael ei weld. Roedd o'n hollol anwaraidd, yn gwneud i chi deimlo eich bod yn brwydro am eich statws, eich bywyd.

Ar ôl logio ymlaen un diwrnod, gwelais fod Glesni wedi dympio fi fel *other half* am hogyn o'r enw Jesse. Ro'n i wedi cael fy mradychu gan fy ffrind gorau, wedi fy nympio am hogyn, ond y gwir ydi fod 'na neb yn ffrindiau ar Bebo. Dim go iawn. Yma roedd pawb yn bodoli er mwyn eu lles eu hunain. Roedd pob calon a gafodd ei gyrru yn drwm dan bwysau disgwyliadau. Pwy ar wyneb y ddaear oedd am fod yn *other half* i mi rŵan? Ro'n i'n teimlo fel bod y rhwydweithiau hyn yn bodoli i wneud fy mywyd i'n fwy *tragic*. Doedd 'na ddim hogia'n siarad efo fi ar MSN a doedd 'na neb isio bod yn *other half* i mi ar Bebo.

O bosib, mi wnaeth y dyddiau cynnar 'ma o fod mor amhoblogaidd ar gyfryngau cymdeithasol fy arbed i rhag bod yn rhy *obsessed* wrth iddyn nhw ddatblygu, ond yn sicr mi wnaethon nhw sementio'r teimlad 'na oedd yn dew yndda i'n barod – mod i ddim yn ddigon da a fod hogia ddim yn fy ffansïo fi.

*

Os nad oeddan ni'n yfed yn Twnti, mi oeddan ni'n yfed ar draeth Pwllheli. Doedd 'na ddim cymysgu efo josgins yn fama oherwydd mai teyrnas y *townies* oedd y dre. Doedd 'na 'run *steel toecap* i'w weld, dim un stori am ddefaid yn dianc yn cael ei hadrodd. Roedd Jesse, cariad Glesni, yn bodoli yn y *top tier* o *townies*. Roedd ganddo fo *earring* yn ei glust ac mi oedd o'n medru cael gwahoddiadau i ni i'r holl bartis yn dre.

Roedd Fflur a Glesni wedi medru fy rhoi i mewn sefyllfa od lle ro'n i, josgin, wedi medru treiddio i gylch mewnol y *townies*. Os oedd 'na barti, mi o'n i'n cael mynd iddo fo. 'Swn i'n dweud wrth fy rhieni mod i'n aros yn nhŷ ffrind ac yna off â ni i dre. Mi fysan ni'n cael gafael ar alcohol drwy Jesse ac yn heidio i'r traeth neu i dŷ un o'r plant poblogaidd. Yna mi fysa Fflur a finnau'n yfed nes i ni chwydu neu ffeindio rhywun oedd am ein snogio.

Drwy Jesse ges i wadd i barti Matthew. Gwisgais fy hoff jîns gwyn a thop llwyd oedd yn dangos fy 'sgwyddau. Roedd y WKDs yn llifo a llygaid pawb yn gwibio o amgylch yr ardd i weld pwy oedd *down for anything* go iawn.

'Mae Max 'di dweud wrth Jesse 'sa fo'n mynd efo chdi,' sibrydodd Gles yn fy nghlust i'n gyffrous. 'Yr unig beth ydi 'di o erioed 'di snogio rywun o blaen so 'sa raid i chdi neud y move cyntaf.'

Roedd rhaid i mi reoli fy hun i wneud yn siŵr fod y wên enfawr oedd yn byrlymu tu mewn i mi ddim am ddenig.

'Ond mae o flwyddyn yn llai na fi, Gles.'

'Duw, dos amdani 'de! Toyboy!'

Do'n i ddim hyd yn oed wedi cysidro Max fel opsiwn, ond roedd Glesni i weld yn cymeradwyo'r snog fysa'n medru bod. Ac mi oedd y ffaith fod 'na hogyn isio mynd efo fi yn ddigon i wneud i mi deimlo bob dim o'n i wedi bod isho'i deimlo, yn *desirable*, hyd yn oed os oedd o flwyddyn yn iau.

Ar ôl sgwrs fyrhoedlog, gorffennais fy WKD mewn un llwnc. Roedd o fel ein bod yn cymryd rhan mewn rhyw fath o *mating ritual*: y mab ifanc, dibrofiad yn cael ei snog gyntaf efo'r ferch hŷn, brofiadol oedd yn pasio'i doethineb ymlaen. Roedd pawb yn ein gwylio'n mynd rownd y gongl am ein snog, yn clapio ac yn whoopio. Ar ôl i ni snogio'n lletchwith am 'chydig funudau, ein tafodau fel *whisks* yn bangio'n erbyn ei gilydd, ein dwylo anghyfarwydd ddim yn gwybod lle'n union i fod na sut i deimlo, daeth y snog i ben.

Yn ei wyneb o gwelais y rhyddhad oedd yn dod efo cael dy snog gyntaf. Y rhyddhad o wybod y caiff o rŵan ateb cwestiynau heb gochi, y caiff o gerdded i'r parti nesaf yn teimlo 'chydig bach yn fwy sicr ynddo'i hun. Ac mi o'n i'n teimlo balchder mod i wedi medru rhoi hynny i rywun, yn rhan o gylch bywyd. Parhaodd y clapio a'r whoopio wrth i ni gerdded yn ôl i'r parti, y dasg wedi ei chwblhau.

Awr yn ddiweddarach darganfyddais fy hun ar liniau Don, blas smôcs ei dafod yn troi o amgylch f'un i a'm jîns gwyn yn stremps glas. Mi o'n i o'r diwedd yn teimlo fel snogiwr profiadol, wedi mynd efo dau hogyn mewn noson. O'n, mi o'n i wedi bod efo digon o hogia bellach i fedru ymlacio 'chydig, ond yn hwyrach y noson honno daeth Gles yn ôl gan orfoleddu a newid pob dim eto.

'Dwi a Jesse 'di neud o! O mai god, nathon ni neud o!'

A dyna 'nghalon i'n suddo, achos rŵan, mi oedd 'na dasg arall angen ei chwblhau. Tasg oedd yn teimlo hyd yn oed yn fwy anferthol ac amhosib na'r gyntaf. Tasg fyddai'n pwyso arna i ac yn cymryd blynyddoedd eto i'w chwblhau.

4. Yr haf ola, gora

Mai 2009, Pwllheli

Ar brynhawn mwyn ym mis Mai, daeth Chris i eistedd wrth fy ymyl ym mhrynhawn gwobrwyo blwyddyn 11.

'Ti'n trio bod yn cool girl yn yr outfit 'na, dwyt?' dywedodd gan edrych yn syth i'm llygaid.

Mi o'n i'n gwisgo ffrog hufen *embroidered* efo coler fach rownd y gwddw a *trainers* Converse am fy nhraed. Dyma'r tro cyntaf i mi gael cyfle i wisgo'r ffrog ac mi o'n i'n gwisgo Converse achos mod i ddim isio tyrru dros bawb yn fy *heels*, ac yn wahanol i sgidiau eraill, doeddan nhw ddim yn gwneud i 'nhraed i edrych yn rhy fawr. Doedd y wisg yn sicr ddim yn rhy wahanol, ddim yn *high fashion* o gwbl, ond doedd o ddim yn rhywbeth oedd genod Ysgol Glan y Môr yn arfer ei wisgo yn ôl Chris, mae'n rhaid.

'Be, sori?' Edrychais arno.

'O, sbïwch fi mewn Converse yn meddwl bo fi'n cŵl!' meddai mewn llais nawddoglyd, gan wneud stumiau mawr efo'i wyneb. 'You ain't fooling anyone, Gwenllian.' Yna dechreuodd chwerthin.

Llyncais fy nagrau'n ôl a sbio'n syth ymlaen. Diolch byth mai dyma'r diwrnod olaf y byddwn i'n gorfod eistedd wrth ymyl hogia fel Chris oedd i weld yn cael *kick* o wneud i bobl fel fi deimlo'n wahanol ac yn fach.

Mi o'n i'n gadael mewn tri mis i fynd i ysgol newydd, i'r chweched dosbarth yn yr Amwythig, felly dyma oedd fy haf olaf ym Mhen Llŷn. Pan fyddwn i'n symud i ddechrau bywyd newydd ym mis Medi, do'n i ddim am orfod dioddef y bywyd distaw, di-ddim yma ddim mwy, do'n i ddim am orfod gadael i hogia fel Chris wneud i mi deimlo'n fach ac yn wirion. Mi o'n i am fod yn byw mewn tre fawr, efo Topshop a chlwb rhwyfo. Oedd, roedd bywyd yn teimlo fel petai ar fin dechrau. Felly eisteddais yno, yr hogan chwarae ffliwt, yn aros i dderbyn fy ngwobr gan ysu i'r tri mis nesaf chwyrlïo heibio.

*

Dwi'n sicr fod pawb sydd wedi cael eu magu yng Nghymru wedi bod mewn parti mewn cae o leiaf unwaith yn eu bywyd. Ym Mhen Llŷn, roedd 'na wastad ffrind neu ffrind i ffrind yn ferch neu'n fab ffarm efo rhieni oedd ddigon gwirion i adael iddyn nhw gael parti mewn cae neu sied. Yn ein criw ni, Mali oedd honno.

Mewn cae 'nes i feddwi tu ôl i gefn fy rhieni am y tro cyntaf a blasu fy smôc gyntaf. Dwi'n cofio troi rownd mewn cylch yn yfed can o Strongbow Dark Fruit gan feddwl y bysa fo'n gwneud i mi deimlo'n fwy meddw, a'i chwydu nôl fyny mewn clawdd cyfagos cwta funudau wedyn. Mewn caeau dwi wedi dawnsio efo ffrindiau newydd, canu caneuon Iwcs a Doyle o dan y lleuad a chreu rhai o fy atgofion gorau (a rhai o'r gwaethaf).

Yn draddodiadol byddai disgyblion Glan y Môr yn dathlu diwedd tymor neu ddiwedd eu harholiadau drwy yfed ar y traeth. Dyma'r unig amser y byddai'r *townies* a'r josgins yn cymysgu; ein cawelli cymdeithasol yn diflannu am noson. Byddai poteli o Apple Sourz yn cael eu necio mewn un gylp, pobl yn rowlio'u joint cyntaf, smocio'u joint cyntaf, rhywun yn sicr yn snogio yn y brwgaij, a byddai'r noson bob amser

49

yn dod i derfyn buan wrth i'r heddlu ddod i chwalu'r parti a phawb yn rhedeg i gyrion gwahanol o'r dre i guddio nes ei bod hi'n ddigon saff i ddod allan eto.

'Ffwcio parti ar y *beach* tro 'ma, dwi'n neud parti ar y ffarm acw,' meddai Mali wythnos cyn i ni orffen ein harholiadau TGAU. 'Pawb gampio. Nawn ni dân. Iawn?' 'Iawn. Awê!'

Roedd Mali'n bum troedfedd, pedair modfedd o wallt mawr cyrliog browngoch ac yn siarad yn blwmp ac yn blaen, heb owns o falu cachu; unwaith roedd hi'n meddwl am rywbeth doedd 'na ddim yn ei stopio hi. Hyd heddiw, does 'na neb yn dadlau 'fo Mali pan mae'n dod at drefniadau. Mi oedd gan Mali gysylltiadau efo'r ysgol uwchradd arall ym Mhen Llŷn, Ysgol Botwnnog, felly roedd 'na gyfle i ehangu gorwelion 'chydig – a mwy o opsiynau ar gyfer bachu (a gwneud ffrindiau newydd, wrth gwrs). Yn sydyn, roedd y cwota snogio yn cael ei ddyblu: mi oedd 'na botensial. Oedd hogia Botwnnog yn neisiach na hogia Glan y Môr?

Efo crât o Smirnoff Ice a photeli o Apple Sourz, heidiodd pawb i'r parti. Roedd 'na necio, roedd 'na rowlio joints ac roedd 'na hen ddigon o snogio yn y brwgaij ond 'nes i'm gweld yr un heddwas. Roedd yr ysgolion yn elynion pennaf ond diflannodd y cawelli cymdeithasol y noson honno, pawb yn holi am gynlluniau'r haf, yn cyfnewid straeon, yn taeru bo nhw wedi ffwcio'r arholiad Cymraeg i fyny (pwy oedd yn disgwyl i 'Gwawr' ddod i fyny?) ac yn dogfennu pob eiliad ar gamerâu digidol gan weiddi, 'Arhoswch dau eiliad i mi gael llun!' pan oedd 'na griw o bobl yn sefyll efo'i gilydd neu'n gwneud rhywbeth doniol.

Ond yr un hen stori oedd hi – 'nes i ddim ffeindio 'run hogyn oedd am fy snogio i. Yn lle hynny mi o'n i'n cael sgyrsiau hir a dwys efo'r genod dros Smirnoff Ice. Mi wnes i ddawnsio o amgylch y goelcerth efo hen ffrindiau a ffrindiau newydd, yn canu, yn chwerthin, gan boeni dim am snogio neb yn diwedd. Mi fyswn i'n teimlo gwres y goelcerth hon yn llosgi'n boeth am y degawd nesaf.

*

Roedd parti cae Mali wedi cynnau'r teimlad fod amser yn hollol ddiderfyn, yr haf yn ymestyn o'n blaenau am byth. Roedd 'na bartis a digwyddiadau lu wedi'u cynllunio ar gyfer fy haf olaf ym Mhen Llŷn ac felly roedd 'na ddigon o gyfleoedd i joio a snogio, a mwy o bosib. Er mai dim ond 16 o'n i, mi o'n i'n teimlo'n fwy rhydd nag erioed, yn cael yfed a phartïo a gwneud pethau heb i fy rhieni ddod i weld os o'n i'n bihafio. Ond mi o'n i'n dal i ysu i dyfu fyny, i 'mywyd i gychwyn, heb sylwi ei fod o'n digwydd o dan haul yr haf olaf 'ma.

Roedd y parti cae nesaf ar ochr lôn ym Mhenrhos mewn gŵyl o'r enw Wakestock, yr unig beth cŵl i ddod i Bwllheli erioed. Deuai *surfer dudes* o bell i'r ŵyl, yn eu *shorts* hir patrymog Billabong efo'u gwalltiau hir melyn, i wakeboardio ac i wrando ar gerddoriaeth. Goresgynnent y dre am benwythnos, gan achosi i bobl leol wylltio am eu bod nhw'n gwagio'r holl silffoedd yn Asda ac yn cerdded ar y strydoedd yn lle'r palmentydd. Byddai hoel eu mwd ar hyd y dre am ddyddiau wedi diwedd yr ŵyl a'r silffoedd yn Asda dal yn wag, gan wneud i chi ama bod 'na apocalyps wedi digwydd, nid gŵyl wakeboardio. I bobl leol roedd o'n esgus perffaith i yfed a thrio bachu Saeson meddw ac mi fysa pawb yn heidio yno ar nos Wener am benwythnos, be bynnag oedd y tywydd, heb gymryd sylw o'r wakeboardio na'r gerddoriaeth.

Ar ôl dechrau haf mor wirion, mor wych, do'n i'm yn poeni am ffitio efo'r *townies* ddim mwy; mi o'n i'n hapus, o'r diwedd, i gyfadda mod i'n josgin. Ar ôl Wakestock daeth y Sioe Frenhinol, lle ges i noson wyllt yn yfed Bacardi Breezers oren yn gwrando ar Bryn Fôn yn fy *wellingtons*, un lygad ar Bryn a'r llall yn chwilio am Gerry (rhag ofn).

Y digwyddiad nesaf oedd Eisteddfod Bala 2009. Do'n i heb fod yn yr Eisteddfod cyn hynny, felly doedd gen i'm syniad be i ddisgwyl. Dwi'm yn meddwl mod i wedi ystyried be'n union oedd Eisteddfod tan i mi gyrraedd a gorfod codi tent. Doedd gen i'n sicr ddim syniad be oedd Maes B, mi o'n i'n meddwl mai jest maes campio oedd o. Ond pan gyrhaeddais yno ar brynhawn Iau, mi wnaeth fy nghalon i *backflip*. Roedd o'n gornucopia gorlawn o denti a phobl ifanc o hyd a lled Cymru yn yfed caniau ac yn smocio o amgylch eu tenti, pobl yn jamio gitârs, yn gwisgo crysau T melyn, llachar efo 'Mynd i'r Bala Mewn Cwch Banana' ar eu blaenau mewn sgwennu brown.

'Fama mae pobl ifanc i gyd sti,' dywedodd Mali. 'Ti *siŵr* o ffeindio rywun yn fama 'de!'

Mi o'n i'n gobeithio wir mod i am ffeindio rhywun. Roedd hi'n ddigon hawdd i Mali ddweud hynny achos mi oedd hi wedi bod yn bachu'r un boi ers dechrau'r haf, yr holl ddigwyddiadau ledled Cymru yn gatalydd perffaith ar gyfer hwcio fyny. Roedd 'na lot o hyn i weld yn digwydd, ond doedd o ddim yn digwydd i mi. Roedd hi wedi bod yn fisoedd ers i mi gael fy snog olaf, a drwy'r haf roedd 'na bobl o 'nghwmpas yn colli eu *virginities left, right and centre* ac mi o'n i'n poeni ei fod o byth am ddigwydd i mi.

Roedd gen i 'chydig o *issues* efo campio. Sut o'n i am olchi fy ngwallt? Dyna'r cwestiwn cyntaf ar ôl i mi ddeffro bore Gwener gyda chur mawr yn fy mhen. Pwy oedd am fy ffansïo i efo gwallt *greasy* neu heb ei sythu? Fyswn i'm yn gadael fy nhent heb roi *make-up* ymlaen, yn poeni fysa 'na neb yn fy ffansïo i heb i roi *concealer* ar fy ngwyneb a masgara ar flew fy amrannau. Ond wedi i mi ddygymod efo 'mhroblemau am gampio drwy yfed a drwy gael Mali yn dweud wrtha i i gallio, dyma ddechrau ar benwythnos gwyllt o chwerthin mewn cylch o denti, o wrando ar gerddoriaeth Gymraeg, o heidio i fars a gofyn i bobl brynu diod i mi. Ac roedd gen i un lygad yn chwyrlïo rownd y Maes neu stryd fawr Bala am fachiadau posib. Roedd o fatha mod i mor agos ond eto mor bell. Mi o'n i'n cael sgyrsiau efo hogia ond doedd dim ffrwyth i'm llafur. Roedd hi i weld fel bod pawb arall yn medru croesi dros y llinell derfyn a finnau jest yn syrthio reit ar y diwedd bob tro.

Un noson wrth gerdded lawr stryd fawr Bala yn chwilio am dafarn fyddai'n gwerthu diod i ni, dyma fi'n eu gweld nhw yn eu gogoniant: Jim a Brad. Roedd 'na dair blynedd wedi pasio ond doedd y blynyddoedd ddim wedi dirywio dim ar eu gwynebau golygus, eu gwalltiau hirach yn gwneud iddyn nhw edrych hyd yn oed yn fwy cŵl a bydol.

'O mai god, of all the streets...'

'Michelle!'

Do'n i methu credu eu bod nhw'n fy nghofio fi. Mi o'n i'n teimlo'n fwy bydol nag o'n i dair blynedd nôl (ac o'r diwedd wedi gwatsiad *American Pie* hefyd), ond mi wnaeth jest eu gweld nhw ddod â'r holl deimladau a'r *crush* yn syth yn ei ôl. Treuliais weddill y noson efo nhw, yn trio 'ngorau i fflyrtio a gwneud fy hun yn ddeniadol, yn rhoi mwy o *concealer* dan fy llygaid bob tro o'n i'n mynd i bi-pi. Erbyn diwedd y noson mi o'n i'n teimlo'n benysgafn ac yn *giddy* ar ôl yr holl sylw a'r Bacardi Breezers melys. Wrth ddawnsio yng nghefn y dorf yn nhent Maes B efo Jim, dyma fi'n meddwl, dyma ni, dwi am golli *virginity* fi heno. Doedd hogyn ddim yn gwastraffu amser yn siarad efo chdi, prynu diodydd i chdi os nad oedd ganddo fo ryw gynllun mawr, nag oedd?

Mi oedd 'na rywbeth yn reit farddonol am golli *virginity*

yn Steddfod i rywun oedd yn swog i mi dair blynedd nôl, stori ramant Gymreig i'r dim. Cyn i mi gael cyfle i gael y ffantasi o 'mhen, roedd Jim â'i freichiau rownd gwddw rhywun arall a'i wefusau ar ei gwefusau hithau. Dyma fi'n dianc yn sydyn cyn iddyn nhw ddod fyny am anadl a 'ngweld i'n syllu. Es i ar goll yn y dorf, yn falch o gael sŵn aflafar Derwyddon Dr Gonzo'n llenwi pob twll a chongl o'n meddwl i.

Ffeindiais weddill y genod yng nghefn y dent yn chwerthin a mwynhau efo'i gilydd. Nid medru bachu gwahanol bobl oedd y peth gorau am yr haf, ond medru sgwrsio a malu cachu a dawnsio mewn cae efo ffrindiau meddw, a meddwl mai ni oedd y bobl orau erioed. Ond mi o'n i mor *preoccupied* efo pethau eraill oedd ddim yn bwysig, mi o'n i'n cymryd hyn i gyd yn ganiataol a ddim yn sylweddoli fod y genod yma a'r atgofion yma am fod yn lot mwy gwerthfawr na snog ddi-ddim.

*

Achos fod parti cae Mali wedi bod yn gymaint o lwyddiant, 'nes i benderfynu y byddwn i'n cael parti sied ar noson canlyniadau TGAU. Pwy oedd isio tywod yn eu *trainers* pan oedd y sied ar gael? Daeth Mali acw i drefnu wythnos ynghynt a dyma'r diwrnod 'nes i greu fy nghyfrif Facebook.

'Ma'n hen bryd chdi ddileu y Bebo gwirion 'na sti, dim ond townies sy dal i ddefnyddio fo, mae pawb arall ar Facebook 'wan.'

Gyda phleser dyma fi'n dileu fy mhroffil Bebo – y lluniau desbret ohonaf i yn fy mra yn diflannu i nunlla, yr angst a'r holl boeni am *fy other half* yn anweddu, y *loves* yn ddim byd yn diwedd. Creais fy mhroffil a mynd ati'n syth i ychwanegu ffrindiau a chreu *event page* i'r parti. Roedd pawb yn cael gwahoddiad: ffrindiau newydd, ffrindiau i ffrindiau, hen ffrindiau. Roedd y parti'n gyfle i gladdu'r haf, i gladdu 'mywyd ym Mhen Llŷn a ffarwelio efo pawb. *One last hurrah.*

Roedd hi'n noson lawog a meddw, plant yn chwydu erbyn wyth o'r gloch, snogs yn cael eu trosglwyddo ym mhob congl dywyll o'r sied a phobl yn dawnsio ar y big bêls. Mi wnaeth Dad orfod achub rhywun oedd wedi penderfynu mynd i gysgu yng nghanol y mwd yn y twlc moch.

Un person oedd ddim wedi cael gwadd i'r parti oedd Megan. Do'n i heb siarad efo hi o'r blaen, dim ond wedi'i chlywed hi'n gweiddi 'C'mon genod!' a 'Dowch 'wan!' wrth ei thîm hoci tra o'n i'n ista ar ochr y cae yn sybio i dîm Glan y Môr. Roedd ganddi hi enw: mewn eisteddfodau, efo hogia, ar y cae hoci, ac roedd hi'n fy nychryn 'chydig bach. Roedd hi'n edrych ac yn ymddwyn yn hŷn nag 16 oed a 'nes i erioed ddychmygu y bysa hi isio dod i fy mharti josgins i.

'Nes i ei gweld hi o gongl fy llygad yn cerdded i'r sied mewn ffrog *boob tube* du efo rhosod mawr pinc arno, ei gwallt brown yn bownsio uwch ei phen. Mi ges i dro yn fy stumog wrth ei gweld hi'n dod ata i.

'Sori, dwi'n crasho'r parti!'

'O, ma'n iawn,' atebais, yr ofn a'r gorfoledd yn gyfartal.

'Lle mae toilet, dol?'

'O, mae o jest rown gongl,' dywedais wrth sipian Smirnoff Ice, yn trio esgus mod i'n cŵl.

Mi es i rownd yn dweud wrth bawb mewn anghrediniaeth llwyr fod Megan *acshli* wedi dod i 'mharti fi. 'Chydig funudau ar ôl i mi ddweud wrthi am y toilet, mi 'nes i ei gweld hi'n dod allan o dŷ fy nain. Cerddodd tuag ata i.

'Iesu, am doilet crand yn fanna!' meddai'n ddiniwed. 'Dy nain yn glên. O'dd 'na gi bach yna a bob dim.'

'Rownd y gongl arall oedd y toilet... y toilet tu allan mae pobl fod i iwsio...'

'O god, o sori... dwi 'di cael smôc efo dy nain a bob dim.'

Ar ôl 'chydig eiliadau o sbio ar ein gilydd, mwy na thebyg yn asesu sut oedd y naill a'r llall am ymateb i'r ffaith ei bod hi wedi bod yng nghartref fy nain yn smocio efo hi, dyma'r ddwy ohonom yn dechrau chwerthin yn hysterig dros y parti i gyd. Nathon ni ddim siarad rhyw lawer mwy y noson honno, dim ond taflu ambell i gipolwg a gwên gyfrwys ar draws y sied fel tasa ganddon ni'n dwy gyfrinach. Roedd 'na rywbeth *all-consuming* wedi cael ei sbarcio'r noson honno, rhywbeth oedd yn dweud wrth y ddwy ohonom am sticio o gwmpas achos roedd hyn am fod yn sbesial.

*

Roedd hi'n teimlo fel bod holl amser y byd ganddon ni, ond yn fuan iawn daeth mis Medi pan roedd rhaid i mi ffarwelio efo pawb. Ar ddechrau'r haf roedd y dydd hwn yn teimlo mor bell i ffwrdd, bron fel petai o ddim am ddigwydd go iawn. Dim ond tri mis wnaeth hi gymryd i mi ddisgyn mewn cariad efo bod yn josgin, efo 'ngwlad a 'mro a'r bobl o'n i wedi bod mor gyndyn o wneud ymdrech efo nhw cyn yr haf hwnnw.

Mi o'n i'n eistedd yn fy stafell wely efo Fflur a Glesni, fy ffrindiau ffantastig oedd wedi gafael yn fy ngwallt tra o'n i'n chwydu, oedd wedi treulio nosweithiau'n paldaruo am hogia efo fi a phrynhawniau diog yn gorwedd ar soffas yng nghartrefi'n gilydd. Rhain oedd wedi fy arwain drwy'r bum mlynedd olaf gyda gofal a chariad ac mi o'n i'n gorfod eu gadael.

'Mae bob dim am newid, dydi?' dywedodd Fflur yn ddagreuol.

'Ydan ni dal am fod yn ffrindia?' gofynnodd Gles.

'Yndan siŵr, chi ydi ffrindia gora fi. Be os 'dach chi'n anghofio amdana i?'

'Be os ti'n anghofio amdanan ni?'

'Dwi am fethu chi gymaint.'

''Dan ni am fethu chditha 'fyd.'

Mi o'n i'n teimlo fel mod i'n colli'r sgaffaldiau oedd wedi bod yn fy nal, a rŵan roedd rhaid i mi drio bodoli a byw hebddyn nhw. Mi o'n i hefyd yn gadael yr holl bobl newydd, y bobl o'n i wedi treulio'r wythnosau olaf efo nhw ond ddim cweit yn ddigon o ffrindiau eto i'w galw nhw'n ffrindiau, ac mi oedd bob dim am newid eto. Ro'n i'n siŵr y bysa 'na rywun arall am ddod i gymryd fy lle ac mi fyswn i'n neb iddyn nhw eto.

Medi 2009, Yr Amwythig

Ar brynhawn mwyn ym mis Medi, mi o'n i'n eistedd wrth fwrdd sgwâr marmor mewn bwyty pysgod yn yr Amwythig efo'n rhieni yn aros am brawn cocktail, y distawrwydd rhyngom yn llethol. Roeddan ni newydd wagio fy stwff yn fy stafell newydd yn y tŷ oedd am fod yn gartref i mi am y ddwy flynedd nesaf ac wedi dod yma am ein cinio olaf. Roedd hi'n anarferol i mi dreulio amser efo nhw heb Elin fy chwaer, felly mi oedd *pomp and ceremony* y ffaith ein bod ni allan efo'n gilydd yn rhyfedd ac yn lletchwith. Mi o'n i ar bigau; isio iddyn nhw adael achos mod i'm isio gorfod acshli ffarwelio efo nhw, ond hefyd yn gweddïo fysan nhw fyth yn fy ngadael yn y dre ddiarth 'ma. Roedd y distawrwydd yn drydanol, yn dweud mwy na fysa unrhyw sgwrs. Doedd Pwllheli ddim yn teimlo mor ofnadwy wrth eistedd yn y bwyty 'ma. Ella mod i'm isio tyfu fyny a bod yn rhydd wedi'r cwbl.

Torrais ar y distawrwydd.

'Be os dwi'm yn licio 'na?' sibrydais, y dagrau'n rowlio lawr fy ngwyneb.

Dechreuodd Mam grio hefyd. 'Gei di ddod adra os ti'm yn licio. Ond dwi'n siŵr y gnei di sti.'

'Be os dwi 'di neud mistêc?' Roedd yr argae bellach wedi ffrwydro'n gorad, y dagrau'n tywallt lawr fy ngwyneb, yn gwlychu'r bwrdd, fy nghorff yn ysgwyd.

Roedd fy nhad hyd yn oed yn ddagreuol. 'Wel mae gen ti'r opsiwn i ddod adra, yn does? Paid â poeni gormod am hynna 'wan. Gei di jest gweld sut mae hi'n mynd.'

Cyrhaeddodd y bwyd, y weinyddes yn synnu wrth weld tri pherson yn crio fewn i'w diodydd. Do'n i heb sylweddoli fod hyn am fod yn rhywbeth anodd i'm rhieni fynd drwyddo hefyd. Mi o'n i wedi bod mor *self-involved* am y sefyllfa i gyd, yn poeni am adael fy ffrindiau, os oeddan nhw am anghofio amdana i, os o'n i am wneud ffrindiau newydd, os o'n i am fod yn ddigon da i fod yn yr ysgol, os o'n i am gyfarfod hogia; do'n i heb ystyried ei fod o hefyd yn galed iddyn nhw. Roedd eu merch hynaf yn gadael eu gofal o leiaf ddwy flynedd yn gynt na'r disgwyl, i fyw mewn tre anghyfarwydd, i fynychu ysgol anghyfarwydd yn llawn merched anghyfarwydd.

Ar ôl i ni fwyta cerddom yn ôl i'r tŷ, yn falch fod y pwysau wedi lleihau ond yn ysu i rewi amser fel nad oedd rhaid ffarwelio. Gafaelodd Mam yndda i; roedd hi mor gyfarwydd, mor gynnes, ac mi o'n i'n teimlo mor fregus, fel taswn i am dorri yr eiliad roedd hi'n fy ngollwng. Yna aethant a 'ngadael yn fy nghartref newydd: tŷ fy Anti Einir. Dechreuais feichio crio wrth ddringo mewn i fy ngwely newydd, yn ysu i gael bod yn ôl yn fy stafell wely efo Fflur a Glesni, gan feddwl pam ar wyneb y ddaear mod i wedi gwneud y ffasiwn benderfyniad. Mi oedd fy mywyd, y bywyd o'n i'n trio dianc rhagddo, fy mywyd diflas ym Mhwllheli, yn gyffrous, yn fyrlymus, ond mi o'n i wedi bod yn rhy brysur i sylwi.

5. Hooker High

AR FY NIWRNOD cyntaf yn Shrewsbury High School for Girls roedd fy ffrindiau yn cychwyn yng Ngholeg Meirion Dwyfor, Pwllheli. Mi o'n i'n eu dychmygu yn cerdded i fyny'r allt serth tua'r coleg yn eu dillad lliwgar, yn bwyta cinio efo'u ffrindiau newydd, yn ffeindio'u dosbarthiadau, yn holi a diddori'i gilydd ac yn gwneud cynlluniau ar gyfer y penwythnos. Gyda phob munud oedd yn mynd heibio, mi o'n i'n teimlo fel petaen nhw'n anghofio amdana i. A lle o'n i? Mewn ysgol newydd, mewn tre ddiarth, heb 'run ffrind, yn gwneud dim planiau ar gyfer y penwythnos ac yn edrych fel mod i am fynd i weithio mewn banc yn fy siwt lwyd a 'nghrys pinc. Dim ond un garfan oedd yn mynd i fod yn yr ysgol 'ma: genod Saesneg *posh*. Doedd y genod yma ddim wedi cael eu magu ar lefrith tew, tatws ac aer cefn gwlad. Mi fyswn i'n gwneud unrhyw beth i gael bod yn josgin rŵan!

Roedd pob tecst 'Pob lwc heddiw <3' a 'Joia bob eiliad xxxxx' yn fy ngyrru yn bellach i mewn i mi fy hun ac yn atgyfnerthu'r syniad mod i wedi gwneud camgymeriad mawr. Cymaint oedd fy hiraeth, 'nes i ddim stopio crio drwy'r diwrnod cyntaf 'na'n Shrewsbury High School for Girls. Roedd bod oddi cartra am y tro cyntaf yn yr amgylchedd yma yn boen corfforol. Roedd gen i lwmp yn fy ngwddw oedd yn teimlo fel bod ganddo fo'i guriad calon ei hun, roedd dagrau parhaus yn fy llygaid oedd yn dianc o bryd i'w gilydd, y snot a'r dagrau'n gymysg ar fy ngwyneb sgleiniog. Do'n i methu bwyta cinio, y boen yn fy stumog yn gwneud i mi deimlo fel mod i am chwydu unrhyw eiliad. Eisteddais mewn stafell wag o dan ddesg mewn alcof gan adael i'r dagrau lifo, yn edrych ar dudalennau llyfr ac yn erfyn am bedwar o'r gloch fel bod y diwrnod cyntaf drosodd.

Agorodd y drws a cherddodd rhywun drwyddo yn gwisgo sgert fer a blodyn mawr pinc wedi'i sticio ar y *blazer*. Roedd ganddi wallt brown wedi ei back-combio'n uchel, y *parting* wrth ei chlust a gwên lydan, gynnes ar ei gwyneb.

'Oh god, what are you doing here? You should come down to the common room!' dywedodd mewn llais athrawes oedd ar y *brink* o fod yn nawddoglyd.

Sychais fy nagrau ac edrych arni. Edrychodd hithau arna i.

'Ooh, budge up,' dywedodd wrth ddod i eistedd i'r alcof o dan y ddesg efo fi. 'You'll settle in, first days are always tough, aren't they. I'm Meg by the way.'

'Yeah, they are. I'm Gwen.'

Gwenais. Gwenodd hithau. Eisteddom yn yr alcof drwy amser cinio yn holi ac yn diddori'n gilydd nes i mi anghofio am yr hiraeth.

*

'Nes i ddim sylwi pa mor Gymraeg o'n i tan i mi symud i fyw i Loegr. Wrth gwrs, mi o'n i'n gwybod mod i'n Gymraeg ond do'n i ddim yn dallt *pa* mor Gymraeg o'n i a chymaint oedd o'n diffinio pwy o'n i. Do'n i erioed wedi sylwi cynt pa mor falch o fod yn Gymraes o'n i chwaith a fod y balchder yn fy niffinio i hefyd. Doedd o ddim yn rhywbeth o'n i wedi ei ystyried o'r blaen achos doedd dim angen – roeddan ni jest yn byw ein bywydau. Ond rŵan do'n i ddim yn byw yng Nghymru.

Yn amlwg mi o'n i'n medru siarad Saesneg, ond do'n i heb *fyw* yn Saesneg o'r blaen. Ac er mor agos i Gymru oedd yr Amwythig, doedd 'na rai o'r genod 'ma ddim yn ymwybodol o fodolaeth y Gymraeg, heb sôn am y ffaith fod rhai pobl yn byw eu bywydau drwy'r iaith. Roedd trio egluro'r Eisteddfod i bobl ddi-Gymraeg yn dasg anodd ynddi'i hun: 'It's a cultural festival where people from all over Wales compete in all sorts of comptetions in all sorts of different fields, but it's also a mental sesh where everyone gets wasted and listens to bands. Oh yeah, and the Druids... it's actually a lot of fun.' Doeddan nhw ddim am feddwl mod i'n cŵl yn dweud hynny a sut o'n i am fedru egluro haf gorau 'mywyd i'r genod 'ma os doeddan nhw ddim yn ymwybodol fod y diwylliant yn bodoli?

Mi 'nes hi'n ymgyrch bersonol i addysgu pawb fysa'n gwrando am Gymru a'r iaith Gymraeg, yn canu'r anthem, yn dweud Llanfairpwllgwyngyllgogerychwyrndrobwyllllantysiliogogogoch wrth bwy bynnag fysa'n gwrando, bron iawn fel mod i'n ffetisheiddio'r iaith. Yn gor-Gymreigio fy hun fel taswn i'n trio profi pwynt a gwneud iawn am rywbeth. Roedd eraill yn ymwybodol o'r iaith, ond ddim yn dallt sut fyswn i'n medru goroesi mewn amgylchedd fel yr ysgol, yn enwedig wrth i mi ofyn cwestiynau fel 'Who or what is antiquity?' yn ein dosbarth Lefel A Hanes, fyddai'n cael ei groesawu gan donnau o chwerthin. 'Gwen, you're so funny, antiquity isn't a person. It's the period of classical civilization before the Middle Ages.'

Y peth gwaethaf am symud i ffwrdd oedd gweld pawb adra'n symud ymlaen. Mi oedd hi'n teimlo fel eu bod nhw'n anghofio amdana i, yn creu atgofion newydd hebdda i'n rhan o'r straeon. Mi fyswn i'n ysu i fynd adra bob yn ail nos Wener er mwyn cael gweld fy ffrindiau a chael cyfle i wneud rhywbeth gwallgo fel fod ganddyn nhw rywbeth i siarad amdano wedyn.

Facebook oedd fy ffrind gorau, yn fy ngalluogi i gadw mewn cysylltiad efo'n ffrindiau; ond roedd o hefyd y gelyn pennaf, yn dangos i mi bob dim oedd yn digwydd adra; yn rwbio'r nosweithiau allan a'r *inside jokes* yn y briw. Roedd y FOMO yn teimlo mor drwm nes ei fod o'n teimlo fel rhywbeth go iawn oedd yn llwytho ar fy nghefn. Mi fyswn i'n astudio pob post ar bob wal, pob llun o bob noson allan a chwestiynu pwy oedd y bobl newydd 'ma ym mywyd fy ffrindiau.

Roedd gan Fflur a Glesni ffrind newydd rŵan, Mirain, a finnau'n gorfod ei derbyn yn ddigwestiwn. Y peth gwaethaf am hyn oedd ei bod hithau'n *petite* ac yn *blonde* ac mi oeddan nhw acshli'n edrych fel tripledi. Doedd pobl ddim yn edrych arni hi a meddwl ei bod hi'n fam iddyn nhw pan oeddan ni'n mynd allan efo'n gilydd. Roedd Mirain yn rhywun arall oedd wedi bod ar y periffery drwy Ysgol Glan y Môr, yn un o'r bobl do'n i ond wedi dechrau sgwrsio'n iawn efo nhw dros yr haf, ond heb gael cyfle i smentio unrhyw gyfeillgarwch pendant achos mod i'n gadael. A rŵan dyna hi, yn fy lle i, yn trio dwyn fy ffrindiau gorau i.

Y peth gwaethaf am Mirain oedd mod i'n ei licio hi. Roedd hi'n ffyni, yn ffasiynol ac yn ffeind a bob tro o'n i'n treulio amser efo hi, mi o'n i'n ei licio hi fwy a mwy: roedd hi'n amhosib peidio ei hoffi hi. Ond roedd hi'n symbol o'r ffaith fod pethau'n newid a bod fy ffrindiau i'n symud ymlaen a do'n i methu derbyn yr holl newid oedd yn fy amgylchynu, er mai fi oedd wedi creu'r newid.

A ddim jest y *twins* oedd o chwaith – roedd pawb wrthi ac roedd hi'n teimlo fel bod y criw oedd wedi dechrau ffurfio yn ystod yr haf yn sblintro ac yn mynd i gyfeiriadau gwahanol. Roedd 'na genod eraill ar y *scene* – Beca, Elin Parc, Megan a Mirsi o Botwnnog a Llio a Mari o Borthmadog. Roedd pawb wrth eu bodda efo nhw a finnau'n teimlo allan ohoni'n llwyr, fel olwyn sbâr yn astudio'i thudalennau Facebook am ddiweddariadau bob diwrnod o'n i i ffwrdd ac yn chwerthinllyd o ddesbret iddyn nhw'n licio i ar noson allan. Wrth gwrs, mi o'n i'n licio nhw ond do'n i'm yn eu nabod nhw a doeddan nhw ddim yn fy nabod innau.

Roedd gen i hanner fy mhen yn yr Amwythig a'r hanner arall ym Mhen Llŷn: yn poeni am wneud ffrindiau newydd a setlo mewn ysgol newydd, ond yn poeni mwy am golli fy ffrindiau adra. Do'n i'm yn rhan o'r *inside jokes* ar y naill ochr na'r llall. Roedd hynny'n golygu mod i'm wir yn comitio i wneud ffrindiau yn fy ysgol newydd ac os o'n i am greu bywyd yno, roedd rhaid i mi wneud ymdrech.

Daeth Meg i fy achub unwaith eto, y tro hwn ar fws i ganolbarth Cymru. Roedd yr ysgol yn trefnu penwythnos antur mewn canolfan awyr agored bob blwyddyn i'r dosbarth chweched isaf, mis i fewn i'r tymor er mwyn helpu pawb i fondio. Mi o'n i wedi bod yn dredio bob dim am y penwythnos – efo pwy o'n i am eistedd ar y bws, efo pwy o'n i am rannu bync, be o'n i am wneud unwaith o'n i yno? Ond wrth i mi ddringo ar y bws a cherdded i lawr yr eil, dyma Meg yn chwifio ei llaw gan ddweud, 'There's space here, Gwen', a dyma fi'n teimlo rhyddhad mawr wrth eistedd i lawr wrth ei hochr. Siaradom yr holl ffordd yno a drwy'r penwythnos ac am y tro cyntaf ers mis, do'n i ddim yn meddwl am be oedd yn digwydd adra.

Mi wnaeth pethau wella yn yr ysgol; mi wnes i stopio crio, setlo i fy nosbarthiadau, sylweddoli fod y genod ddim mor posh â hynny a'u bod nhw nid yn unig yn bobl o'n i'n licio ond yn bobl y byswn i'n medru bod yn ffrindiau efo nhw. Yn araf, lleihaodd yr hiraeth a'r FOMO. Ond roedd yr elfen gymdeithasol dal ar goll: do'n i dal ddim cweit yna. Do'n i'm wir yn gweld neb yn ystod y penwythnosau, a do'n i dal heb gyfarfod yr un hogyn heb sôn am gael cyfle i gael snog neu fagu *crush* ar rywun. Ac yna, mi ges i wadd i fy mharti cyntaf.

Roedd 'na ysgol i fechgyn dros yr afon yn yr Amwythig ac mi fyddai'r ddwy ysgol yn dod at ei gilydd mewn partïon gwisg ffansi, ac o'r diwedd ro'n i wedi cael gwadd i un gan ffrind i ffrind. Byddai'r genod yn siarad am y partïon 'ma ar fore Llun a minnau'n gorfod gwrando â chenfigen, ond rŵan mi o'n i'n cael mynd i barti *bring your own booze* mewn neuadd bentref ar gyrion y dre. Roedd hi'n ben-blwydd ar rywun. Thema'r parti oedd 'movies' a phenderfynais fynd fel Sandy o *Grease* (*sexy Sandy* yn amlwg). Mi o'n i'n gwisgo legins du ac wedi torri hen grys-T du i'w wneud o'n dop *off the shoulder* ac am ryw reswm mi o'n i wedi dychmygu y byddai hogia'r Amwythig yn ofnadwy o dal, felly mi wnes i wisgo'r platfforms coch mwyaf o'n i'n gallu eu ffeindio'n New Look. Mi o'n i wedi cyrlio 'ngwallt mewn rhyw ymgais i wneud *perm* a phlastro *lipstick* coch ar fy ngwefusau nes ei fod o'n gwaedu fewn i'r *wrinkles* o amgylch fy ngheg. Mi o'n i'n gobeithio y byddai rhywun yn fy ffansïo fi'r noson honno – wedi'r cyfan, mi oedd pawb yn ffansïo Sandy, doedd?

Sylwais ar dri pheth yn sydyn wedi i mi gyrraedd y parti: y cyntaf oedd fod alcohol yn wych am leddfu nerfau. Yfais botel fawr o Smirnoff Ice cyn mynd i'r parti ac roedd hynny'n golygu mod i'n medru cyflwyno'n hun a mentro sgwrs efo 'nghyfoedion newydd ac wrth i mi yfed mwy, mi oedd siarad yn troi yn ddawnsio, yn troi yn smocio efo pobl yn y maes parcio.

Yr ail beth oedd y sylweddoliad fod plant meddw 16 oed yn debyg dim ots os oeddan nhw'n Gymraeg neu'n Saesneg, yn posh, yn *townie* neu'n josgin. Er yr holl wahaniaethau diwylliannol, roedd 'na bobl yn chwydu yn y toiledau cyn wyth o'r gloch, roedd 'na bobl yn smocio joints ac mi oedd 'na bobl yn snogio.

Y trydydd peth oedd fod hogia'r Amwythig ddim mor dal â hynny. Mi o'n i'n tyrru dros bawb yn fy mhlatfforms coch a nath yr un hogyn sbio arna fi drwy'r nos. Doedd hogia Saesneg ddim yn fy ffansïo i chwaith. Unwaith eto, erbyn diwedd y noson roedd hi'n teimlo fel fod pawb yn snogio. Roedd y ffaith mod i heb gael yr un snog nac wedi colli'n *virginity* yn ystod yr haf yn pwyso'n ddigon trwm arna i'n barod ac mi o'n i'n gobeithio y bysa 'na *rywun* yn *keen* i fynd efo fi yn y parti yma. Yn fy mhen fi oedd yr hogan newydd *mysterious* wedi gwisgo fel Sandy (*y sex symbol* gwreiddiol), ond mewn gwirionedd mi o'n i'n un o 60 o genod meddw oedd yn mynd i'r ysgol dros yr afon.

'You know they call our school Hooker High!' dywedodd Meg wrth ddod yn ôl o fod yn snogio ar fonat car. 'Cause we're all so easy!'

Edrychais arni. Os oeddan ni mor *easy* pam fod 'na 'run hogyn 'di sbio arna i drwy'r nos? Ond y gwir oedd mod i heb wir sbio ar yr un hogyn chwaith – roedd 'na wastad rywbeth yn fy nal i nôl rhag cymryd y cam cyntaf ac mi o'n i'n deimlo fo'n waeth yn fama nag o'n i ym Mhwllheli. Roedd mynd efo rhywun yn fama am olygu gorfod cyflwyno fy hun, siarad heb unrhyw wybodaeth na chyd-destun, a do'n i ddim yn fodlon rhoi fy hun allan 'na. Roedd y *fear of rejection* dal i dreiddio'n ofnadwy o ddyfn tu fewn i mi. Do'n i ddim isio i hogyn arall sbio arna i a 'ngwrthod, felly roedd hi'n haws gadael iddyn nhw ddod ata i os oeddan nhw isho.

Mae merched yn cael eu cyflyru o oed cynnar i fod yn gwrtais, i fod yn neis ac i gael *validation* gan ddynion ac roedd yn teimlo'n waeth yn yr amgylchedd anghyfarwydd yma. Roedd bod tu allan i'm *comfort zone* yn gwneud yr holl bethau o'n i'n deimlo ym Mhen Llŷn yn fwy *heightened* ac yn gwneud i mi deimlo yn fwy ansicr – yn rhy dal, yn rhy dew, yn rhy hyll. Ac mi o'n i'n cymharu fy hun efo'r genod yma hefyd ac yn dyheu am y pethau oedd ganddyn nhw. A finnau yn dechrau teimlo'n benisel am fy sefyllfa, dyma ein lifft adra'n cyrraedd. Daeth brawd fy ffrind i'n nôl yn ei gar am hanner nos, a dyna pryd gychwynnodd y *crush* mor *all-consuming* wnaeth fy nghnoi am y ddwy flynedd nesaf. Ers i mi fod yn hogan ifanc, dwi wedi bod yn berson sy'n magu *crushes* tu hwnt o ddwys, yn ffocysu'n holl sylw arnyn nhw, yn creu straeon yn fy mhen amdanyn nhw, yn treulio oriau yn breuddwydio amdanyn nhw a phendroni os oeddan nhw'n fy licio innau. Fyswn i fyth yn cymryd camau i wireddu'r *crush*; roedd hi bron iawn fel tasa'r syniad o'r person, y *crush* ei hun, yn well na fysa'r peth go iawn.

Roedd o dair blynedd yn hŷn na ni ac adra o'r coleg am benwythnos a phan agorodd y drws i mi gael dod allan o'r car, roedd o'n dalach na fi, hyd yn oed yn y platfforms coch. Mi oedd o'n debycach i be o'n i wastad wedi'i ddychmygu fysa hogia: yn *charming*, yn olygus, yn dal, yn siarad efo fi, yn gofyn cwestiynau. Doedd o ddim fel hogia Pwllheli. Ac mi oedd ganddo jest rywbeth amdano, y *peth* 'na sydd gan rai pobl. Mi o'n i'n meddwl fod o'n berffaith. Mi fyswn i'n ffantaseiddio amdano bob cyfle fyswn i'n gael ar ôl y noson honno, yn dychmygu ei gusanu, ei gorff yn cyffwrdd fy nghorff i. Fywn i'n cochi os oedd o hyd yn oed yn sbio arna i, yn poeni fod o'n gallu darllen fy meddwl i. Mi fyswn i wrth fy modd yn mynd am *sleepover* i dŷ fy ffrind a gweld ei gar yn y dreif a'i chlywed hithau'n dweud ei fod o adra am y penwythnos. Mi oedd o fel cyffur; os o'n i'n treulio amser yn ei gwmni, mi o'n i'n teimlo gwefr fel trydan yn gwibio drwy 'nghorff, a doedd yr un *hit* 'na fyth yn ddigon.

Wrth i 'mywyd cymdeithasol ddechrau gwella, roedd hi'n teimlo fel mod i'n methu yn fy nosbarthiadau. Roedd y naid o wneud TGAU i Lefel A yn teimlo'n masif yn yr ysgol newydd ac mi o'n i'n stryglo i ddal fyny efo'r genod eraill. Doedd fama ddim yn amgylchedd fel Glan y Môr, lle roedd bod yn *geek* yn rhywbeth oedd yn dod â chywilydd i rywun. Yn fama, roedd bod yn *geek* yn rhywbeth oedd yn cael ei glodfori; roedd pawb isio bod yn *top of the class*, a neb isio bod ar waelod y domen.

Edrychais ar y marc ar fy mhrawf hanes: 9/20. Mi o'n i'n un o'r rhai gorau yn Glan y Môr, a rŵan mi o'n i reit ar y gwaelod.

'That's not even 50%,' dywedais wrth fy ffrind wrth gerdded allan o'r dosbarth, fy mhen yn fy mhlu. 'What the fuck am I going to do?'

'My brother says he can help you with your History homework if you need help.' Roedd o'n astudio Hanes yn coleg.

Oedd hyn yn golygu ei fod yntau'n teimlo'r *crush*? Oedd hi'n arferol i frodyr hŷn ffrindiau gynnig helpu efo gwaith cartref hanes? Y noson honno, mi o'n i'n eistedd wrth y bwrdd yn eu cegin ac yntau'n mynd drwy fy mhrawf hanes, yn dweud lle o'n i'n mynd o'i le, ei eiriau'n fy annog, yn canmol. Mi o'n i wedi fy nghyfareddu'n llwyr, y pilipalas yn fy stumog yn mynd yn hollol *bonkers*; y ffaith ein bod mor agos, yn y stafell 'ma efo'n gilydd oedd yr unig beth ar fy meddwl, nid fy mhrawf hanes. Mi fysa hwn wedi bod yn gyfle gwych i weld os oedd o'n teimlo'r un fath â fi. Fyswn i wedi medru gofyn yn ddigon hawdd, ond roedd 'na rywbeth yndda i oedd jest methu – mi o'n i'n dal i fod yr hogan o Ben Llŷn oedd yn methu siarad efo hogia, hyd yn oed yn fama.

'We had a moment,' dywedais wrth Meg y bore wedyn.

'A moment? What do you mean?'

'A moment! We looked at each other. It was electric.'

'Did you kiss him?'

'No. Obviously not...'

'Well, you didn't *really* have a moment then, did you?'

'I guess not then.'

Mae'r frawddeg 'gafon ni foment' yn rhywbeth sydd wedi hauntio fy mywyd ers i mi fod yn hogan ifanc oedd yn ffansïo brawd mawr fy ffrind. Dwi wedi 'cael moment' efo lot o bobl – rhyw edrychiad, rhyw gyffyrddiad, rhywbeth yn cael ei ddweud – ond anaml 'na i acshli ddilyn y teimlad, achos mae'n beryg trio trosglwyddo *crush* o'r byd ti wedi'i greu yn dy ben i'r byd go iawn. Yn anorfod, mae'r ffantasi wastad yn well yn dy ben: y cyffro ti'n ddychmygu fyth yn cael ei wireddu yn y byd go iawn. Yr *unknown* yn aml yn well na'r profiad ei hun. Ond y peth gwaethaf am y *crush* yma oedd ei fod o'n fy nadu i rhag byw fy mywyd go iawn. Doedd gen i ddim diddordeb yn yr un hogyn arall. Roedd y foment efo fo a'r ffantasi o'n i wedi'i chreu yn fy mhen yn well na be fysa'r un hogyn yn medru ei roi i mi go iawn.

*

Cwestiynau oedd hogia yn licio gofyn i mi achos mod i'n mynd i ysgol i ferched:

- 'Di pawb yn rili bitchy?
- Ti'n lesbian?
- Be, do's 'na'm un hogyn yna?
- 'Dach chi'n mynd efo'ch gilydd yn y stafell gyffredin?
- 'Di pawb yn rili bitchy?
- 'Dach chi jest yn cerddad rownd yn noeth?
- 'Dach chi 'di cael three way snog?
- 'Di pawb yn rili bitchy?

*

Hooker High starter kit
- Sgert *jersey* fer, dynn o H&M
- *Desert shoes* efo *heels* o River Island
- Gwallt hir wedi'i back-combio fel bod gen ti nyth ar dy ben a *parting* wrth ymyl dy glust
- Paced o Malboro Golds
- Hoffter o Blossom Hill
- Awch am hogia

*

Erbyn y cyfnod hwn, roedd pobl ifanc Pen Llŷn wedi stopio mynd i dafarn Twnti, ac yn mynd allan i Sarn. Bob penwythnos, mi fysa 'na dacsis gorlawn yn heidio i'r pentref gwledig ym Mhen Llŷn. Roedd o'n ganol nunlla ond roedd 'na dair tafarn yn Sarn (yn ogystal â siop, garej a chrochendy) ac roedd hynny'n golygu os oeddach chdi'n methu cael diod yn un, roeddach chdi'n medru mentro fyny neu lawr yr allt i'r dafarn arall a chael *serve* yn fanno.

Roedd *landlady* Wyddelig Pen-y-bont yn trefnu gigs yno ar nosweithiau Sadwrn, ac yn gadael i blant ifanc yfed be bynnag oeddan nhw isio cyn belled â'u bod nhw'n gwrtais ac yn gwadu iddyn nhw gael diod yno os oedd yr heddlu'n holi. Mi fysa hi'n gweiddi ar hyd y dafarn os oedd ganddi broblem efo rhywun, ei llais yn yddfol ac yn gryg, ac mi oedd gen i (a phawb arall) ei hofn hi. Ond roedd hi'n *legendary*.

Ar noson olaf 2009, mentrodd criw o'n ffrindiau o Hooker High i Ben Llŷn. Roedd pawb wedi gwisgo eu sgerti byrraf a'u *heels* mwyaf ac yn barod am noson wyllt yn Sarn. Doedd ganddyn nhw ddim syniad beth oedd o'u blaenau. Doedd gen i ddim chwaith.

O bosib mai'r peth gorau am fynd i ffwrdd i'r chweched dosbarth oedd mod i'n cael gwneud rhywbeth gwirion ar noson allan adra a ddim yn gorfod delio efo'r goblygiadau unwaith ro'n i'n ôl yn yr Amwythig. Mi o'n i fel storm drofannol, yn dod o'r dwyrain yn wyllt i ddinistrio, ac yn gadael y llanast i fy ffrindiau ei lanhau. A doedd fy ffrindiau i'n yr Amwythig ddim callach. Ond rŵan, am y tro cyntaf, roedd dau fyd yn dod at ei gilydd. Roedd 'na ddau griw ffrindiau am gyfarfod ei gilydd, am ddarganfod sut o'n i'n ymddwyn o'u cwmpas: roedd o'n gwneud i mi deimlo fel bod 'na rywun am fy nal allan achos mod i wedi bod yn byw dau fywyd cwbl ar wahân, yn twyllo'r naill ochr a'r llall. Yn yr Amwythig fi oedd yr hogan Gymraeg, newydd oedd 'chydig bach yn wahanol iddyn nhw, ond roedd y genod adra yn fy nabod i'n iawn, yn gwybod pob dim amdana i: sut bobl oedd fy rhieni, sut berson o'n i'n yr ysgol, yr hogia o'n i wedi eu snogio, yr rhai do'n i heb eu snogio.

Mi o'n i wedi bod yn stresho yn meddwl os oedd fy ffrindiau Cymraeg am dderbyn y genod Saesneg 'ma. Oedd y genod Saesneg 'ma am feddwl 'be ffwc' wrth weld fy mywyd a'n ffrindiau? Oeddan nhw am feddwl yr un peth wrth gerdded i fewn i dafarn wledig yn Sarn?

Un o'r pethau gorau am Mali oedd ei bod hi'n medru siarad efo pawb, ac yn gwneud ymdrech efo pawb ers iddi ymuno yn y *pre-drinks*. Yn Sarn, roedd hi wedi bod yn mynd â'r genod o amgylch y dafarn, yn eu cyflwyno i ddarpar gariadon unnos, fel tasa hi'n fam o Oes Fictoria yn ysu i rywun briodi ei merched. Doedd hi ddim yn beth drwg o gwbl cael dau fyd yn dod at ei gilydd.

Fel pob un noson flwyddyn newydd ar hyd fy mywyd, y cwestiwn mawr oedd pwy o'n i am fod yn ei gusanu am hanner nos. Mi o'n i ar fy ffordd i lawr y grisiau pan basiodd JD. Roedd o 'chydig flynyddoedd yn hŷn na fi a gwenodd, ei ddimpl yn sgleinio yng ngolau y dafarn, yn gwneud iddo edrych yn ciwt. Daliais ei lygaid eto ar draws y dafarn ac erbyn hanner nos, roeddan ni'n snogio ar y grisiau ac mi o'n i wedi mopio'n llwyr fod 'na hogyn isho'n snogio i. Roedd Sam a Meg yn snogio rhywun bob un hefyd, ac roedd y dair ohonom yn ecstatig wrth i ni heidio fewn i'r tacsi adra.

'I bloody LOVE Wales!'

'ME TOO!'

Roedd y dair ohonom wedi gwirioni'n llwyr ar ôl ein noson yn Sarn o bob man a thrafodom ein concwestau tan oriau mân y bore, wedi gwirioni a chyffroi.

Yn ddiarwybod i mi, roedd y snog yna'n ddechrau ar rywbeth wnaeth gymryd blynyddoedd o 'mywyd ond mynd i nunlla. Doedd o ddim hyd yn oed yn *situationship*, roedd o'n fwy o *fachu-ar-noson-allan-ship*. Dechreuais i fynd efo JD bob tro o'n i adra neu bob tro o'n i allan a fyntau yn yr un lle, ac er mod i ddim yn cael pilipalas yn fy mol wrth ei weld o'n cerdded i fewn i'r dafarn – do'n i ddim yn ffantaseiddio amdano bob awr o'r dydd – mi oedd 'na rywbeth yn fy nal i'n ôl. Roedd o'n teimlo'n rhywbeth llawer mwy real a chyraeddadwy nag unrhyw beth o'n i wedi ei deimlo o'r blaen. Roedd o'n bodoli yn y byd go iawn, allan pan o'n i allan, yn fy nghusanu fi'n ôl pan oedd ein gwefusau'n cyffwrdd.

Wrth gwrs, roedd 'na gynnwrf os oeddan ni'n bachu ac mi oedd 'na rywbeth ofnadwy o wefreiddiol am y teimlad o fod yn ei freichiau. Ond roedd hi'n sefyllfa ofnadwy o hunanddinistriol ac amharchus – roeddan ni'n mynd efo'n gilydd bron fel *last resort*. Mi fyswn i'n ei weld o ar nosweithiau allan yn fflyrtio ac yn mynd efo merched eraill, ac roedd fy hunan-barch i mor isel, mi o'n i'n hapus i'w dderbyn fel peth hollol normal, gan ddal i fynd yn ôl efo fo os oedd o'n rhydd erbyn diwedd y noson. Roedd y gwrthodiad, neu'r syniad o fod yn opsiwn olaf, yn gymaint o dolc i'm hunan-werth mewn oed mor ifanc.

Do'n i ddim yn ddiniwed yn hyn chwaith achos mi o'n i'n gwneud yr un fath. Roedd 'na ran ohonaf i'n gobeithio y bysa fo'n 'y ngweld i ac yn gwylltio ac yn brysio i'n hawlio fel rhyw arwr o'r canol oesoedd mewn clogyn. Ond doedd o ddim ynddo fo i wneud hynna, hyd yn oed os fysa fo wedi bod isho. A doedd o ddim yndda i i gwffio amdano fo chwaith. Wnaeth o erioed groesi fy meddwl fod hynny yn rhywbeth y byswn i'n medru ei wneud. Wnaeth o erioed groesi fy meddwl y byswn i'n medru gofyn am ei rif neu ei decstio fo gyntaf. Wnaeth o erioed groesi fy meddwl y byswn i wedi medru gofyn iddo fo, unwaith ac am byth, os oedd o'n licio fi neu isio mynd â phethau'n bellach, ac y bysa jest gofyn wedi fy achub rhag blynyddoedd maith o gwestiynu be oedd yn digwydd. Ac wrth gwrs, roedd y ffaith ei fod o heb fod yn rhagweithiol o gwbl yn gwneud i mi feddwl mai fi oedd y broblem yn lle cymryd hynny fel arwydd fod ganddo ddim gwir ddiddordeb.

Yn y bôn, roedd ganddo fo (a finnau) berffaith hawl i wneud be bynnag oeddan ni isho, efo pwy bynnag oeddan ni isho. Doeddan ni ddim yn *exclusive*. Doeddan ni fyth yn siarad am ddim byd ac yn sicr ddim am ein teimladau, felly oedd 'na syndod? Mi o'n i isio mynd â phethau'n bellach, isio agor i fyny, ond do'n i methu. Dwi'n gofyn i mi fy hun rŵan, flynyddoedd wedyn, pam mod i'n teimlo fel mod i'n haeddu cyn lleied o barch? Pam mod i'n hapus i fynd nôl at rywun oedd yn amlwg ddim isio dim byd i'w wneud efo fi?

Mi gawson ni werth blwyddyn o gyfleoedd, ond wnaeth o fyth arwain at secs. Roedd snogio mewn tent yn Rali Fermwyr Ifanc yn troi'n gydlo yn y compartment, nid secs, nid tecst y diwrnod wedyn, nid sicrwydd ei fod o'n fy licio i, nid sicrwydd ei fod o am fynd efo fi yn y parti neu'r noson allan nesaf.

Roedd ein perthynas yn bodoli ar nosweithiau meddw allan ym Mhwllheli ac yn yr hyn oedd ddim yn cael ei ddweud, y negeseuon oedd ddim yn cael eu gyrru. Mi fyswn i'n perswadio fy hun fod y snogs a'r nosweithiau oeddan ni'n dreulio efo'n gilydd yn golygu rhywbeth neu'n dod â ni yn nes at fod yn rhywbeth. Ro'n i'n casglu gwybodaeth amdano fel taswn i'n casglu tystiolaeth fforensig ac yn cadw pob ciledrychiad neu gyffyrddiad yn saff yn fy meddwl. Mond yn fanno oeddan nhw'n golygu rhywbeth mewn gwirionedd a weithiau mi fyswn i'n poeni mod i wedi dychmygu bob dim oedd wedi digwydd rhyngom.

Bob tro fyswn i'n deffro yn ei stafell wely, mi fyswn i'n chwilio am bethau fysa'n rhoi cipolwg i fewn i'w fywyd o: y posteri oedd ar y waliau, y llyfrau ar y silff. Roedd ganddo fap sgio ar ei wal a pherswadiais fy hun ein bod yn *meant to be* achos mi o'n i'n medru sgio hefyd. Roedd creu'r naratifs 'ma yn fy mhen mor niweidiol achos mi o'n i'n adeiladu fy hun ac yntau i lefelau amhosib a doedd hynny ddim yn iach. Roedd yr holl ffilmiau o'n i'n watsiad, yr holl raglenni teledu i gyd yn portreadu straeon serch lle roedd y cymeriadau'n wynebu heriau neu'n cymryd amser i sylweddoli eu bod nhw mewn cariad, ac mi o'n i'n perswadio'n hun mai dyna oedd yn digwydd efo ni. Roedd hynny'n haws na wynebu'r realiti creulon oedd mor amlwg, fod ganddo jest ddim diddordeb o gwbl.

*

Yr haf rhwng chweched isaf a chweched uchaf, gan fod yr Eisteddfod yn ne Cymru (rhy bell i ni), penderfynodd criw adra y bysan ni'n mynd i'r Sioe Frenhinol yn lle hynny. Wrth ddreifio fyny allt serth i faes campio Penmaenau, mi wnes i sylwi'n syth ei fod o ddim cweit yn Eisteddfod. Dim ond am noson ro'n i wedi bod yn Builth cyn hyn, felly doedd gen i'm lot o syniad be i ddisgwyl. Pan gyrhaeddais yno ar brynhawn Sadwrn wnaeth fy nghalon i ddim gwneud *backflip* achos doedd 'na 'run person yn jamio wrth eu tenti, doedd 'na'm bar gwyrdd i'w weld yn nunlla ac mi oedd 'na lot fawr o hogia yn gwisgo fests cneifio a *steel toecaps*. Ond yr unig beth positif oedd fod y *ratio* dynion/merched yn teimlo fel o leiaf 70/30. Siawns fyswn i 'chydig bach mwy llwyddiannus yn fama nag o'n i'n yr Eisteddfod?

Roedd Mari, y ferch dlws, gwallt *pixie*, llygaid mawr o Gricieth, wedi dod â thent enfawr i'r genod i gyd gael aros ynddi – mor fawr nes fod 'na gompartment cyfan i fod yn wardrob i'n holl ddillad ac yn ffrij i'n holl fwyd a diod. Y flwyddyn honno, roedd hi'n wlypach nag arfer ac roedd Mari wedi anghofio rhoi *water protector spray* ar y dent, felly erbyn yr ail ddiwrnod roedd 'na bwll dŵr mawr yng nghanol y dent. Ond yn lle delio efo'r broblem dyma ni jest yn parhau efo'r wythnos drwy eistedd o amgylch y pwll fel tasa'n ddarn celf gosodol – ninnau'n gweiddi 'Watsia'r pwll! Watsia'r dŵr!' ar unrhyw un fysa'n dod fewn i'r dent. Tric creulon fysa gwthio rhywun i fewn i'r pwll ac yna roedd y sŵn chwerthin o'r dent yn denu mwy o bobl i mewn fel tasa nhw'n mynychu arddangosfa. Roedd y dent yn ganolbwynt drwy'r wythnos, yn ddechrau noson i bawb, yn ddechrau diwrnod i lot o bobl hefyd. Mi fysan ni'n yfed ein caniau a'n *punch* yno, yn bwyta'n crisps a dips, yn trio gwisgo'r wisg fwya *slutty* i fireinio'n cyrff. Roedd yr un hen deimlad yna – fod unrhyw beth yn bosib heb ein rhieni i ddweud wrthon ni pryd i fod adra neu i'n dwrdio am wisgo sgerti byr.

Dyma lle 'nes i fondio efo Llio am y tro cyntaf. Hyd heddiw mae Llio yn uffar o laff ar noson allan a phan o'n i'n 18 oed roedd hi, yn fy ngolwg i, yn un o'r bobl orau erioed, mor dlws, mor hyderus. Doedd ganddi hi ddim owns o gywilydd, roedd hi'n gwneud y pethau gwiriona'n y byd, yn cymryd y *piss*, yn sgwrsio'n ddwys, yn cynnig cyngor, ac yn well na hynny i gyd roedd 'na ddynion yn heidio ati. *Hi* oedd wastad yr un i fachu yn y criw ac os oedd 'na griw o ddynion, mi oedd bob un ohonyn nhw'n sicr ar ei hôl. A'r gobaith oedd y byddai'r dynion oedd yn methu ei bachu hi isio fy machu i. Roedd 'na botensial os oeddach chdi ar noson allan efo hi ac mi oedd hi hefyd yn chwip o *wing woman*.

Un noson penderfynodd Llio a fi greu *chat up lines* i'w dweud wrth hogia yn y sied, fel 'Pitsa wyt ti? Achos 'swn i'n licio sleisan ohona chdi!' Roedd dynion yn cael dweud be bynnag lician nhw, felly pam na fysan ninnau hefyd? Y bwriad oedd dal sylw cymaint o hogia â fysa'n fodlon gwrando. Yr un mwyaf llwyddiannus oedd: 'Hei, enw chdi 'di Andy? Achos ti'n ffwc o beth handi!'

A'r jôc oedd ein bod ni ddim wir yn malio cymaint â hynny, roeddan ni jest wrth ein bodda'n gweld y geiniog yn disgyn ar wynebau'r dynion ac yn marw chwerthin efo'n gilydd wrth fynd i chwilio am y dyn nesaf. Roedd yr hwyl yn Sioe mor ddiniwed, roeddan ni'n fwy tebygol o basio allan yn y nag oeddan ni o fachu neb.

Un noson dyma fi'n ffeindio hufen wedi'i chwipio yn y ffrij yn y dent a mynd ati i'w sbreio ar hyd car JD. Roedd o'n un peth bach i ddial arno fo am fachu hogan o 'mlaen i y noson honno, er mor blentynnaidd oedd hynny.

*

Pwy ydi dy Sioe Frenhinwr delfrydol?

Boi o Ddyffryn Conwy

Ma 'na rwbath am bobl o Ddyffryn Conwy, does? Maen nhw'n fwy *charming* na phawb arall o Gymru. Mi wneith y boi yma holi amdana chdi, dy herio, fflyrtio efo chdi ond mae ganddo'i fywyd ei hun i'w fyw. Piti nest ti'm ei gyfarfod o bum mlynedd yn hwyrach pan 'dach chi'ch dau yn barod i dyfu fyny.

Y cneifiwr

Mae o'n gneifiwr o fri, yn dal record ei sir ac yn edrych yn dda yn ei fest, ei goesau bwji gwyn yn sticio allan o'i *shorts* byr. Ond byrhoedlog fydd dy ramant, mi fydd o'n gadael am Seland Newydd ar ddiwedd yr haf.

Capten clwb ffermwyr ifanc

Mi fydd o'n dangos ei stoc yn y bore ac yn perfformio ym mhob cystadleuaeth Ffermwyr Ifanc yn y prynhawn ac yn *nailio*'r ddeuawd ddigri. Mae o'n llawer rhy brysur i roi amser go iawn i chdi, ond bosib gei di snog a byseddiad slei yng nghefn sied Penmaenau cyn diwedd yr wythnos.

Boi sy'n hollol *obsessed* efo Bryn Fôn (fwy na thebyg o Ynys Môn)

Fysa fo fyth yn cyfaddef wrth ei ffrindiau ond Bryn Fôn ydi'r unig reswm mae o'n dod i'r Sioe. Mi fydd o ar flaen y dorf pan mae o'n chwarae yn Sied Penmaenau, yn canu nerth ei ben i bob cân, yn sicr mai fo ydi'r rebal wicend go iawn. Os ti'n briodi fo, cân y ddawns gyntaf fydd 'Ceidwad y Goleudy'.

Harper Adams *gentleman*

Sais rhonc, sy'n gwisgo côt *tweed*, cap fflat a bŵts *wellington* Dunlop efo gwadan enfawr a dim hoel gwaith arnyn nhw. Mi fydd hwn yn yfed drwy'r dydd yn y dent Members ac yn darfod y noson yn y Young People's Village. Dos amdani os ti'm yn meindio symud i Groesoswallt a mynd i saethu ffesantod bob penwythnos.

6. Secs

Pethau sy'n bwysig i mi yn 17 oed

- Colli *virginity*, dwi'm hyd yn oed yn malio efo pwy

Un o'r pethau gorau i ddigwydd i mi yn Ysgol Glan y Môr oedd cyfarfod Alys. Am flynyddoedd roeddan ni ar berifferi ein gilydd, bron yn ffrindiau, ond ddim cweit. Doedd 'na neb arall yn Ysgol Glan y Môr yn gwatsiad *Grey's Anatomy*, wel dyna ro'n i'n feddwl tan i mi eistedd wrth ymyl Alys yn y wers fioleg ym mlwyddyn 11. Mi fyddan ni'n trafod y perthnasau, y trasiedïau a'r penodau diweddara efo gofal a gorfanylder, yn trio plesio'n gilydd efo'n sylwadau a'n hangerdd am y sioe feddygol. Mi wnaeth gymryd amser i ni fentro i sgwrsio tu allan i'r dosbarth am unrhyw bwnc gwahanol, ond yn sydyn iawn nathon ni sylwi fod ganddon ni lot o bethau'n gyffredin. Roeddan ni'n mwynhau darllen yr un llyfrau, gwylio'r un ffilmiau, yn ffansïo'r un *film stars* ac roeddan ni'n trafod nes i'n cegau sychu.

Mi fysan ni'n cyfnewid argymhellion – llyfrau, miwsig, rhaglenni, ffilmiau. Argymhellodd ffilmiau Nora Ephron i mi. Ro'n i'n meddwl mai hi oedd y person mwyaf cŵl erioed ar ôl gwatsiad *When Harry Met Sally* a *Sleepless in Seattle*. Mi fyswn innau'n argymell llyfrau *Twilight* iddi hi, a thrio'i pherswadio hi mai *vampires* oedd y creaduriaid *supernatural* gorau, nid *werewolves*. (*Sidebar*: mae'r perthnasau cryfaf ymysg merched wedi eu seilio ar un yn ffansïo Edward, a'r llall yn ffansïo Jacob.) Ond ein hoff beth i'w wneud oedd creu rhestrau o'n 5 dyn delfrydol yr wythnos honno. Actorion oeddan nhw fel rheol neu gymeriadau o'n hoff ffilmiau neu raglenni teledu. Mi fysan ni'n dadlau dros yr un dynion fel tasa'n bywydau rhamantus yn acshli dibynnu ar y rhestrau hyn. Mi fysan ni'n tecstio'n gilydd i ddweud ein bod ni wedi ffeindio dyn newydd a 'croeso i chdi gael Seth Cohen rŵan!' Brad Pitt oedd ein *celebrity crush* mwyaf (ac mae'n dal i fod) ac mi fysan ni'n treulio oriau'n gwylio'i ffilmiau, yn ailwylio ei bennod *Friends*, yn cymharu ein hoff ffilmiau, ac yn obsesio dros ei statws garwriaethol.

Top 5 dynion Gwenllian
- Edward Cullen
- Chad Michael Murray
- McDreamy
- Seth Cohen (neu Jess Mariano)
- Ben Affleck

Top 5 dynion Alys
- Joseph Gordon Levitt
- Chace Crawford
- McSteamy
- Josh Hartnett
- Jake Gyllenhaal

Top 5 Brad Pitts
- *Legends of the Fall*
- *Thelma and Louise*

- *A River Runs Through It*
- *Seven*
- *Troy*

*

Mae'n anodd pin-pointio pryd a sut wnaeth pethau newid, ond roedd gan Alys a fi theori. Y noson wnaeth pethau newid oedd y noson 'nes i roi fy mlow job cyntaf. Roedd hi wedi bod yn ddechrau digon rhyfedd i'r noson pan ddaeth John i sefyll wrth fy ochr i ger y bar yn Whitehall. Mae Whitehall yn sefyll fel cawr ar waelod stryd fawr Pwllheli, wedi ei beintio'n wyn efo potiau blodau pinc ar silffoedd y ffenestri. Ar ôl Sarn, i fama roedd pobl ifanc Pen Llŷn yn mynd. Mae'n cael ei redeg gan deulu lleol (mae bellach yn anodd meddwl am y lle hebddyn nhw) ac roeddan nhw'n trefnu gigs a byddai pobl ifanc yn heidio yno.

'Nes i ddim troi i sbio arno fo, yr atgof o'i eiriau a'i wyneb nawddoglyd yn Twnti yn dal i glecian yn fy nghlustiau ar ôl yr holl flynyddoedd.

'Ti'n iawn 'ta?' gofynnodd.

'Yndw diolch,' atebais.

'Be ti'n neud 'wan? Ti'm o gwmpas fama ddim mwy, nagwt?'

'Nadw, ymmm, ga i un gin a lemonêd plis? Dwi'n chweched dosbarth i ffwr.'

'O ia? Iesu, da 'de. Edrach yn dda 'fyd. Ti 'di newid.'

Talais am fy niod a throi ato fo i ddweud diolch. Cerddais o'r bar efo sbonc ym mhob cam, yn teimlo fel hogan o ffilm oedd wedi cael *makeover*, yn cerdded drwy'r ysgol efo pawb yn troi o'u loceri i edrych arni. Wrth gwrs, roedd sylwadau John wedi cael effaith arna i achos mod i'n hollol ddibynnol ar sylw dynion i roi *gratification* i mi, a'r tro hwn roedd

81

ei eiriau wedi gwneud i mi deimlo fel mod i wedi ennill rhywbeth.

Trodd pethau'n rhyfeddach fyth pan eisteddais wrth ymyl Louis ar ôl gìg ei fand. Ar ôl i mi ei bledu efo canmoliaeth am ei chwarae, ei *earring*, ei wallt, cawsom ein dal mewn mantell o chwant a blys ac angerdd wrth sefyll yng nghefn y lle smocio. Dechreuon ni snogio'n wyllt, fy mysedd yn rhedeg drwy'i wallt, ei ddwylo yntau'n cwpanu fy nhin. Cymaint oedd fy mlys roedd rhaid i mi gymryd ei bidlan yn fy ngheg mewn congl dywyll. Do'n i methu credu fod o'n digwydd, doedd fy ngheg erioed wedi bod mor llawn, mor anghyffyrddus – a be o'n i fod i'w wneud efo 'nannedd? Ond rhywsut roedd yntau wrth ei fodd, yn grwgnach gyda phleser, er mod i'm yn gwybod be uffar o'n i'n neud. Gorffennodd yn sydyn, yr hylif cynnes a thew yn mynd lawr fy ngwddw ac yntau'n dweud fod 'hynna'n amazing, diolch', gan roi sws ar fy moch a cherdded i ffwrdd. Gorweddais yn fy ngwely mewn anghrediniaeth y noson honno; mi o'n i'n teimlo balchder a chywilydd ar yr un pryd. 'Nes i'm gallu edrych ar Louis fyth eto a diolch byth, wnaeth y band ddim ei gwneud hi allan o 2010.

Y noson honno mi wnes i o'r diwedd wireddu y dasg nesaf ar y *scale of sexual activity*: snogio, ffingro, blow jobs, secs, *anal, threesome*. Hyd heddiw mae Alys a fi yn grediniol fod yr hylif hufennog 'nes i ei lyncu yn ddieflig a'i fod wedi fy arwain ar drywydd heb stop. Wrth gwrs, mae synnwyr yn dweud mai nid y *demon semen* oedd ar fai. Mi fyswn i'n medru dweud mai darganfod fy rhywioldeb o'n i – tyfu fyny, darganfod fy hun, darganfod be o'n i'n licio a phwy o'n i'n licio, dyna'r oll! Ond y gwir amdani oedd mod i'n hollol desbret i golli fy *virginity*. Mi oedd 'na rywbeth ofnadwy o desbret am y ffordd o'n i'n ymddwyn drwy'r cyfnod hwn, yn ysu i gael sylw dynion fel tasa'n fy ngwneud i'n well person neu fel tasa am wneud i mi deimlo'n well amdana i fy hun. Roedd pob bachiad ar noson allan a phob stori i fod i 'ngwneud i'n fwy ffyni, yn fwy o ddynas, yn fwy o berson oedd hogia isho'i fachu. Roedd y digwyddiad efo Louis mor *transactional*, yn golygu dim i ni'n dau yn y bôn. Ond roedd o'n rhoi *validation* i mi ac mi oedd o'n golygu mod i am gael secs un diwrnod.

Mi oedd pob ffilm, pob llyfr, pob cylchgrawn o'n i'n consiwmio yn dweud mod i angen dyn, mod i angen secs i fod o unrhyw werth i neb. Roedd secs yn rhoi pŵer i chdi. Roedd secs yn rhoi statws i chdi. Ac os oedd un hogyn wedi dy ffwcio di roedd hynny am dy wneud yn fwy deniadol i ddynion eraill.

Roedd fy ffrindiau o 'nghwmpas nid yn unig ddim yn *virgins*, ond mi oeddan nhw'n *sexually active* efo'u cariadon neu ddynion oedd isio mynd efo nhw. Wedi i mi roi fy meddwl ar gael secs, roedd hi'n teimlo fel tasa fo'n rhywbeth hyd yn oed anoddach i'w gyflawni na snogio. Unwaith eto mi oedd o'n teimlo fel mod i wedi 'nghloi allan o glwb egsgliwsif. Doedd pobl ddim yn gofyn mor *explicitly* ddim mwy, ond roedd hi fel tasa 'na V coch yn hongian uwch fy mhen i adael i bawb wybod mod i heb ffwcio neb. 'Be 'di rhif chdi?' oedd y cwestiwn rŵan, a 'Ti 'di *gwneud* o?' Doedd 'na ddim denig. Gyda phob person oedd yn dod yn ôl o barti neu ŵyl yn dweud bo nhw wedi colli eu *virginity*, fysa 'nghalon i'n suddo ac ro'n i'n dechrau panicio fwy a mwy. Mi o'n i'n teimlo ffasiwn gywilydd mod i mor hen a dal heb wneud.

Rhwng y blynyddoedd 2009 a 2011, roedd o'n rhywbeth oedd ar fy meddwl bob awr o'r dydd. Byddai pob penwythnos newydd yn cynnig ei hun fel cyfle iddo ddigwydd, dim ots pwy. Roedd rhaid iddo ddigwydd cyn i mi droi'n 18 achos mi oedd o'n *tragic* os oeddach chdi dal yn *virgin* yn 18 oed ac roedd fy mhen-blwydd yn 18 yn nesáu. Mi fyswn i'n rhoi gymaint o bwysau arna i fy hun bob tro ro'n i'n mynd allan i feddwl mai'r noson honno fyswn i'n ei gwneud hi. Sut o'n i am fedru galw fy hun yn oedolyn os do'n i heb hyd yn oed gael dyn tu mewn i'm fagina i?

Mi o'n i *on a mission*, yn mynd efo pwy bynnag fysa'n mynd efo fi. Yr unig gysur oedd fod Alys yn yr un gwch: hi oedd yr unig un arall yn y criw oedd dal heb wneud ac mi oedd hi'n teimlo fel tasa'r ddwy ohonan ni mewn ras efo'n gilydd. Diolch byth felly ein bod ni wedi'i wneud o ar yr un noson yn union – fy mharti pen-blwydd i'n 18 oed.

Roedd hi'n noson remp o'r dechrau i'r diwedd. Pan ti'n 18 oed, does 'na ddim ots os oes 'na bobl ti ddim yn eu nabod yn dod i dy barti di heb wahoddiad achos mae o'n golygu dau beth: dy fod di'n boblogaidd (neu bod dy ffrindiau di'n boblogaidd) a fod 'na jans i gyfarfod mwy o bobl newydd sy'n golygu mwy o opsiynau, mwy o ddewis, mwy o bosibiliadau.

Roedd ffrynt man un o'n hoff fandiau lleol yn chwarae yn y parti ac roedd pawb yn dawnsio yn ein *conservatory* a theits gwlyb yn glynu ar y *vodka* a'r Bacardi Breezer ar y lloriau. Mi o'n i'n gwisgo ffrog ddu felfed dynn efo *puff sleeves sheer*, fy nghhoesau wedi eu ffêc tanio'n oren. Roedd y *vodkas* a'r *gins* wedi mynd i 'mhen, yn llacio fy nghhorff. Cychwynnais y noson yn snogio Will mewn cadair yng nghongl y stafell, fy nghhoesau wedi'u clymu o amgylch ei ganol, ond doedd 'na ddim siâp ffwcio arno fo, ac mi oedd y cloc yn tician – yn sydyn. Felly symudais ymlaen at Mickey. Cyrhaeddodd Mickey y parti toc wedi hanner nos, yn *fashionably late*. Roedd o'n olygus, 'chydig bach yn cŵl a do'n i heb siarad efo fo o'r blaen, dim go iawn, ond roedd o yna ac i weld yn *keen*, ac fel ddeudais i, roedd y cloc yn tician. Roeddan ni'n siarad a chwerthin ac yna'n sydyn roeddan ni'n snogio wrth y *range cooker* yn y gegin, a doedd 'na ddim cwestiwn fysan ni am ei wneud neu ddim, achos heb i mi feddwl mi o'n i'n rhedeg i fyny i'r stafell folchi.

'Can't talk, sorry, I need to shave!' gwaeddais wrth wibio fyny'r grisiau heibio fy ffrind Sam. 'Pwy sy'n bathroom? Dwi'n dod i fewn!'

'Fi sy 'ma.' Rhedais i fewn a gweld Alys yn eistedd ar y toilet.

'Dwi angan siafio, Alys! Dwi angan SIAFIO.' Yn sydyn mi o'n i'n defnyddio rasal oedd yn y *shower* ac yn siafio fy nghedor ger y sinc. 'Alys, dwi meddwl bo fi am neud o heno. Efo Mickey.'

'O mai god, dwi meddwl mod i am neud o efo Rick!'

Daliais ei llygaid yn y drych, gwên enfawr yn ymestyn ar fy ngwyneb.

'Ffoc off! O mai god! 'Dan ni'n kindred spirits.'

Roedd y ddwy ohonan ni'n chwil gan gyffro. Oedd, roedd o am ddigwydd i'r ddwy ohonan ni! Ar yr un noson! Gorffennais siafio, gorffennodd hithau biso ac yna gadawon ni'r stafell folchi ar wahân fel Thelma a Louise yn barod i ddreifio'r car yn syth am y dibyn, ond tro 'ma doedd y dibyn ddim am ein lladd, roedd o am ein lansio i fewn i fywyd newydd. I fywyd heb gywilydd achos mi oeddan ni'n gwneud *y peth* oedd pawb o'n cwmpas yn ei wneud, pawb yn y ffilmiau roeddan ni'n eu gwylio, y llyfrau roeddan ni'n eu darllen. Cerddodd y ddwy ohonom at ein cariadon unnos gan wenu, y cyffro a'r nerfusrwydd yn gyfartal.

Cerddodd Mickey a fi i un o'r tai gwag yng ngwaelod y ffarm. Dechreuon ni snogio ar y soffa a chyn pen dim roeddan ni'n agor y drws i fewn i'r stafell wely yn barod i ddisgyn ar y gwely. Yn anffodus, roedd 'na rywun arall wedi bachu'r gwely'n barod ac yn chwyrnu'n *spreadeagle* ar ei hyd ac mi oedd hi'n hollol amhosib ei symud. Aethon ni'n ôl i'r lownj – byddai'n rhaid i'r lownj wneud. Roedd *rhaid* i mi gael secs y noson honno. Roeddan ni'n snogio, roedd 'na ffidlan ac yna cyn i mi feddwl be oedd yn digwydd, roedd ei bidlan tu mewn i mi. Mi o'n i *o'r diwedd* yn cael secs. Roedd 'na ffaff efo'r condom ac mi oedd bob dim 'chydig yn *awkward* wrth i'n cyrff rwbio'n erbyn ei gilydd, ein cusanau'n dameidiog. Ac mi oedd o drosodd mewn cwta funudau. Roedd yr *aftermath* yn waeth na'r secs ei hun. Doeddan ni ddim wir yn gwybod be i'w wneud efo'n gilydd a do'n i ddim yn gwybod sut i fod efo rhywun ar ôl iddyn nhw fod tu mewn i mi, a doedd *post-coital intimacy* ddim i'w weld yn dod yn naturiol i mi. Mi wnaethon ni gusanu am 'chydig ond roedd o'n teimlo'n *forced* ac yn lletchwith – roeddan ni wedi gwneud yr hyn oeddan ni'n fwriadu ei wneud, be oedd pwynt dragio'r sefyllfa allan yn hirach? Gwahanom gydag un gusan arall ac mi es i yn ôl i'r stafell lle oedd fy ffrindiau i'n cysgu.

'Oi, budge up,' dywedais wrth gropian i'r gwely at Sam.

'Did you get to shave, hun?'

'Oh my god, does everyone know?'

'Well, you kind of shouted as you were going upstairs that you needed to shave... and then you disappeared, so kind of, maybe?'

Oedd, roedd pawb yn gwybod. Ond o leiaf roeddan nhw'n gwybod mod i ddim yn *virgin* rŵan.

Unwaith 'nes i gael secs, mi oedd 'na boenau eraill yn ffurfio – o'n i'n dda am roi secs? Oedd fy fagina i'n ddigon llyfn, yn ddigon tyn? O'n i ddigon secsi? Sut o'n i'n edrych yn ystod secs? O'n i'n wneud o'n iawn? Oedd o'n gweld i fyny'n shnosyl mawr i pan o'n i ar top? Roedd y cwestiynau 'ma yn chwalu pen hyd yn oed yn fwy nag o'r blaen a'r atebion yn fwy sgeri.

Mae 'na lawer o bethau yn fy synnu i am y noson honno a'r ffordd 'nes i golli'n *virginity*. Mae'n fy synnu i, dros ddeg mlynedd ar ôl i mi wneud, mod i mor desbret i'w golli. Roedd y pwysau o'n i'n deimlo yn ddigon i'm mygu fi – y pwysau oedd yn dod gan fy nghyfoedion, y cyfryngau, ffilmiau, rhaglenni teledu, ond yn fwy na dim gen i fy hun. Roedd fy modolaeth yn hinjo ar gael sylw gan hogia. Os oedd hogyn yn fy licio i neu wedi fy ffwcio i, roedd hynny'n ddigon i ddilysu fy modolaeth.

Ar y pryd mi o'n i'n meddwl fod jest ei gael o – efo pwy bynnag – yn beth da achos ei fod o'n golygu mod i ddim am fod yn *virgin* dim mwy. Roedd y weithred o'i wneud o ac o fedru dweud wrth bobl mod i wedi ei wneud o yn bwysicach nag unrhyw beth arall. Roedd gen i'r un feddylfryd yn union ag oedd gen i'n 14 oed yn chwilio am snog. Y niferoedd oedd yn bwysig, nid os o'n i'n licio rhywun, neu isio dod i nabod rhywun. Doedd y *transactions* byrhoedlog, diramant 'ma yn golygu dim byd mewn gwirionedd, dim ond yn stori dda i'w hadrodd wrth fy ffrindiau neu yn ateb i rywun os oeddan nhw'n gofyn 'Be 'di nymbyr chdi?'

Mae'n fy synnu hefyd cyn lleied o ramant ro'n i'n bodloni arno, yn enwedig gan mod i wrth fy modd efo rhamant a philipalas yn y bol. Mi o'n i wedi darllen am bobl yn colli eu *virginity* a'u gweld nhw mewn ffilmiau a rhaglenni, yn cael secs gyda chanhwyllau o'u cwmpas, efo rhywun oedd yn eu caru, mewn gwely(!), ond pan oedd o'n digwydd i mi, roedd be o'n i'n fodlon ei dderbyn mor isel. Do'n i'n disgwyl dim a dyna'n union ges i – dim hyd yn oed neges y diwrnod wedyn.

Erbyn hyn dwi'n gwybod be ydi secs da, cyfartal, llawn hwyl – mae o wastad yn digwydd pan mae'r ddau berson yn cyfathrebu'n agored â'i gilydd, yn barod i adael *ego* tu allan i'r stafell ac yn barod i blesio ac i chwerthin. Doedd 'na ddim byd yn bod ar Mickey ond doeddan ni ddim yn nabod ein gilydd ac felly does 'na ddim syndod fod y digwyddiad i gyd yn teimlo'n lletchwith. A sut o'n i i fod i wybod be o'n i isio ac yn licio os nad o'n i'n nabod fy nghorff fy hun? Do'n i rioed wedi cysidro sut oedd secs i fod i deimlo.

Unwaith eto, roedd unrhyw sôn am bleser ar goll o'r sgyrsiau a'r profiadau cynnar yma. Oedd, roedd merched o 'nghwmpas yn ffwcio ond doeddan nhw ddim yn sôn am eu mwynhad neu eu *orgasms* – roedd o wastad yn gorffen pan oedd y dyn yn gorffen; yn fwy am y *quantity*, nid y *quality*. Roedd y sgyrsiau am bleser merched yn absennol o unrhyw addysg neu *mainstream media* o'n i'n ei gael neu'i wylio. Doedd y secs o'n i'n weld ar sgrin byth yn cynrychioli secs go iawn – roedd o wastad mor berffaith a chyflym a glân, yn gorffen ar y cyd. Do'n i heb gysidro fod secs yn rhywbeth amherffaith, blêr, ffaeledig.

Y cwbl oedd yn bwysig oedd defnyddio condom achos ti'm isio babi mewn naw mis, nag oes? Ond mi fysa hi'n flynyddoedd eto cyn i mi ddechrau cwestiynu pam fod secs yn gorfod gorffen pan mae dyn yn dod a sylweddoli ei bod hi'n bosib cael orgasm wrth gael secs.

Oedd, roedd colli'n *virginity* yn tu hwnt o *anticlimactic* (ym mhob ystyr). Y bore wedyn mi o'n i'n disgwyl i gerddoriaeth swnio'n wahanol, i'r haul dywynnu'n fwy llachar, i bobl fy licio i fwy, i hogia fy ffansïo i fwy. Ond roedd pob dim yn union yr un peth a doedd fy mhoenau yn ddim gwahanol.

7. Blu 'til two

Pethau sy'n bwysig i mi yn 18 oed

- Cael secs eto
- Bod yn ddel
- Bod yn denau
- Peidio bod mor dal
- Bod yn ffasiynol a chael fy nillad i gyd o Topshop
- Bod yn *hippie* cŵl fel Florence and the Machine
- Cael hogia i ffansïo fi

TOPSHOP: MECCA I bob merch yn y 00au hwyr a Topshop Bangor oedd Mecca ein criw ni. Roedd genod gogledd Cymru mewn brwydr efo'i gilydd i gael y ffrogiau byrraf, y topiau mwyaf blodeuog, y jeans mwyaf *skinny*, y sgerti tynnaf, y cardigans mwyaf amlbwrpas a'r bandiau gwallt mwyaf *indy* – yn rasio yno i wneud yn siŵr eu bod nhw'n cael y stwff gorau cyn eu ffrindiau. Do'n i fyth wedi bod yn ffasiynol, ddim wir wedi arbrofi efo fy steil; mi o'n i wastad jest yn cael pethau tebyg i'r genod o Topshop, ac mi fysan ni'n benthyg dillad ein gilydd fel bod ganddon ni lwyth o wardrobs ychwanegol bob un. Eu steil nhw oedd fy steil innau nes i mi gael yr hyder i arbrofi mwy, flynyddoedd wedyn. Kate Moss a Florence and the Machine oedd fy ysbrydoliaeth ar y pryd – *indy meets sexy meets hippie* ond dal yn cŵl (achos mae hogia'n licio merched cŵl). Bod yn *indy*, cŵl a secsi oedd uchelgais pob un ohonom.

Y dilledyn gorau i mi ei gael o Topshop oedd ffrog wyrdd tywyll, un ysgwydd gwta ond mewn steil tebyg i Florence, y llawes yn hir a *flowy* a sidanaidd gyda phlu paun arni: mi o'n i'n barod i fynd i peacockio o amgylch Chwilog ynddi. Mae Chwilog yn bentref bach ar gyrion Pwllheli ac roedd 'na ŵyl (*aptly named*) o'r enw Chwilgig yn digwydd yno yn yr haf. Byddai trigolion o bob oed o Ben Llŷn ac Eifionydd yn heidio yno tua chanol y prynhawn i wrando ar gerddoriaeth fyw, i fwyta *hot dogs* a nionod wedi llosgi ac yfed peintiau o Carling mewn cwpanau plastig. Doedd o ddim gwahanol i'r gwyliau bach sy'n digwydd mewn pentrefi ar hyd a lled Cymru, yn esgus i wragedd ffarm wisgo yn eu *getup* gorau ac i ferched ifanc fel ni wisgo ein ffrogiau byrraf; roeddan ni wedi'r cyfan yn mynd i ŵyl gerddoriaeth, *epitome coolness*.

'Sgen ti sgert ne jîns i roi o dan y top 'na?' gofynnodd Mam mewn anghrediniaeth. 'Neu hyd yn oed teits?'

Do'n i ddim yn gwisgo teits siŵr – roedd hi'n ganol haf! Roedd dillad y genod i gyd yn fyr ac yn dynn hefyd, achos dyna oedd y steil a dyna oedd am ddenu hogia. A fysan ni byth bythoedd yn gwisgo côt, hyd yn oed ym mherfeddion y gaeaf. Roeddan ni'n gwisgo fyny fel tasan ni'n cystadlu ar *Love Island* neu'n barod i fynd i wneud sioe *cabaret Moulin Rouge* – un tro mi wnaeth Llio wisgo corset a dau felt i fynd allan.

Byddai pawb yn ymgynnull yng nghartref un ohonom ac mi fysan ni'n dechrau ymbincio a thrio dillad ein gilydd oriau cyn i'r tacsi ddod i'n casglu. Bysa'r stafell yn cael ei gorchuddio gyda phatrymau blodeuog neu *aztec*, blowsiau a sgerti *bodycon*, pawb am y gorau i greu y wisg fwyaf deniadol, fwyaf secsi, fwyaf noeth. Ac yna mi fysan ni'n cael *photoshoots* efo'n camerâu digidol er mwyn cael eu hychwanegu i albyms ar Facebook – pob un ohonom efo amrywiadau o'r un lluniau.

Roedd lot o'r hyn o'n i'n wisgo ar y pryd wedi'i deilwra er mwyn denu hogia, o'r jîns o'n i'n wisgo i'r *thongs* les am fy nhin. Mi gymerodd flynyddoedd i mi sylweddoli ei bod hi'n bwysicach gwisgo i mi fy hun yn hytrach nag unrhyw un arall, yn enwedig hogia. Ond ar y pryd dyna oedd y peth pwysicaf: cael hogia i fy ffansïo i. Ac yn Chwilog, yn fy ffrog plu paun wyrdd tywyll un ysgwydd, roedd 'na hogia yn sicr o'n ffansïo i.

*

Os mai oglau brechdan wy sy'n f'atgoffa o 'mhlentyndod, yna yr oglau sy'n f'atgoffa o fod yn ferch 18 oed ym Mhwllheli ydi oglau coctel Strawberry Collins. Wedi'i guddio mewn congl dywyll rhwng y ganolfan dwristiaeth a Bon Marche ym Mhwllheli, roedd 'na far o'r enw Rehab. Dyma le digon anarferol i dre fel Pwllheli – nid tŷ tafarn oedd Rehab, ond bar efo goleuadau secsi, waliau coch wedi'u haddurno â chelf fodern mewn fframiau Ikea trwchus a phlanhigion yn llenwi pob twll a chongl (cyn i blanhigion fod yn cŵl). Roedd 'na gerddoriaeth fyw ar nosweithiau Sadwrn, fel arfer gan fandiau lleol oedd yn canu *covers* o 'Dancing in the Moonlight' a 'Yellow'. Coctels oedd ar y fwydlen ac roedd hyn yn golygu ei fod yn fwy cŵl nag unrhyw un o dafarndai eraill Pwllheli, cyn i 'basic' fod yn *concept*.

Strawberry Collins oedd y diod oedd pawb yn ei archebu. Roedd o'n goch annaturiol, yn chwerwfelys ac yn cael ei sipian yn rhy sydyn. Roedd wyneb y barman yn disgyn wrth weld criw o genod yn trotian i fewn yn eu *heels* New Look, wedi gor-egseitio am gael dod mewn i far 'soffistigedig' heb orfod dangos IDs – mi oedd o'n gwybod ei fod o am orfod gwneud Stawberry Collinsus *back-to-back* am tua tair awr solad.

Roedd y byrddau i gyd yn isel a'r soffas yn ddyfn – amodau perffaith i snyglo fyny at ddynion fysa'n fodlon rhoi sylw i chdi. Roedd gen i un lygad ar y genod, yn chwerthin ac yn sgwrsio, a'r lygad arall wastad yn cadw golwg am ddyn oedd yn mynd i roi sylw i mi.

Ychydig yn llai *classy* na Rehab oedd unig glwb nos Pwllheli: Blu. Dyma le cwbl chwedlonol. Roedd o'n eistedd heb unrhyw gywilydd yn y byd uwchben siop elusen Tenovus, ac i'w gyrraedd roedd rhaid dringo grisiau llawer rhy serth o gysidro fod y rhan fwyaf o bobl am fod yn feddw neu mewn *heels*. Roedd y monopoli oedd gan Blu ym Mhwllheli yn golygu eu bod yn gallu codi £5 ar bawb wrth y drws – pris rhad i'w dalu am ddwy awr wefreiddiol ar ddiwedd y noson. Tu mewn roedd popeth yn wahanol fathau o las: y waliau gliterog efo penillion byr wedi'u peintio arnynt, y carpedi gludiog, y soffas isel o amgylch y *dancefloor*, y goleuadau a'r *strobes*. Roedd 'na gaets enfawr yng ngwaelod y stafell gyntaf cyn mynd drwadd i'r *dancefloor*. Mi o'n i'n licio dweud wrth bawb ei bod hi'n bosib dal *chlamydia* jest drwy anadlu'r aer yn y stafell fach *grubby*. Roeddan nhw'n chwarae bangars yno ar ddiwedd noson – 'Only Girl (In the World)', Rihanna neu 'Give Me Everything (Tonight)', Pitbull oedd fy ffefrynnau i a'n ffrindiau.

Roedd pawb yn gorffen eu nosweithiau yno, yn mynd yno i fachu, i fyseddu, neu jest i ddawnsio. Oedd, roedd o'n *sticky* ac yn afiach ond roedd o hefyd yn lot fawr o hwyl. Os nad oeddach chdi wedi bachu'n Sarn neu'n un o dafarndai eraill Pwllheli, roeddach chi'n sicr o wneud yn Blu.

Rhywsut neu'i gilydd mi wnes i ffeindio'n hun wedi

'manio o Blu ac mi fyddwn i'n crefu ar y bownsars i 'ngadael i fewn, yn palu celwydd mod i wedi newid ers y penwythnos cynt. Roedd hi'n artaith llwyr gorfod gweld fy ffrindiau'n mynd yno a finnau'n gorfod mynd i'r siop *kebab* neu adra. Noson flwyddyn newydd 2010 roedd fy ffrindiau i gyd yno yn cyfri lawr at hanner nos, ond mi o'n i'n dathlu'r flwyddyn newydd yn Peckish efo *cheesy chips*.

Wrth gwrs, bachu oedd uchelgais pob noson. Doedd noson allan ddim yn dda, ddim yn llwyddiannus os nad oeddach chdi'n bachu rhywun a doedd hyn ddim yn helpu *self-esteem* neb achos os doeddach chdi ddim yn bachu, roedd o'n mynd i wneud i chdi deimlo fel methiant, neu'n hyll neu ddim digon tenau. Mi oedd hi'n gyfnod rhyfedd, achos mi oedd rhaid actio yn *slutty* er mwyn i hogia fod isio mynd efo chdi, ond os oeddach chdi acshli'n *slutty* ac yn ffwcio llwyth, fysa hogia ddim isio bod yn gariad i chdi. Mae 'na ddouble standard llwyr yn achos dynion a merched a rhyw, dal i fod, ond roedd hi'n waeth fyth yn 2009 pan mai *lad culture* oedd y confensiwn. Mae hogia'n cael ffwcio pwy bynnag maen nhw isho, ond tydi merched ddim – neu, mae 'na fwy o oblygiadau i ddynas os ydi hi'n penderfynu cael *casual sex*. Hogan fudur yn y gwely, maen nhw'n medru mynd adra at eu mam – dyna oedd dynion isho. Ond sut o'n i am fedru bod yn fudur os nad o'n i acshli'n cael secs? Ac os nad o'n i'n cael secs, sut o'n i am fod yn gariad i rywun?

Mi o'n i'n disgwyl i 'mywyd gael ei drawsnewid unwaith o'n i wedi cael secs, ond wnaeth o ddim. Do'n i ddim yn dduwies rywiol fel o'n i wedi meddwl fyswn i. Mewn gwirionedd, ar ôl cael secs am y tro cyntaf, 'nes i ddim parhau i'w gael o'n aml, a phan o'n i yn ei gael, daeth lot mwy o secs ofnadwy, ofnadwy o wael. Roedd pontio o fod yn *virgin* i fod yn rhywun oedd yn cael secs da yn dasg anodd.

Cyn mynd i coleg, mi o'n i'n benderfynol mod i am gael secs da – mod i am gael mwy ohono hefyd. Felly dyma daflu fy hun i'r dasg fel tasa'n bwnc *extracurricular*. Roedd gen i *agency* rŵan ond doedd o ddim yn rhywbeth oedd gen i unrhyw fath o reolaeth drosto. Mi o'n i'n defnyddio alcohol i roi ffug-hyder i mi a do'n i dal ddim yn rheoli unrhyw sefyllfa efo dyn – roedd y dyn wastad yn dweud beth oedd am ddigwydd, a finnau jest yn oddefol.

Mi o'n i adra o'r ysgol am benwythnos ac roedd Llio a fi'n mynd allan i Bwllheli. O'n i wedi bod yn gweithio drwy'r dydd ond dal yn benderfynol o fynd allan y noson honno, yn hollol desbret i gael cyfle i feddwi, i fachu.

'Ti heb fyta a ti'n run down,' dywedodd Mam wrth fy ngweld yn ymbincio am noson allan. 'Dwi'm yn meddwl ddylsa chdi fynd allan heno.'

'Dwi'n mynd! Allwch chi'm stopio fi,' atebais innau, yn benderfynol mod i *yn* mynd allan.

'Na! Ti ddim yn mynd!'

'Yndw, dwi YN mynd.'

O fewn chwarter awr mi o'n i mewn tacsi. Ar y noson arbennig 'ma ym Mhwllheli, aethon ni'n syth i Rehab, y Strawberry Collinsus yn llifo fel mêl, ein llygaid yn gwibio o gwmpas am ddynion oedd ar gael. Yna mi yfon ni Zombies a *shots*.

Tecstiodd Mam: 'Adra erbyn 10 plis.'

Tecstiais ddwy lythyren yn ôl: 'NA' ac yna diffodd fy ffôn a'i roi yn ôl yn fy mag am weddill y noson. Llyncais *shot* arall. Tydw i ddim yn cofio dim byd ar ôl hynny, ond mae pobl yn mwynhau dweud fy hanes. Ar ôl i mi orffen fy Zombie olaf, mi wnes i fynd at y dyn tacsi agosaf a thalu £3.50 iddo fynd i fyny i fy nghartref i ddweud wrth fy rhieni mod i ddim yn dod adra y noson honno ac i beidio aros fyny amdana i.

Yn ddyn tacsi ffyddlon oedd yn cadw at ei air, mi aeth i'r ffarm i ddweud wrth fy rhieni. Mor ddiarwybod oedd fy nhad, mi oedd o'n cerdded drwy'r iard yn ei ddressing gown i saethu llygod mawr yn y sied. Tua'r un pryd mi o'n i wedi medru llithro fy ffordd i fewn i Blu ac yn trio mynd efo pob dyn oedd yno tan i mi luchio fy holl bwysau ar ein cymydog a ffoniodd fy mam i ddod i'n nôl i. Roedd rhaid iddyn nhw fy nghario fi fewn i'r car.

Y bore wedyn, ges i uffar o row gan Mam a Dad tra oedd fy mhen i lawr y toilet yn chwydu Zombies ac yn gweiddi mod i "di cael fy sbeicio', roedd 'RHAID bo 'na rywun wedi'n sbeicio i'.

'Yfad gormod nest ti!' gwaeddodd Mam wedi gwylltio'n gacwn.

Mi o'n i'n grediniol mod i wedi cael fy sbeicio. Sut arall fyswn i wedi cael fy hun i'r fath lanast? Pythefnos wedyn, pan esh i allan i Bwllheli eto, a meddwi yn yr un ffordd, sylwais mod i, o bosib, *heb* gael fy sbeicio. O hynny ymlaen do'n i byth yn cofio diwedd noson allan ym Mhwllheli – mi fyswn i wastad yn codi'n y bore efo'n ffrindiau'n adrodd yr hyn o'n i wedi ei wneud y noson cynt.

'Nest ti fachu neithiwr!'

'O mai god, Gwens, nest ti hynna neithiwr.'

Mi o'n i'n defnyddio alcohol i roi hyder i mi ar noson allan, i leddfu rhywbeth tu mewn i mi oedd dal i ddweud mod i'm digon da, digon tenau, digon del, ac roedd alcohol yn fy ngwneud i'n fwy ffyni, yn fwy *outrageous*. Mi o'n i allan o reolaeth yn llwyr ar bob un noson allan, yn chwilio am rywun i fynd efo fi, dim ots pwy, fel tasa'n gwneud i mi deimlo'n well amdana i fy hun, am wneud i mi gael owns yn fwy o hunan-werth. Mi oedd y straeon doniol neu *embarrassing* yn well na gorfod delio efo fy ngwir deimladau ac ansicrwydd.

Mi o'n i'n aml yn mynd â phethau'n rhy bell, byth yn cofio beth o'n i'n ei wneud ac yn ei ddweud wrth bobl, ddim yn sylwi mod i'n rhoi fy hun mewn peryg.

Dechreuodd fel noson allan arferol ym Mhwllheli, pawb yn trotian i fewn i Rehab yn eu *heels* a'u sgerti byr ac yn gofyn am eu Strawberry Collins. Ar ôl mynd rownd tafarndai Pwllheli gan sganio am ddyn i ddal llygad, aethom i Blu. Dwi'n cofio fawr ddim, y noson yn *blur* ac ambell i olygfa niwlog yn fy mhen fel taswn i'n gwylio ffilm o'r noson: dawnsio'n Blu, snogio'n Blu, yna snogio mewn tacsi ac yna yn ôl i garafán.

Pan ddeffrais o'm meddwdod, roedd ei bidlan *Cumberland sausage* yn fy ngheg ac roedd o'n trio gwthio'i geilliau balŵniog, blewog i fewn hefyd. Cymerodd 'chydig eiliadau i mi ddod at fy nghoed a sylweddoli be'n union oedd yn digwydd, meddwl am lle'n union o'n i, a do'n i ddim isio iddo fo fod yn digwydd ddim mwy. Poerais ei *genitals* allan o 'ngheg a thrio'i wthio oddi arna i.

'STOP, STOP! Dwi isio mynd o 'ma,' gwaeddais

'Be? Be ti feddwl?'

Mi o'n i'n teimlo mor noeth, mor agored yn gorwedd ar y gwely yn y garafán dywyll.

'Dwi jest isio stopio, dwi isio mynd o 'ma. Sori, dwi jest angan mynd.'

'Na, c'mon, caria ymlaen,' dywedodd wrth wthio'i hun tuag ata i unwaith eto.

Gwthiais ei gorff mawr noeth oddi wrtha i. Dechreuais wisgo amdanaf, yn ysu i adael wrth bigo fy nillad o'r llawr a'u lluchio amdanaf bob sut. Do'n i methu cael gafael ar dacsi – ro'n i'n hitio'r botwm *redial* bob eiliad, y stafell fach dywyll yn teimlo fel tasa hi'n cau amdana i, fy 'sgyfaint yn tynhau gyda phob anadl.

'Dwi'm yn dallt, paid â bod yn wirion. Jest aros, a' i â

chdi adra'n bora... Ti'n bod yn hollol ridiculous... Ti mor wirion 'wan 'de. Ti'n gymaint o prude.'

'Na, dwi angan mynd, sori. Dwi'n rili sori.'

Roedd gen i gymaint o gywilydd, yn enwedig a fyntau yn fy ngalw i'n 'ridiculous', mi o'n i isio i'r ddaear fy llyncu i. Yn sydyn roedd 'na oleuadau car yn goleuo'r stafell. Taflais fy sgidiau am fy nhraed a'i heglu hi allan i'r iard, at y tacsi. Daeth un o'i ffrindiau allan o'r car a dechrau gweiddi,

'WEEEI, SBIA PWY 'DI!'

Dringais i fewn i'r tacsi a gofyn iddo fynd â fi adra. Doedd gen i ddim syniad faint o'r gloch oedd hi tan i mi weld 03:14 ar y cloc digidol. Anadlais fel taswn i'n gwneud am y tro cyntaf ers munudau wrth i'r tacsi ddreifio o'r iard.

'Diolch, diolch o galon,' dywedais wrth y dyn tacsi, mor ddiolchgar mod i'm yn gorfod bod yn y stafell 'na ddim mwy, mor ddiolchgar mod i'm yn gorfod gweld ei wyneb a'i geilliau.

Gorweddais yn fy ngwely, yn falch o deimlo'n saff unwaith eto. Am y tro cyntaf ers i mi ddechrau snogio hogia, doedd hyn ddim yn teimlo fel rhyw stori ddoniol arall i mi fedru'i dweud wrth fy ffrindiau a do'n i ddim yn teimlo'r rhyddhad 'na o fod wedi ffwcio rhywun arall, fy nymbyr yn uwch nag ar ddechrau'r noson. Yn hytrach, roedd gen i gwlwm yn fy mol fel mod i wedi gwneud rhywbeth o'i le. 'Nes i ddim dweud wrth neb y diwrnod wedyn. Do'n i ddim yn mynd i groesawu cwestiynau gan fy ffrindiau, achos mi oedd 'na gymaint o gwestiynau'n chwyrlïo o amgylch fy mhen fy hun: O'n i'n 'prude' achos mod i wedi gadael? O'n i'n 'wirion' yn gadael? O'n i'n 'ridiculous'? Ddylwn i fod wedi aros yno tan y bore fel ddudodd o? Ddylwn i fod wedi jest parhau i gael fy ffwcio?

Mi oedd gen i gymaint o gywilydd ac mi ddaliais ar y cywilydd 'na am flynyddoedd. Am flynyddoedd mi o'n i'n meddwl mod i wedi gwneud rhywbeth o'i le, wedi meddwi gormod i'w wrthod, felly fy mai i oedd o. Mi o'n i wedi gwneud fy hun yn anniogel drwy yfed gormod ac felly doedd dim rhyfedd mod i wedi cael profiad fel'na. Mi o'n i'n taflu fy hun ar ddynion wedi cael diod, yn gwisgo sgerti byr a thopiau *low-cut* – mi o'n i'n lwcus fod rhywbeth fel hyn heb ddigwydd yn gynt.

Do'n i ddim yn cwestiynu pam fod 'na ddyn 28 oed wedi bod mor barod i fynd â hogan 18 oed tu hwnt o feddw adra efo fo. Oedd o heb ystyried pa mor feddw o'n i neu oedd o jest yn fodlon cau ei lygaid os oedd o'n golygu ei fod o am gael secs y noson honno? Wnaeth y syniad ei fod *o* wedi gwneud rhywbeth o'i le ddim croesi fy meddwl i am flynyddoedd. Wnaeth y syniad mod i ddim yn haeddu cael dyn yn rhoi ei bidlan yn fy ngheg dim ots os o'n i'n gwisgo sgert fer ddim croesi fy meddwl i am flynyddoedd. Wnaeth y syniad fod merch, dim ots pa mor feddw ydi hi, ddim yn haeddu cael ei thrin fel gwrthrych i'w ffwcio ddim croesi fy meddwl am flynyddoedd chwaith.

Mae'r sgyrsiau o amgylch *consent* yn llawer mwy clir heddiw: os nad ydi rhywun yn medru rhoi *consent*, wel ddylach chi ddim ffwcio. Ond pam fod hyn ddim jest yn digwydd erioed? Tydi o ddim jest yn *common decency*? Yn amlwg, doedd gan y dyn 28 oed ddim parch o gwbl a doedd dim bwys ganddo fo pwy o'n i. Doedd o ddim wir yn malio cyn belled â'i fod o'n cael shag. Roedd o'n debyg i'r sefyllfa efo JD: do'n i'm yn rhywun oedd o wir isio ond mi o'n i'n feddw ac yn opsiwn diwedd noson.

*

Cadwais yn glir o Bwllheli am 'chydig wythnosau ar ôl y noson honno, gan benderfynu gweithio shifts nos Sadwrn neu aros yn yr Amwythig ar y penwythnosau o'n i fod i fynd adra.

Wythnosau yn ddiweddarach, ar y noson gyntaf i mi fynd allan ym Mhwllheli efo Megan a Llio, roeddan ni'n eistedd ar y soffas yn Rehab. Mi o'n i *on edge* drwy'r nos, yn sbio ar y drws i weld pwy oedd yn dod i fewn. Ac yna, digwyddodd. Rhedodd ias oer i lawr fy nghefn wrth i'r dyn gerdded i fewn efo'i ffrindiau. Cysylltodd ein llygaid ac yna cerddodd heibio heb wên nac unrhyw symudiad nac arwydd ar ei wyneb, fel taswn i ddim hyd yn oed yn eistedd ar y soffa frown, fel tasa heb fy nghyffwrdd i o'r blaen, heb sôn am hyrddio ei gorff mawr tuag ata i.

Ro'n i wedi mewnoli y teimladau fod fy ffwcio i yn *embarrassing* a fod ganddo fo gywilydd ei fod o wedi ffwcio person oedd yn edrych fel fi ac efo personoliaeth 'prude'. 'Nes i ddim meddwl mai'r rheswm ei fod o'n methu sbio arna i oedd oherwydd ei fod o'n teimlo cywilydd am y sefyllfa a sut oedd o wedi ymddwyn ar y noson. Yn fy mhen 18 oed i, roedd y ffaith ei fod o heb sbio arna i yn atgyfnerthu'r teimladau o'n i'n deimlo'n barod: mod i'n rhy hyll a ddim digon secsi a jest ddim yn ddigon da.

Mi o'n i wedi hen arfer cael dynion yn peidio 'nghydnabod i ar ôl snog neu secs, ac mi o'n i'n meddwl cyn lleied o'n hun, yn cario'r fath gywilydd efo fi, do'n i ddim yn malio, ddim yn cwestiynu pam mod i'm hyd yn oed yn haeddu 'helô' neu fynegiant wyneb gan rywun ar ôl iddyn nhw'n llythrennol fod tu mewn i mi. Sut oeddach chdi'n medru bod mor *intimate* a *vulnerable* efo rhywun a wedyn ddim hyd yn oed gwenu arnyn nhw? O'n i wir yn gofyn gormod? Ond dyma o'n i wedi arfer efo fo – roedd hogia yn fy nefnyddio i ac mi o'n i'n eu defnyddio nhw hefyd, yn do'n? O'n i'n haeddu parch y dynion 'ma pan do'n i'm hyd yn oed yn parchu fy hun?

Nath y profiad ddim fy newid i achos doedd fy *mindset*

i heb newid. Mi o'n i'n dal i chwilio am *validation* gan ddynion drwy sylw a secs. Ac mi oedd hi'n haws medru sgubo'r profiad o dan y carped na gorfod wynebu yr hyn oedd wedi digwydd.

8. Clownio

WRTH I 'NHYMOR olaf yn Shrewsbury High School for Girls agosáu, mi o'n i'n teimlo'n fwy a mwy trist i adael. Mi o'n i erbyn hyn wedi cael y FOMO dan reolaeth ac wedi ymroi yn llwyr i fywyd yn yr Amwythig, heb boeni mod i'n mynd i golli'n ffrindiau adra. Mewn ffordd roedd bod i ffwrdd wedi gwneud i mi eu gwerthfawrogi fwy. Ac mi o'n i wedi dysgu gymaint dros y ddwy flynedd, am lyfrau, am y byd, er mod i weithiau'n gofyn cwestiynau gwirion neu'n gwneud ffŵl ohonaf i fy hun.

Roedd hi wedi cymryd bron i ddwy flynedd, ond un o'r gwersi mwyaf i mi ei dysgu tra o'n i'n byw i ffwrdd am y tro cyntaf oedd bod fy ffrindiau ddim yn fy ngharu llai os oeddan nhw'n gwneud ffrindiau newydd a do'n i ddim yn eu caru nhw llai os o'n i'n gwneud ffrindiau newydd. Tydi cyfeillgarwch *go iawn* ddim yn gyfyngedig – mae o'n bodoli mewn digonedd, mae o'n anfeidrol. Mae o'n medru bod yn rhywbeth gorlawn – o hwyl, o sbri, o chwerthin, o addysg, o ddoethineb, o wrando, o grio, o ddysgu, o newid, o dyfu, o ddawnsio, o gariad. Yn amlwg mi fuodd rhaid iddyn nhw, a fi, wneud lle i ffrindiau newydd, roedd rhaid i ni addasu, ond 'nes i sylweddoli'n sydyn iawn fod 'na le i bob un ohonyn nhw yn fy mywyd. Doedd methu un penwythnos allan efo'r criw adra ddim yn golygu eu bod nhw am anghofio amdana

i. Doedd methu un alwad neu gymryd amser i ateb neges Facebook ddim yn golygu fod neb yn ffrind sâl neu'n golygu llai i'w gilydd. Mae bywydau pawb yn bwysig ac yn brysur.

Cysur mawr arall ddaeth o fyw yn yr Amwythig oedd darganfod coginio fy Anti Einir ac mewn ffordd, ailddarganfod faint o'n i'n caru bwyd – ei baratoi, ei weini, ei fwyta, ei rannu efo ffrindiau dros lasiad o win. Roedd ganddi hi bantri a ffrij mawr oedd wastad yn llawn danteithion 'chydig bach yn anarferol o gymharu efo'r hyn oedd yn y ffrij yn Gwynfryn, a byddai'n fy herio i wneud pryd gwagio ffrij unwaith yr wythnos. Weithiau mi fyswn i'n dilyn rysáit, weithiau mi fyswn i'n freestylio (a weithiau mi fyswn i'n methu).

Dysgais lawer o wersi bywyd gan fy Anti Einir fel sut i hostio *dinner party* a'r ffordd gywir i blygu tyweli. Mae Chardonnay Ffrengig yn du hwnt o flasus, ni ddylai tomatos gael eu cadw yn y ffrij ac mae te'n blasu'n neisiach os ti'n ei yfed o gwpan *china*. Roedd hi mor ddoeth a gwybodus am y byd ac ehangodd fy ngorwelion: dysgais sut i fynegi barn, sut i ddadlau efo rhywun. Os oedd hynny'n bosib, mi o'n i'n fwy trist i adael yr Amwythig nag o'n i pan wnaeth fy rhieni fy ngadael yno ddwy flynedd ynghynt.

*

Pasta gwagio ffrij Anti Einir
Er mod i'n cael problemau stumog wrth i 'nghorff geisio treulio pasta, 'na i ddim stopio ei fwyta: dwi'n hollol *obsessed*. Mi fyswn i'n bwyta pasta i frecwast, cinio a swper. Hyd heddiw, tydw i heb gyfarfod neb sydd ddim yn licio'r pryd pasta 'ma – mae hyd yn oed fy nhad yn ei fwynhau (a tydi o ddim yn ffan mawr o basta!). Mae o'n hawdd i'w baratoi a'i goginio, boed hynny i 2 neu 20 o bobl, ar unrhyw noson o'r

wythnos. Dwi (a llawer o'n ffrindiau) wedi gwneud y pasta 'ma i wooio dyn ar drydydd dêt, i ddod â ffrindiau newydd at ei gilydd neu i ddathlu'r flwyddyn newydd.

Mi fydda i'n ei weini fel rheol efo salad gwyrdd syml, bara ffres, olew olewydd a digonedd o bupur du.

Cynhwysion

Pasta Conchiglie (mae'r bwyd yn mynd i fewn i'r cregyn ac yn gwneud pob brathiad yn fwy *mouth-watering*)
Chorizo
Parma ham
Bacwn *streaky* neu *pancetta*
Tomatos bach (*cherry tomatoes*)
Tomatos heulsych (*sundried tomatoes*)
Pupur coch (o'r jariau Peppadew)
Mangetout
Basil ffres
Crafion Parmesan
Pine nuts wedi'u tostio

Dull

- Torrwch y cynhwysion i gyd yn fân.
- Ffrïwch y *chorizo*, y *Parma ham* a'r bacwn mewn padell fawr nes eu bod wedi'u crimpio.
- Ychwanegwch y ddau fath o domatos a'r pupur i'r badell a'u ffrio am 'chydig.
- Berwch y pasta (da chi, cofiwch ychwanegu pinsiad hael o halen i'r dŵr).
- Gwlychwch y *mangetout* mewn dŵr berwedig.
- Draeniwch y pasta a'i gymysgu i fewn i'r cynhwysion yn y badell ffrio. Ychwanegwch y basil a'r *mangetout*. Ychwanegwch y *pine nuts* a chrafion Parmesan. Taenwch 'chydig o bupur du dros y cwbl.

- Llenwch fowlen i chi'ch hun, eisteddwch efo'ch ffrindiau a rhowch y byd yn ei le.

*

Fel y rhan fwyaf o bobl 18 oed ym Mhrydain ar y pryd, penderfynom fel genod Hooker High fynd ar wyliau hollol *trashy* cyn i ni i gyd wahanu i gyfeiriadau gwahanol. Aethom i Gran Canaria, ynys yn y Canaries oedd yn enwog am ei thraethau gwyn a'i gwestai *all-inclusive,* nid am fod yn *notorious student holiday destination.* Roedd 'na fwy o deuluoedd a chyplau wedi ymddeol yn heidio yno na merched horni 18 oed. Ond roedd o'n rhad ac roeddan ni'n medru cael gwesty efo pwll nofio a sba i'r 10 ohonom am bris rhatach na phob man arall. Roedd hi am fod yn wythnos o hwyl a sbri a'r gobaith oedd y bysan ni i gyd yn cael secs unwaith o leiaf.

Dyma'r tro cyntaf i mi fod ar wyliau heb fy rhieni neu rieni ffrind ac roedd o'n rhyddid rhyfeddol o felys. Dyma hefyd fy ngwyliau cyntaf efo jest y genod ac roedd o'n deimlad godidog. Roeddan ni wedi ein rhewi mewn amser, wedi'n rhewi rhwng bod yn blant ac yn oedolion. Roeddan ni'n symud o amgylch y gwesty yn ein ffrogiau *maxi* yn smalio bod yn oedolion, pacedi gwag creision Lays a photeli Aqua wedi hanner eu hyfed wedi eu gwasgaru ar hyd ein stafell, tyweli tamp yn hongian dros y balconi, oglau Piz Buin Factor 15 yn gymysg â chlorin.

Fysan ni'n codi ac yn mynd yn syth i'r pwll i foddi'n hangofyrs, cyn eistedd ar y *loungers* i dorheulo ac yfed *pina coladas* neu *quadruple vodkas* am weddill y diwrnod. Gyda'r nos mi fysan ni'n rhuthro i fars a chlybiau nos ar y strip yn ein crysau-T *Fuck Me I'm Famous.* Os oedd 'na bodiym neu lwyfan, mi o'n i ar ei ben; os oedd 'na bolyn, roedd fy nghoesau wedi'u lapio o'i gwmpas. Doedd 'na ddim lle i unrhyw un arall ar y bar os oeddan ni ar ei ben, ac mi fysan ni'n filain efo unrhyw un oedd yn trio ymuno neu'n tynnu lawr: ni oedd pia'r ynys a'i holl ddynion sengl yr wythnos yma. Mor desbret oeddan ni wrth chwilio am sylw, un noson wnaeth rhai ohonom gael *henna tatoo* Playboy Bunny ar ein tinau er mwyn cael fflashio'r dorf o dop y bar, ein hymdrechion fel rheol yn methu.

Mi o'n i'n rhannu stafell efo Lucy, ac roedd y ddwy ohonom ar *rampage* llwyr i fod y mwyaf gwyllt ar y gwyliau. Doedd 'na'r un bar ar yr ynys doeddan ni heb sefyll ar ei ben; yr un hogyn doeddan ni heb drio'i snogio. Roeddan ni'n mynd rownd y bars yn trio gwneud *10-man-challenge*, hyd yn oed yn snogio'n gilydd i drio cael sylw. Roeddan ni'n ymosodol o desbret a gor-rywiol yn ein hymdrechion i ddal sylw'r hogia 'ma, yn stopio'n nunlla yn ein concwest. Roedd y ffordd oeddan ni'n ymddwyn fel rhywbeth oedd yn syth allan o erthygl *Daily Mail* am 'Drunk Brits Abroad'.

Un noson dyma ni'n diweddu mewn *hot tub* efo pedwar boi o Essex a gorfod rhedeg oddi yno achos bo nhw wedi meddwl eu bod nhw am gael *orgy* efo ni unwaith roeddan ni'n ôl yn y stafell wely. Roeddan ni isio ymddangos fel genod gor-rywiol *down-for-anything*, ond mewn gwirionedd doeddan ni ddim. Y bore wedyn, roeddan ni wrth ein boddau yn chwerthin wrth ddweud yr hanes wrth y genod eraill, yn gwybod fod yr un ohonyn nhw heb gael profiad *hanner* mor *mental*. Roedd y genod yn ein dwrdio, yn dweud y bysa rhywbeth ofnadwy wedi medru digwydd i ni. Ond roedd y ddwy ohonom yn benderfynol o fynd â phethau'n bellach y noson wedyn.

Dyna pryd wnaethon ni gyfarfod criw o hogia o Norwy. Roeddan nhw'n aros yn yr un gwesty â ni, a dyma nhw'n cael syniad y dylan ni fynd i skinny-dipio ar ôl i'r pwll gau.

Penderfynom mai dyma oedd y syniad gorau i ni ei glywed erioed ac o fewn dim roeddan ni'n noeth yn fflapio yn y pwll efo'r Nords. Yn sydyn iawn dyma'r stiwardiaid diogelwch yn ein dal a throi'r goleuadau i gyd ymlaen. Ar y pryd mi o'n i ar ganol snogio un o'r hogia, yn wyllt mod i wedi cael fy styrbio. Cawsom ein esgortio drwy'r gwesty i'n stafelloedd wrth i reolwr y gwesty ein dwrdio. Ond do'n i'm yn barod i fynd i 'ngwely, felly dyma fi'n mynd ar ôl y boi o'n i'n snogio yn y pwll, ac aros efo fo tra oedd Lucy wedi pasio allan ar y gwely. Aethom i lawr y grisiau am frecwast gan boeni be oedd y genod eraill am ddweud ond doeddan nhw ddim callach: roeddan ni wedi cael getawê efo'i tro 'ma, ac mi o'n i wedi cael rhicyn arall ar bostyn y gwely.

Mi o'n i wastad isio bod yr un mwyaf gwyllt yn y grŵp, isho'r stori ddoniolaf, isio gwneud y peth gwirionaf: os do'n i'm yn bachu, roedd rhaid i mi gael stori arall i fedru diddanu pawb y bore wedyn. Mi o'n i'n cymryd fy rôl fel y clown o ddifri. Defnyddiais y storis fel *social capital*: mwya'n byd o'n i'n gwneud i bobl chwerthin, mwya'n byd oedd pobl yn fy licio i. Ac roedd pob manylyn a gor-ddweud yn dod â chwerthiniad arall oedd yn fy ngwneud i'n waeth. Ond o leiaf mi o'n i'n teimlo fod gen i bwrpas: nid fi oedd y delaf, nid fi oedd y teneuaf ond mi o'n i'n medru bod y mwyaf doniol a'r mwyaf gwyllt.

*

Pan gyrhaeddais adra, mi o'n i fatha taswn i wedi dychwelyd o ryw drip *Eat, Pray, Love* o gwmpas y byd, yn meddwl mod i wedi cael rhyw lefel ddyfnach o hunanymwybyddiaeth. Roedd genod Shrewsbury a finnau wedi coroni'r ddwy flynedd olaf efo gwyliau gwell na wnaethon ni erioed ei ddychmygu. Mi fyswn i'n bragio wrth y criw adra mod i wedi cael gwyliau mor wyllt, wedi cael bachiad a bob dim, efo boi Ewropeaidd *hot*. Mi o'n i'n dal yn trio gweithio allan sut i fod yn ferch oedd yn cael secs – er mod i ddim yn tu hwnt o lwyddiannus fel arfer. Mi o'n i'n dal yn bodloni ar unrhyw un oedd yn mynd i 'nghymryd i, dal yn bachu JD ar ddiwedd pob noson allan, yn chwilio am rywbeth do'n i methu rhoi fy mys arno.

Roedd 'na felysrwydd peryg a phwerus oedd yn ein gwneud ni'n *cocky* yn ystod ein haf olaf efo'n gilydd. Roedd bob dim am newid eto ym mis Medi. Nid jest fi oedd yn gadael y tro hwn a rŵan roedd gen i ffrindiau mewn dau le i ffarwelio efo nhw. Dim ond blas o wir ryddid oedd yr haf cyn mynd i'r chweched. Yr haf yma oedd *gwir* ryddid ac roedd 'na dri mis, unwaith eto, yn ymestyn o'n blaenau. Yr unig wahaniaeth y tro hwn oedd bod pawb efo ID ac yn medru dreifio.

Deffrais lawer i fore ym mreichiau JD, yn difaru yr eiliad ro'n i'n agor fy llygaid oedd wedi eu clympio efo masgara, y poster sgio ar y wal yn hongian yno'n nawddoglyd erbyn hyn, fel tasa'n fy sbeitio. Mi fyswn i wastad yn ffonio Alys i ddod i 'mhigo fi fyny ac mi fysa hithau wastad yn dod. Ges i rai o 'nyddiau gorau yn eistedd yn sêt ffrynt car Alys (er bo hi ddim y dreifar gorau) yn mynd o dŷ i dŷ, o bentref i bentref yn bloeddio canu dros ein hoff ganeuon a *soundtracks*, yn gwybod yn union pa lein oedd y llall am ganu, yn gwybod pwy oedd am harmoneiddio. Weithiau doeddan ni'm hyd yn oed yn siarad efo'n gilydd, ond doedd dim angen dweud dim, achos roeddan ni wastad yn gwybod be oedd y llall yn feddwl.

Roedd hi'n haf o hwyl a snogio a smentio ein cyfeillgarwch, smentio ein rôls yn y grŵp fyddai'n para am flynyddoedd i ddod. Mali oedd yn trefnu pob digwyddiad: *minibuses* o Gaernarfon, tripiau i Gricieth i nôl sglodion, bysus rownd Pen Llŷn. Ac mi fysa hi'n dreifio i bobman yn ei Vauxhall Corsa arian, y car yn bownsio wrth iddi roi ei throed dde lawr yn drwm i brofi'i bod hi'n medru dal fyny efo'r hogia. Roedd y gweddill ohonan ni jest yn troi fyny yn y lle oedd Mali wedi dweud wrthan ni i fod. Llio a Mari oedd y dybl-act oedd wastad yn tynnu ar ei gilydd, oedd yn ffeindio'u hunain yn y sefyllfaoedd doniolaf. Y dair *arty* o Ysgol Botwnnog oedd yn teimlo fel eu bod nhw'n bell i fewn i'w hugeiniau'n barod oedd Beca, Elin Parc a Mirsi, eu *vibe* yn cŵl a'u dillad yn cŵl. Yr hogan fwyaf hyderus i mi ei chyfarfod erioed oedd Megan, yn fy annog i fod yn wirionach nag o'n i, a minnau'n ei hannog hithau'n ôl. Fflur a Glesni oedd yr efeilliaid ciwt, del, yr hogia dal yn heidio atyn nhw. Roedd Mirain wastad yn *petite* ac yn feddw yn ei *lipstick* coch yn gwneud sylwadau ffraeth, ac wedyn Alys a fi oedd wastad y rhai oedd *on the lookout* am rywun i'n bachu ni. 'O leia mai dyma'r ha' ola ym Mhen Llŷn,' oeddan ni'n ddweud wrth ein gilydd. "Dan ni am fod yn city girls hollol cŵl ar ôl hyn. A ma 'na hogia am LYFIO ni.'

*

Ar noson ganlyniadau Lefel A, mi o'n i wedi yfed *magnum* o siampên i mi fy hun i ddathlu mod i wedi cael y graddau o'n i eu hangen i fynd i coleg. Roedd y genod Hooker High yn mynd i un o glybiau'r dre ond ar ôl awr o ddawnsio efo'n gilydd, yn gweiddi faint oddan ni'n caru'n gilydd, sbydodd pawb ar hyd y clwb, rhai yn chwydu, rhai yn crio am mai dyma'r 'tro olaf fydd pethau *fel'ma*'.

Mi o'n i'n sefyll wrth y bar efo brawd fy ffrind – roedd yntau wedi dod i ddathlu efo ni. Roeddan ni'n dau'n feddw, yn chwerthin, yn fflyrtio, ein llygaid yn methu dal rhai'r llall am yn rhy hir. Roedd ei fraich oedd yn cyffwrdd fy mraich i yn teimlo'n hollol wefreiddiol.

Gofynnais iddo pam doedd o erioed wedi gwneud *move*. Roedd y bybls wedi fy annog i fod yn ddewr.

'Come on, you must have known.'

'You're so aloof, Gwen, I was never sure.' Trodd ata i a gofyn pam mod *i* erioed wedi gwneud *move*.

Gafaelais yn ei law a cherdded am y *dancefloor*. Dyma ni'n dechrau snogio yng nghanol y clwb, goleuadau strôb glas-wyrdd yn gwibio ac yn goleuo'n gwynebau. Roedd un snog yn well na dim byd, yn doedd?

Cerddais adra'r noson honno'n damio ac yn difaru mod i heb ddweud rhywbeth yn gynt. Unwaith eto, mi o'n i'n atal unrhyw gysylltiad go iawn achos bod gen i gymaint o ofn cael fy rejectio. Roedd teimlo rhywbeth am noson efo dieithryn oedd heb ddim diddordeb go iawn yn well na'r posibiliad mod i am gael fy ngwrthod gan rywun o'n i acshli'n licio. Roedd 'aloofness' yn well na bod yn agored i gael fy mrifo.

Roedd y tecsts 'what happened to you last night?' yn cyrraedd fesul un ond doedd hon ddim yn stori gomig arall i fedru ei dweud wrth fy ffrindiau. Y bore hwnnw, roedd o'n teimlo fwy fel trasiedi.

9. Boys' girl a champagne socialist

DO'N I HEB roi llawer o feddwl i le fyswn i'n mynd i'r brifysgol ond mi o'n i'n gwybod mod i isio bod mewn dinas *indy* a cŵl. Felly ym mis Medi 2011 roedd y car wedi ei bacio unwaith eto yn llawn o'n stwff ac mi o'n i ar y ffordd i Fanceinion. Do'n i ddim hyd yn oed wedi bod yno i'r diwrnod agored, felly doedd gen i ddim syniad sut le oedd o ond roedd ganddo fo gampws mawr, llwyth o glybiau a Topshop enfawr. Dim y *criteria* gorau i feddwl mod i'n mynd i fod yn treulio'r dair blynedd nesaf yno ond mi o'n i'n licio'r ffaith ei fod o'n *rough around the edges*, yn ddiymhongar ac mi oedd *Coronation Street* yn cael ei ffilmio yno. Roedd hi'n ddinas lwyd o dan gwmwl llwyd o law yn amlach na pheidio ac roedd 'na lwyth o bobl ifanc o Lundain yn mynd yno, felly mae'n rhaid ei bod hi'n ddinas cŵl ac mi fyswn i drwy fynd yno yn troi'n cŵl o'r diwedd.

Mi o'n i wedi byw oddi cartra yn barod ond roedd hyn yn wahanol – doedd gen i neb i watsiad ar fy ôl i, neb i tsiecio mod i'n gwneud y pethau o'n i fod i'w gwneud, neb i tsiecio mod i'n gwneud fy ngwaith, neb i tsiecio mod i'm yn aros yn fy ngwely'n ailwatsiad bob un pennod o *Grey's Anatomy*, neb i wneud yn siŵr mod i ddim yn aros allan drwy'r nos.

Do'n i erioed wedi cael cymaint o ryddid. Rŵan mi o'n i'n byw mewn dinas go iawn ac yn gorfod dal bws i lefydd, yn cael rhwydd hynt i wario'n *student loan* i gyd yn Topshop. Doedd yr holl ryddid ddim yn beth da i rywun oedd yn prôn i feddwi a bod yn wyllt ac oedd yn gwario ar *cheesy chips* neu ar dacsis i fynd adra ar ôl mynd ar goll ar nosweithiau allan.

Roedd fy *halls* i wedi eu rhannu'n dri bloc gwahanol ac roeddan ni'n rhannu bar, ffreutur a stafell gyffredin. Roedd gan bob stafell wely fechan, drist wely sengl efo matras denau, sinc a desg oedd wedi ei gwisgo gan fyfyrwyr dros y blynyddoedd. Roeddan nhw'n hollol afiach, a doedd 'na uffar o neb yn trin y lle efo math o barch – roeddach chdi'n lwcus os oeddach chdi'n codi'n y bore heb fod rhywun wedi un ai cachu ar lawr y *bathroom*, smyddro bwyd ar hyd y waliau neu sbreio'r *fire extinguisher* ar hyd y gegin, heb feddwl dim am bwy oedd am lanhau ein llanast mochynnaidd. Ond dyna fel oedd hi, roeddan ni'n fyfyrwyr hunanol yn poeni mwy am fod yn lejynds ar noson allan nag am y glanhawyr. Cafodd fy llawr i ffein ar ôl yr wythnos gyntaf, er mawr siom i fyfyrwyr callaf y llawr.

Roedd 'na lot o'n ffrindiau yn Senghennydd, Pantycelyn neu JMJ ar grôls teulu a chrôls ffiaidd ac yn paratoi at Eisteddfod Ryng-golegol ac er mod i wedi dewis mynd i goleg yn Lloegr, yn union fel o'n i'n teimlo pan 'nes i symud oddi cartra'n 16 oed, roedd hi dal yn anodd eu gweld nhw yno, yn dal mor Gymraeg ac mor agos i'w gilydd. Roedd eu profiad coleg nhw i weld mor wahanol i fy un i'n barod ac roedd fy eiddigedd yn byrlymu, ond o leiaf rŵan roedd pawb yn yr un gwch ac felly roedd hi'n haws deifio fewn i'r bywyd newydd.

Unwaith eto, roedd fy Nghymreictod yn rhywbeth tu hwnt o anodd i ddal arno tra o'n i'n byw yn Lloegr, yn enwedig wrth i mi gyfarfod mwy a mwy o bobl ryngwladol. Unwaith eto, mi o'n i'n ffetisheiddio'r iaith, yn ei gwthio lawr corn gwddw unrhyw un fyddai'n holi neu'n gwrando, ond ddim wir yn cymryd diddordeb yn yr hyn oedd yn acshli digwydd yng Nghymru. Un noson ges i rybudd gan warden fy *halls* am ganu 'Hen Wlad Fy Nhadau' ar dop fy llais yng nghanol yr ardd gymunedol ar fegaffon o'n i wedi'i ddwyn o'i sied.

Mi o'n i'n mynd i astudio'r Clasuron. Do'n i ddim wedi meddwl llawer am y pwnc ro'n i am ei astudio achos do'n i heb feddwl ymhellach na fy arholiadau Lefel A a pha bwnc fyswn i'n cael y marc gorau ynddo. Do'n i heb ystyried fod y radd yma am ddiffinio lot o'r dair blynedd nesaf ac o bosib weddill fy mywyd. Doedd gen i ddim syniad beth oedd o 'mlaen – ond roedd pawb yn dweud mai coleg oedd dyddiau gorau dy fywyd. Mi oedd rhieni rhai o fy ffrindiau wedi cyfarfod yn coleg, felly meddyliais yn naïf mai yn fama y byswn i o'r diwedd yn ffeindio cariad. Doedd 'na neb am fy nabod i'n fama, neb yn gwybod fy hanes i, roedd yn gyfle i ailfrandio, i gychwyn eto.

Penderfynais ailfrandio fy hun yn *boys' girl*. Mae pawb yn nabod y teip: mae hi'n secsi ac yn denau, yn fwy cartrefol yng nghwmni'r *lads*, yn yfed peintiau ac yn mwynhau chwaraeon a tydi merched jest ddim yn ei dallt hi (*basically*, y gwrthwyneb llwyr i mi). Mae hi'n gwisgo *vest tops* a jîns, *trainers* neu sgidiau cerdded am ei thraed, 'chydig neu ddim colur ar ei gwyneb. Y peth pwysicaf am y *boys' girl* ydi fod yr hogia i gyd yn coleddu cariad cyfrinachol tuag ati, ac yn ysu iddi hi fod efo nhw. Roedd gen i goridor cyfan o hogia i fod yn ffrindiau efo nhw rŵan, coridor cyfan o hogia o'n i am gael i fy ffansïo i.

Roedd yr hogia ym Manceinion yn fwy *chilled out* a cŵl nag unrhyw hogia o'n i wedi'u cyfarfod o'r blaen. Roedd ganddyn nhw ddiddordebau tu hwnt i yfed a chwarae rygbi, yn wahanol i'r hogia o'n i wedi bod yn trio'u bachu ym Mhwllheli. Felly doedd ymddwyn fel *full on ladette* ar fy noson allan gyntaf ddim y dacteg orau i'w cael nhw i'n ffansïo i. Mi o'n i'n yfed mwy na nhw, yn siarad am secs yn fudur fel taswn i'n arbenigo ar y pwnc, yn cael fy mrestiau allan ac yn eu cael i fwy o drwbl na fysan nhw wedi bod ynddo fo hebdda i. Doedd 'na 'run o'r rhain am fy ffansïo i achos mi oeddan nhw'n meddwl mod i'n hollol nyts. Os mai *Drunk Brit Abroad* o'n i cynt, wel jest *Drunk Welsh Ladette* o'n i'n fama.

Un noson barodd fy mrand newydd tan i mi sylweddoli a chofio fod well gen i gwmni merched, a mod i ond â diddordeb mewn hogia os oeddan nhw'n fy ffansïo i neu o leiaf isio mynd efo fi. Roedd yr hogia yma yr un mor anodd i'w dallt â hogia Phen Llŷn a'r Amwythig, os nad anoddach, achos do'n i heb gyfarfod yr un hogyn oedd wedi darllen Tolstoy o'r blaen. Gorffennais fy noson gyntaf (ac olaf) o fod yn *boys' girl* yn cael fy nghario nôl i'm stafell gan Eidalwr diniwed oedd yn byw ar y llawr odana i, efo *cheesy chips* a grefi mewn un llaw a chôn traffig o dan fy nghesail.

Y bore wedyn, roedd yr hogia i gyd yn dweud wrtha i pa mor ffyni o'n i a mod i'n *one of the lads*.

'You bought a traffic cone back on your first night out, Gwen. You are such a mentalist!'

'You're such a lad, Gwen!'

Os oedd 'na amheuaeth cyn hynny, ro'n i'n sicr rŵan fod 'na ddim un o'r hogia 'ma am fy ffansïo i a do'n i'n sicr ddim yn *boys' girl* chwaith. Sticiodd yr enw 'na, 'Gwen the Mentalist', yn ogystal â 'Big Gwen' a 'Gwen the Lad' am y dair blynedd nesaf. Doedd bod yn *boys' girl* heb fy helpu i ddallt hogia fwy, ond roedd o wedi cadarnhau mod i'n sicr

yn *girls' girl* a mod i hefyd yn medru yfed yr hogia Tolstoy
o dan y bwrdd.

*

Erbyn yr ail noson, mi o'n i wedi dysgu o 'nghamgymeriad
ac yn gwybod mod i isio gwneud ffrindiau efo merched.
Roedd myfyrwyr yr ail flwyddyn yn mynd â ni allan y noson
honno i'n tywys o amgylch *hotspots* y ddinas. Roedd pawb
i fod i gyfarfod ym mar y neuadd am 7yh. Cerddais yno
yn fy *wedges* du River Island a'm sgert *bodycon* Topshop
turquoise, yn barod amdani: coleg, dinas newydd, hogia
newydd, ffrindiau newydd, y noson lle roedd fy mywyd i'n
cychwyn. Cyn i mi gyrraedd top y grisiau i'r bar, baglodd
dwy hogan *glam* o'r drws yn chwerthin ac yn gweiddi.

'Thank GOD, someone else in heels!' dywedodd un wrtha
i.

'Don't bother going in there, they'll just tell you to get
trainers.'

'We're going out for a cig, wanna come?'

Do'n i'm hyd yn oed yn smocio, ddim go iawn, ond doedd
gen i uffar o neb arall i siarad efo nhw, felly dyma fi'n mynd
efo nhw.

'I'm Kathryn and I'm Kirsten.' Roedd gan Kathryn wallt
hir du a llygaid mawr brown ac roedd gan Kirsten wallt
melyn hir a llygaid glas, y ddwy yn hyderus ac yn *gobby* efo
'chydig o *ladette* ynddyn nhw hefyd.

'All the other fuckers in there are wearing trainers, fuck
my life,' dywedodd Kathryn yn ei hacen Albanaidd.

'Oh god, should we get changed?'

'Absolutely NOT,' gwaeddodd Kathryn. 'I refuse to go out
in flats. We are going CLUBBING, not going to a running
track.'

Ar ôl y noson honno, roedd Kathryn, Kirsten a mi yn *thick as thieves* a naethon ni ddim trafferthu gwisgo sodlau eto – *ballet pumps* o Primark oedd y dewis o hynny mlaen, a'u gwisgo tan i'n bodiau mawr fyrstio drwy'u blaenau. Roeddan ni'n gwneud bob dim efo'n gilydd: brecwasta, ciniawa, llyfrgella, swpera, ac yn lownjan yn stafelloedd ein gilydd yn y ffordd ddibryder 'na mae myfyrwyr yn byw eu bywydau, fel tasa ganddon ni'r holl amser yn y byd. Oni bai am y ddwy yma, fysa 'mhrofiad i o goleg wedi bod yn tu hwnt o ddiflas. Yr un oedd y stori bob tro: Kathryn yn amddiffyn Kirsten a fi rhag sefyllfaoedd gwirion efo'i swyn a'i ffraethineb. Do'n i heb gyfarfod neb fel Kathryn o'r blaen, roedd hi mor sicr ynddi hi ei hun, yn cerdded drwy fywyd heb unrhyw ots beth oedd pobl yn feddwl ohoni, yn amddiffyn ei hun a'i ffrindiau ac yn yfed *vodka* a *squash* fel tasa'n mynd allan o ffasiwn.

Roedd dechrau ein nosweithiau wastad yn union yr un fath. Roeddan ni'n cyfarfod yn stafell un ohonom oriau cyn ein bod yn gadael am y clwb achos roeddach chdi wastad angen digon o amser i sicrhau fod 'na gynnydd araf mewn cynnwrf. Mi fysan ni'n rhoi ein colur ymlaen a newid i ddillad ein gilydd, roedd diodydd yn cael eu cymysgu a'r gerddoriaeth yn cael ei throi'n uwch i greu codiad cynyddol yn ein lefelau cyffro a meddwdod. Dyna oedd ein defod. Roeddan ni'n wirion gan gyffro – nid cyffro wedi ei anelu at unrhyw beth penodol, ond cyffro am yr *unknown*; cyffro a gobaith yn gymysg y gallai hon (hyd yn oed tasa hi'n nos Fawrth wlyb ym mis Tachwedd) fod y noson orau erioed. Cyffro oedd yn gwneud i ni ddychmygu be fysa neu fysa ddim yn digwydd y noson honno. Roeddan ni mor naïf yn ein cyffro. Hyd yn oed os oeddan ni'n cael y noson waethaf erioed, roedd un stori wirion, un bagliad neu fachiad meddw yn ddigon i'n cario i'r uchelfannau. Doedd 'na ddim newid yn fy ymddygiad i am dair blynedd. Mi o'n i'n meddwi allan o reolaeth, byth yn cofio diwedd noson allan, byth yn cofio dwyn y côns oedd yn pentyrru tu allan i'm stafell, fy malans banc yn lleihau ac yn lleihau.

Byddai'r boreau ar ôl y sesh yn teimlo'n ddefodol hefyd – codi'n hwyr efo ceg sych yn ysu am gan o Diet Coke neu Fanta, yna rasio lawr i'r ffreutur i gael brechdan bacwn a wedyn trio cael sêl bendith y ddwy arall pan o'n i'n trio siarad fy hun allan o fynd i ddarlith y bore hwnnw. Mi fysa un o'r dair ohonom wastad yn dod nôl ar ôl noson allan wedi colli ein ffôn symudol neu'n bag, felly roedd hi'n bwysicach ffeindio eiddo'n gilydd yn hytrach na mynd i ddarlith beth bynnag. Un wythnos mi es i drwy dair ffôn; yn gorfod diweddaru'n statws Facebook yn amlach nag o'n i'n cael cawod.

Lost my phone last night!!!
Messy!!! No phone!!!
Get me on here!!!

Clywodd fy rhieni am yr helynt achos mi wnaeth y dyn tacsi eu ffonio i ddweud wrtha i fynd draw yno i nôl y ffôn. Roedd gen i lot gormod o gywilydd i fynd yn fy ôl at y dyn tacsi achos ro'n i'n siŵr mod i wedi bod yn snogio ryw foi yn y sêt gefn yr holl ffordd yn fy ôl i *halls*. A dim ond £10 oedd ffôn newydd o Carphone Warehouse bryd hynny, a doedd hynny'n ddim byd.

*

Mi o'n i'n meddwl fod coleg am fod yn ddechrau ar gyfnod hedonistaidd tu hwnt i mi, ond doedd o ddim. Roedd Kathryn a Kirsten wedi cael cariadon yn y mis cyntaf yn coleg, a finnau'n watsiad o'r *sidelines* yn ysu iddo ddigwydd i mi. Ond doedd 'na neb yn fy ffansïo i, felly yn lle hynny, mae'n bosib mapio fy nhair blynedd yn coleg efo'r *crushes* gwahanol oedd gen i.

Yn gyntaf daeth Ryan, ar yr ail noson. Roedd o'n hanner Awstralaidd, hanner Albanaidd, flwyddyn yn hŷn ac yn un o'r bobl mwyaf cŵl, *punk* a gwleidyddol i mi ei gyfarfod. Roedd o'n gwisgo jaced ledr bob amser, jîns tyn wedi eu tycio fewn i'w Doc Martens. Dechreuais siarad efo fo am Blaid Cymru, er mod i'm hyd yn oed yn gwybod pwy oedd yn arwain y blaid ar y pryd. Doedd gen i ddim gobaith sediwsio hwn, roedd o'n llawer rhy cŵl a finnau mewn sodlau mawr a *bodycon* – ond dyna oedd y peth am *crushes*, roeddan nhw wastad yn bobl o'n i'n meddwl oedd allan o 'ngafael i, neu'n bobl do'n i ddim yn teimlo mod i'n ddigon da iddyn nhw. Doedd ffansïo rhywun oedd gen i ddiddordebau cyffredin efo nhw ddim wedi croesi fy meddwl.

'You know if you're political, and a socialist, you should consider joining the Socialist Workers Student Society.'

'Oh, I don't really know if that's for me...' dywedais wrth sipian ar fy *vodka squash*, yn ysu iddo fo drio 'mherswadio i'n wahanol.

'Well if you believe Westminster's never going to be on our side, and we need a revolution, you should definitely consider joining. I'd be happy to chat to you about it.'

Roedd 'na *revolution* yn digwydd yn fy nghorff i. Do'n i ddim isio bod yn rhan o'r gymdeithas 'ma ond mi o'n i isio gweld Ryan, felly atebais, 'I'll think about it', gan wenu.

Yr wythnos ganlynol mi o'n i'n cerdded lawr y stryd heibio'r Undeb ac yng nghorneli pellaf fy nghlustiau, fel taswn i mewn breuddwyd, dyma fi'n ei glywed. Roedd o'n gweiddi ar dop ei lais ac yn trio rhoi pamffledi i bobl oedd yn pasio.

'Join the Socialist Workers Student Society today! Fuck the Tories!'

Roedd ei acen Albanaidd-Awstralaidd yn fy ngwahodd i tua'r stondin. Ffawd oedd hyn. A chyn i mi gael cyfle i feddwl mwy, dyma fi'n rhoi fy enw ar y rhestr.

Yn ail daeth Tara. Yn amlwg roedd hi'n wahanol i bawb achos roedd hi'n ferch. Do'n i erioed wedi cael *girl crush* mor ddwys yn fy mywyd – mi o'n i wastad wedi ffansïo Kristen Stewart ond yr un ferch oedd yn rhan o 'mywyd go iawn. Roedd hi mor cŵl, yn gwisgo *fishnets* a *creepers*, ei *eyeliner* hi wastad yn berffaith a'i gwallt glasddu'n gyrls weiran ar dop ei phen. Roedd hi mor arallfydol ac mi o'n i wedi fy nghyfareddu'n llwyr ganddi.

Roedd hi'n dod o Lundain ac er mai dim ond 19 oed oedd hi, roedd hi jest yn ymddangos fel ei bod hi wedi *byw* bywyd. A dim yn yr un ffordd yr oedd hogan o Bwllheli wedi byw bywyd. Ei hoff lyfr oedd *The Bell Jar*, ac nid mewn ffordd eironig. Roedd hi wedi cael llwyth o secs, roedd ei chalon wedi cael ei thorri, roedd hi wedi teimlo iwfforia, roedd hi wedi bod yn y gwter. Roedd hi wedi cymryd llwyth o gyffuriau – a dim jest smocio *weed*. Roedd hi acshli wedi cymryd cyffuriau caled ac nid jest er mwyn cael dweud wrth bawb arall ei bod wedi gwneud. Doedd hi ddim yn byw ei bywyd i bobl eraill.

Fel pob cyfeillgarwch cyfnod coleg, cychwynnodd ein cyfeillgarwch ni ar noson allan wrth i ni siarad am faint oeddan ni'n dwy yn caru *Twilight* (nid mewn ffordd eironig), ac mai K-Stew oedd yr un oedd y ddwy ohonan ni yn ffansïo, nid R-Patz. Mi wnaeth ein cyfeillgarwch ddwysáu yn y maes gwleidyddol wedi i mi'i pherswadio hi i ddod efo fi i gyfarfod y Socialist Workers Student Society. Tu hwnt i wybod am Blaid Cymru, do'n i heb gymryd fawr o ddiddordeb yn y byd gwleidyddol o 'nghwmpas i. Ond rŵan, er mwyn Ryan, mi o'n i'n galw pobl yn 'comrade', yn darllen llyfrau am Marxism cyn mynd i 'ngwely ac yn sefyll mewn dosbarthiadau i ddweud wrth bawb yn fy seminar am ddod i'r rali neu'r brotest nesaf. Roedd bod yn rhan o'r gymdeithas yn hollol *embarrassing*, yn enwedig pan o'n i'n byw fy mywyd cyfalafol tu ôl i gefn Ryan, yn yfed Starbucks bob diwrnod, yn prynu dillad ac yn bwydo'r 'anghenfil'. Weithiau o'n i'n meddwl ei fod o'n gwybod mod i'n *fake* ond ei fod o'n teimlo fod cael un hogan yn rhan o'r gymdeithas, hyd yn oed os oedd hi'n *fake*, yn well na dim un.

Roedd Ryan yn *obsessed* efo'r syniad fod gwir gydraddoldeb byth am ddigwydd os nad oedd 'na chwyldro'n digwydd, ac mi fyswn i'n sbowtio bob dim oedd o'n ddweud wrth fy ffrindiau fel adlais. Roeddan nhw'n meddwl mod i'n colli'r plot. Fel pob person sy'n mynd drwy chwyldro gwleidyddol personol, torrais fy ffrinj nes fod 'na ddim ond 2cm ohono, a lliwiais fy ngwallt yn goch. Nid yn *auburn* neu'n sinsir, ond yn goch blwch postio. Doedd Kathryn a Kirsten methu dallt be ar wyneb y ddaear oedd wedi digwydd i mi, yr hogan oedd yn gwisgo sgerti *bodycon* a *heels*.

Mi fyswn i a Tara yn mynd lawr i Lundain i brotestio ac i orymdeithio i San Steffan yn y glaw ac yn gwatsiad Ryan yn gweiddi fewn i'w fegaffon. Roedd sgyrsiau pawb wedi'u canoli ar yr angen am chwyldro: roedd o'n bwysicach nag aer i rai o'r aelodau. Am gyfnod, trafod a dadlau am wleidyddiaeth a stad y byd efo Ryan a Tara oedd fy aer innau ac roedd *hip flask* o wisgi wastad yn handi i leddfu 'chydig ar ein poenau am y byd.

Pan glywodd Anti Einir mod i'n *socialist*, dechreuodd chwerthin. 'Ti'm yn blydi socialist worker 'de, champagne socialist ella!'

Ond dyfalbarheais, yn rhannol er mwyn medru treulio amser efo Ryan a Tara, ond roedd 'na hefyd ran ohonaf i wir yn mwynhau cymryd rhan. Do'n i ddim digon naïf i feddwl fod 'na chwyldro am ddigwydd a fod yn byd am newid ond roedd bod yn rhan o rywbeth mwy na fi yn teimlo'n dda, er mod i'n dwyllwr yn y bôn.

Chwalodd y cwbl mewn *house party* yn nhŷ tywyll, budur un o'r uwch-aelodau a The Clash yn chwarae dros y lle. Roedd o fwy fel *crack den* na fflat myfyrwyr – llestri'n llwydo ger y sinc, staeniau ar y carpedi, dillad tamp yn sychu ar y *radiator*, poteli gwag o Glen's Vodka a chaniau o K Cider ym mhob man, lampau llachar yn goleuo corneli llychlyd a wynebau meddw fy nghomrades. Mi o'n i wedi bod yn clecio wisgi efo Ryan ac roeddan ni'n agosáu ar y soffa, ein gwefusau'n cyffwrdd o'r diwedd ac mi o'n i'n barod i fynd *all the way*: fy mreuddwydion o fyw bywyd hafal chwyldroadol efo Ryan yn dechrau cael eu gwireddu.

Gofynnodd os o'n i isio *threesome* efo fo ac un o'r *comrades* eraill wrth chwifio bag a goriad o dan fy nhrwyn.

Os mai *champagne socialist* o'n i, roedd o'n *cocaine socialist*, ac roedd hynny yn lot gwaeth. O leiaf roedd fy siampyrs i'n cael ei dacsio.

'Oh good god, no thanks!' Rhedais o'r parti yr holl ffordd yn fy ôl i fy stafell, wedi dychryn am fy mywyd.

Tecstiodd Tara'r bore wedyn: 'Where did you disappear to last night, babe? I ended up in a bloody cocaine induced threesome with Ryan and Sonja.'

Agorodd fy ngheg led y pen. Es i'n syth i'w stafell i gael yr hanes i gyd.

'Honestly, Gwen, it was just awful. The other threesomes I've had were so much better. And imagine the audacity of those bastards spouting all this about capitalism and then snorting cocaine. Let's just watch *Twilight* and order a Subway.'

Mi fysan ni'n dwy yn piffian chwerthin am y noson honno am flynyddoedd i ddod. Mi fyswn i'n croesi'r lôn os o'n i'n clywed rhywun yn gweiddi 'Fuck the Tories' i fewn i fegaffon am y ddwy flynedd nesaf. Dyna oedd y tro olaf i'r ddwy ohonom siarad efo Ryan, a 'nes i fyth deimlo'n euog am fy Starbucks boreol wedyn. Ar ôl y noson honno mi rois i focs *bleach blonde* ar fy ngwallt a dysgu sut i anadlu heb Ryan.

*

Roedd fy ffrind Sophie a fi wedi sbotio Aldo ar un o'r boreau cyntaf i ni gael brecwast efo'n gilydd ac yn creu ffantasïau amdano wrth i ni yfed ein coffis. Doedd 'na neb arall yn dallt be oeddan ni'n feddwl ond roedd o'n ein gwneud ni'n wirion.

'Imagine him in a full leather suit, whipping off his helmet, shaking those luscious locks, and pinning you to the wall for a snog.'

'Then hitching you up on the motorbike.'

'Riding away to his hut in the woods.'

Ac yna mi fysan ni'n ochneidio gan isio ac yn clegar dros y neuadd.

Roedd Aldo 'chydig bach yn *rough around the edges*, ei wyneb wastad yn edrych yn *moody*. Roedd o'n gwisgo fel tasa wedi dwyn dillad ei dad, ei siaced ledr yn hongian am ei 'sgwyddau ac mi oedd hynny yn bwydo'r ffantasi mod i am reidio i ffwrdd i'r machlud, ar gefn ei foto-beic, er fod ganddo fo ddim moto-beic; doedd ganddo fo ddim beic pedlo hyd yn oed. Doedd ganddo fo ddim llawer o ffrindiau ond doedd o ddim y teip fysa wedi siwtio cael lot o ffrindiau, roedd o'n siwtio bod yn *loner* a doedd o ddim i weld yn malio chwaith. Doedd ganddo fo ddim diddordeb mewn bod yn *Fresher* gwirion oedd yn yfed *quad vods* allan o fwcedi tywod, roedd o'n rhy ddoeth a diddorol i hynny. Roedd yr agwedd oedd ganddo fo'n gwneud iddo ymddangos fel *bad guy* oedd ddim yn cymryd *shit* neb.

Dyma'n sicr un o'r *crushes* ddylwn i fod wedi'i gadw yn fy mhen – doedd 'na ddim lle i'r ffantasi yma yn y byd go iawn.

Gydag anogaeth Sophie, penderfynais y byswn i'n ei gael ar y llawr i ddawnsio efo fi yn y ddawns ddiwedd flwyddyn pan oedd pawb arall yn paru fyny. Roedd yr holl win a'r *shots* oeddan ni wedi yfed wedi grymuso'r ddau ohonom cymaint nes ein bod yn sngoio'n *handsy* yng nghanol *dancefloor* y gwesty: hanner y bobl yn meddwl mod i'n bwyta'r *loner* yn fyw, yr hanner arall methu dallt pwy ar wyneb daear o'n i'n snogio. Deffrais y bore wedyn ar ben fy ngwely, dal yn fy ffrog hir ddu, yn falch mod i heb gysgu efo Aldo.

Y bore wedyn pan es i lawr i'r ffreutur at y genod, roedd gan bawb yr olwg ar eu gwynebau oedd yn gofyn os o'n i'n cofio be o'n i wedi'i wneud y noson cynt. Es i'n syth i nôl bacwn a *hash browns* a pheint o sudd oren ac wrth i mi lyncu'r hylif asidaidd, dechreuais biffian chwerthin.

'You know, when we came back here, he fingered me in the bathrooms. And it was the most awkward experience of my life. He refused to come back to mine, and wouldn't let me in his room, so we had to do it in the showers.'

Dechreuodd y genod weiddi chwerthin dros y ffreutur fel *hyenas*.

'What on earth does he hide in his room?!'

'He couldn't handle a woman like you,' dywedodd fy ffrind Sophie. Roedd hi fatha tasa hi'n 30 yn barod, mor fydol ac mor gall yn ei 18 mlynedd, yn gwybod mwy na fi am beth oedd dynion go iawn isio – roedd hi'n dod o Lundain, felly siŵr iawn ei bod hi.

Cerddodd Aldo i mewn i'r ffreutur heb hyd yn oed sbio arna i. Dim gwên, dim winc, dim tynnu tafod: roedd o'n gwbl ddifynegiant, dim y *bad guy* o'n i wedi gobeithio amdano o gwbl. A wnaeth y cachwr ddim edrych arna i unwaith yn ystod wythnosau olaf y tymor chwaith. Mi o'n i'n teimlo wedi 'mrifo fymryn, ond roedd gen i ddigon o sens a ffrindiau o 'nghwmpas i 'mherswadio mai nid fi oedd y broblem i gyd y tro hwn.

*

Roedd Floyd hefyd yn byw yn yr un *halls* â mi yn y flwyddyn gyntaf ac roedd ei griw ffrindiau o a fy nghriw ffrindiau i wastad yn ymuno â'i gilydd ar nosweithiau allan ac mewn partis. Roedd o'r diffiniad o *tall, dark and handsome*; ei lygaid brown mawr yn treiddio drwy fy enaid ac yn gwneud i mi anghofio be o'n i'n ddweud wrth sgwrsio efo fo. Roedd ei *stare* mor *intense*, roedd o fel tasa'n medru dadwisgo rhywun efo'i lygaid yn unig. Roedd ei lais dyfn a melfedaidd yn llifo drwy 'nghlustiau ac yn syth i'n fagina. Roedd sgwrs arferol yn teimlo fel profiad *tantric* efo fo.

Ar ail benwythnos yr ail flwyddyn, penderfynodd fy *housemates* a finnau gael parti i ddathlu diwedd wythnos y glas a dechrau'r cyfnod newydd, mwy soffistigedig o fod yn fyfyrwyr ail flwyddyn. Doeddan ni ddim am gael pobl yn sbio lawr arnon ni am fod yn *Freshers* ddim mwy. Roedd ganddon ni dŷ rŵan, efo gardd breifat a stafell folchi efo bath ynddi. Ac os fysa 'na rywun yn cachu ar y llawr yn fama, mi fysan ni'n gwybod pwy oedd wedi gwneud.

Roedd saith ohonom yn byw yn y tŷ, pedair o genod a thri hogyn, ac roedd y flwyddyn yn gadarnhad pellach mod i ddim yn *boys' girl*. Roedd *protein shakes* a cit pêl-droed budur yr hogia wedi eu gwasgaru ar hyd y stafell fyw, mwsg gwan Lynx yn masgio'r oglau tamp ac alcohol stêl oedd yn lingro ym mhob stafell. Ond y peth gorau am y tŷ oedd yr ardd fawr yn y cefn, oedd yn *suntrap* hyd yn oed yn y gaeaf.

Ac yn yr ardd honno ro'n i'n dweud hanes fy nhrip i Faliraki a'r 'crazy Welsh girls' wrth Floyd, yn ceisio'i fugeilio gyda'm ffraethineb a'm *comedic timing*. Cyn pen dim mi o'n i'n ei snogio ar y feranda, fy nwylo'n rhedeg i fyny ac i lawr ei gefn.

Yr wythnos ganlynol mi o'n i mewn parti yn ei dŷ yntau.

'Do you want to come and see my mushrooms? They're upstairs.'

Do'n i'm yn gwybod os oedd 'mushrooms' i fod yn *code word* ar gyfer rywbeth arall ond mi o'n i'n sicr isio mynd i fyny grisiau efo fo. Cerddais i fyny'r grisiau ac estynnodd ei law ar fy ôl. Yna mi oedd o'n fy ngwthio yn erbyn y wal, ei ddwylo mawr yn rhedeg drwy 'ngwallt. Tynnodd yn ôl gan ddweud, 'They're just up here.'

Hitiodd wal o aer tamp, stêl gefn fy ffroenau wrth i mi gerdded drwy'r adwy i'w stafell wely. Trodd y golau ymlaen a dyna pryd welish i'r madarch wedi'u gwasgaru ar hyd pob arwyneb, yn casglu ac yn crugo yn eu potiau.

'Take a seat,' meddai, wrth i mi edrych o 'nghwmpas ddim cweit yn siŵr lle o'n i fod i ista. 'On the bed.'

Eisteddais ar y gwely yn gwatsiad Floyd yn dyfrio'i fadarch hud ac yn gwrando arno'n mynd on ac on am ofal madarch a be oedd yr amodau gorau i'w tyfu. Dechreuais deimlo fel mod i'n tarfu ar ei noson efo'r *watering can* a'r madarch, ond roedd 'na rywbeth mor gyfrinachol ac *intimate* am y foment 'ma. Tra oedd pawb arall yn y parti lawr grisiau, mi o'n i'n eistedd mewn rhyw hanner ffantasi, hanner hunllef. Mi o'n i'n teimlo mor lletchwith yn aros yna, ond mi fysa gadael wedi bod yn waeth. Roedd y siawns fod 'na rywbeth am ddigwydd yn well na gadael.

Daeth i eistedd wrth fy ochr ar ei wely, gafael yn fy llaw ac edrych yn ddyfn i'm llygaid, yr un cyffyrddiad 'na'n gwneud i mi deimlo fel mod i'n climaxio. Mi wnaeth y sgyrsiau dwys a dyfrio'r madarch hud bara am weddill fy ail flwyddyn – rhan ohonaf i'n falch o gael treulio amser yn ei gwmni, weithiau'n methu dallt be oedd yn digwydd. Mi fysan ni'n dod yn ein holau ar ôl noson allan ac yn eistedd ar y gwely'n edrych i lygaid ein gilydd, yn dry-humpio cyrff ein gilydd a'n dillad dal mlaen.

Y peth gwaethaf o bosib oedd mod i heb gael trio'r madarch. Ar ôl gofalu amdanyn nhw am gyhyd ches i ddim hyd yn oed blasu ffrwyth fy llafur i.

*

Ches i ddim llwyddiant efo *crush* tan fy nhrydedd flwyddyn. Erbyn hyn, mi o'n i wedi dechrau gweithio mewn caffi bychan yn Didsbury, un o sybyrbs *kitsch* Manceinion. I fama oedd doctoriaid yn symud ar ôl graddio ac roedd 'na gymuned glòs o *yummy mummies* a *yoga instructors* yn byw yno hefyd. Roedd 'na stryd gyfan o gaffis a bariau *indy* yn gwerthu bwyd figan ac yn defnyddio jariau i weini coctels, roedd 'na siop oedd yn gwerthu siocled *artisan*, roedd 'na siopau dillad *vintage* drud a hyd yn oed siop ffrogiau priodas *designer*. Roedd y caffi hwn yn enwog am ei gacenni *red velvet* a'i fara banana, ac yn gwneud *lattes* efo llaeth *soy* cyn i laeth *soy* fod yn rhywbeth oedd pawb yn ei yfed a byddai *hipsters* Manceinion yn heidio yno. Tra o'n i'n gweithio yma y cyfarfyddais David am y tro cyntaf.

Roedd o'n 30 oed ac i ferch 20 oed, roedd o'n teimlo fel mai hwn oedd y dyn go iawn cyntaf i mi ei gyfarfod. Roedd o wedi priodi ac ysgaru yn barod, wedi byw yn India a rŵan roedd o'n ailhyfforddi fel deintydd, ond doedd o ddim yn snob fel oedd rhai oedolion chwaith ac mi fysan ni'n treulio oriau yn fflyrtio a sgwrsio ar ein shifft. Fo gychwynnodd fy obsesiwn gydol oes efo Laura Marling wrth i ni ddadansoddi *lyrics* a chydganu dros y caffi pan oeddan ni'n glanhau ar ddiwedd y dydd.

Un prynhawn ar ôl gorffen ein shifft, dyma ni'n mynd am ddrinc i'r bar coctels drws nesaf i'r caffi. Ar ôl ambell i goctel melys, dyma ni'n rhannu potel o win coch ac yna aethom yn ôl i'w fflat bach i yfed mwy ac i snogio a dry-humpio ar ben ei wely. Erbyn Dolig mi o'n i'n hollol *besotted*, dros fy mhen a'm clustiau mewn cariad efo'r deintydd. Arhosais ym Manceinion tan noswyl Nadolig er mwyn cael treulio amser yn ei gwmni.

Roedd ganddo hobïau galôr: ffilmiau du a gwyn, Twitter a chasglu *tupperware* drud, ond y rhyfedda ohonyn nhw i gyd oedd *taxidermy*. Fel y madarch a'r wleidyddiaeth, doedd gen i ddim wir ddiddordeb yn hobi'r dyn 'ma, ond mi o'n i mor desbret i David fy licio i fel mod i'n plygu fy hun bob ffordd. Doedd gen i ddim ddiddordeb o gwbl mewn stwffio cwningen wedi marw a'i rhoi mewn bocs gwydr. Rŵan dwi ddim yn dweud na ddylid rhannu diddordebau efo dy bartner, ond mae gorfodi dy hun i wneud pethau dwyt ti wir ddim isho'u gwneud yn hurt ac mi o'n i'n teithio oriau ar fws i'r wers jest i drio profi fy hun iddo. Mi o'n i'n gorfod pinsio 'nhrwyn a chymryd anadl ddofn cyn cerdded i fewn i'r stafell, ac mi fyswn i'n treulio'r wers yn gagio gyda phob darn o stwffin o'n i'n roi yng nghafn gwag y gwningen.

Pan ddaeth y wers i ben ar ôl yr hyn oedd yn teimlo fel oriau, dywedodd y byswn i'n cael cadw'r gwningen ond roedd y syniad o gael y gwningen yn fy fflat yn fy ngwneud i'n sâl a ro'n i'n gwybod y bysa'n *housemate*, Kirsten, yn teimlo'n fwy cryf na fi am hyn. Gorfodais o i gymryd y gwningen – wedi'r cyfan, fo oedd wedi talu am y dosbarth.

Problem arall efo David oedd ei fod o'n *serial dater*, ond roedd o'n wych am wneud i fi deimlo mai fi oedd yr unig ferch yn y byd gan gynnig blas o sut fysa bod yn gariad iddo fo. Mae gan rai dynion sydd â phrofiad o berthnasau hirdymor ddawn i wneud i ferched deimlo eu bod nhw'n sbesial.

Doedd David ddim isio bod yn egsgliwsif achos ei fod o hefyd yn gweld o leiaf dwy ferch arall. Athrawes Eidaleg mewn ysgol breifat efo gwallt du oedd un, yn gwisgo sgerti tartan hir, ac roedd y llall yn delynores, yn gwisgo sbectol pot jam, ac roedd hi i ffwrdd am stintiau hir efo'i band. Mi o'n i'n gwybod hyn i gyd achos mod i wedi bod drwy eu proffiliau Facebook ac Instagram (cyn i Instagram fod yn breifat ac yn rhywbeth oedd pobl yn ei wneud gydag *intent*). Roeddan nhw'n hŷn ac yn fwy creadigol o lawer na fi ac mi fyswn i'n gwastraffu oriau yn meddwl am ba sgyrsiau oeddan nhw'n eu cael, a bod y secs yn fwy anturus na fysa fo'n gael efo fi achos do'n i dal ddim yn gwybod sut i fod yn dda am secs. Mi fyswn i'n gyrru fy hun yn wallgo yn cymharu fy hun efo nhw – pam fysa fo isio dim byd i'w wneud efo hogan ifanc, blaen o Bwllheli pan oedd ganddo fo'r ddwy dduwies yma?

Mi fysa 'nghalon i'n suddo pan fysa fo'n gorffen shifft ac yn dweud ei fod o'n mynd i gyfarfod Delphine (roedd ei henw, hyd yn oed, yn cŵl). Ond mi o'n i'n dal i adael i ddynion reoli'r naratif, hyd yn oed pan mai 'mywyd carwriaethol i oedd ar y lein.

Ar ôl i David benderfynu gorffen efo fi, mi wnes i drio fy llaw ar ddêtio am y tro cyntaf. Doedd Tinder ddim cweit wedi dod i swing eto, felly roedd rhaid i mi ddibynnu ar fy ffrindiau i'm setio fyny efo'u ffrindiau sengl eraill.

Y peth mwyaf *tragic* am fy nêt efo Dwight oedd mai drwy fy Anti Einir o'n i wedi cael fy setio fyny efo fo. Roedd o'n fab i un o'i ffrindiau a rhoddodd fy rhif i'w fam, ac yna, wythnos yn ddiweddarach mi oeddan ni'n eistedd mewn bar *tiki* tywyll wedi ei oleuo efo *fairy lights* ar hyd y nenfwd, yn yfed *pina coladas* allan o gwpanau croen pinafal ac oglau ffrwythau wedi llosgi yn dew yn yr aer. Roedd y dêt yn ddigon da, ond doedd gen i'n sicr ddim unrhyw fath o gyffro yn tanio yn fy mol, dim awch i ddympio'r coctels er mwyn closio ato mewn congl dywyll i snogio. Ond mi wnes i barhau i'w ddêtio am wythnosau achos ei fod o'n teimlo'n neis i gael rhywun yn fy licio i.

*

Pan mae dy ffrindiau adra di'n mynd i golegau gwahanol, mae'n hawdd teimlo'n ddatgysylltiedig, bron fel dy fod di'n anghofio amdanyn nhw achos bo chdi yn dy fybl dy hun efo dy griw newydd yn coleg. Mae'n rheol heb ei dweud fod 'na neb yn gwylltio efo'r llall os oes 'na fisoedd yn mynd heibio heb siarad, ond roedd *rhaid* trefnu nosweithiau allan yn ystod y gwyliau. Dyna pam fod gwyliau'r Nadolig a'r haf yn angor; yn gyfle i chi ddod yn ôl at eich gilydd, i ddal fyny a chyfnewid hanesion am ba mor wyllt oedd eich tymor olaf neu faint o hogia oeddach chi wedi'i fachu, bron fel tasa'n gystadleuaeth. Ond yn fy mlwyddyn olaf yn coleg, daeth rhywbeth arall â ni fel criw yn agosach at ein gilydd. Roedd mam Mirain yn sâl a bu farw pan oeddan ni'n 21 oed.

Dyma'r tro cyntaf i ni orfod delio efo rhywbeth fel'ma fel criw ffrindiau. Mi fyddai 'na dro cyntaf i lot o bethau yn ein dyfodol – priodi, ysgaru, plant, rhieni'n marw – ond roedd o'n digwydd i'n ffrind ni a hithau dal mor ifanc. Roeddan ni'n meddwl ein bod ni'n oedolion, yn byw bywydau gwamal, yn colli'n ffonau symudol unwaith yr wythnos, ond doeddan ni ddim wedi byw bywyd go iawn. Roedd ein bywydau heb eu profi, heb eu byw, ond rŵan roedd un o'n ffrindiau gorau wedi colli ei mam.

Ac roedd ganddon ni gymaint o gwestiynau – sut oedd hyn yn deg? Sut oedd ein Mirain ni'n medru delio efo hyn? Roedd 'na gymaint o ansicrwydd yn yr atebion. Doeddan ni ond yn medru gafael ar ymylon ei galar a'i phoen ond doedd 'na ddim amheuaeth ein bod ni'n ffrindiau a dim ots be fysa'n digwydd mi fysan ni yna iddi hi, pob un ohonom.

Penderfynais gael y genod draw i Gwynfryn 'chydig wythnosau yn ddiweddarach am *buffet* a 'chydig o brosecco i ddathlu 'mhen-blwydd i'n 21. Daeth fy nhad ata i cyn i bawb gyrraedd a dweud y bysa'n rhaid iddo fo gydymdeimlo efo Mirain os byddai hi'n penderfynu dod.

'Plis peidiwch, mae hynna mor embarrassing!' plediais ag o.

'Gwens,' dywedodd, 'mae hi'n bwysig dweud wbath bob tro. Ma raid i chdi ddweud wbath. Os ti'n meddwl bo dweud wbath yn anodd, meddylia pa mor anodd ydi o iddi hi. Mae hi wastad yn well dweud wbath.'

Roedd delio efo beth oedd wedi digwydd tu hwnt i 'ngallu fi. Mi o'n i'n poeni am sut fysa Mirain yn teimlo, heb feddwl fod clywed rhywun yn cydymdeimlo yn rhan o'r broses o alaru a bod clywed bod rhywun yn meddwl amdanat, yn dy weld ac yn cydnabod y golled yn bwysig. Os nad oeddach chdi'n cydymdeimlo, roeddach chdi bron â bod yn annilysu'r golled yn y lle cyntaf. Dyna'r wers orau iddo'i dysgu i mi: mae hi wastad yn well dweud rhywbeth.

Doeddan ni methu dallt sut oedd Mirain yn medru dygymod efo difrifoldeb a thristwch beth oedd yn digwydd iddi hi a'i theulu. Do'n i'm yn dallt sut oedd ganddi hi'r cryfder i godi'n bore ac anadlu, heb sôn am drio byw bywyd. Roedd fy ngalar i'n gwbl ymylol a'r unig beth o'n i'n medru'i wneud oedd trio bod yn ffrind cystal ag y gallwn i, dyna oedd yr unig beth oeddan ni i gyd yn medru'i wneud: jest bod yna. Doedd 'na'r un gair am fedru lleddfu ei phoen. 'Nes i sylweddoli mai nid gwyliau haf neu Ddolig oedd ein hangor, ond ein gilydd. Roeddan ni wedi'n clymu efo'n gilydd yn y byd, yn gafael yng nghalonnau'n gilydd pan oedd 'na bethau tu hwnt i ddealltwriaeth yn digwydd. Roeddan ni'n gyrru *emojis* dros decst, yn estyn llaw ar hyd y tonfeddi, yn galw draw efo poteli *vodka* a *peach schnapps* ar benwythnosau. Dyna'r peth pwysicaf am gyfeillgarwch mewn gwirionedd – bod yn gefn i'ch gilydd a pharhau i fod yn gefn hyd yn oed pan mae'n teimlo'n ofnadwy o anodd i'w wneud.

10. Y flwyddyn dywyll

Pethau sy'n bwysig i mi yn 21 oed

- Dringo allan o'r fowlen
- Meddwl be dwi isho'i wneud
efo bywyd a thrio gadael Pwllheli
- Cael mwy o secs
- Ffeindio cariad

DECHREUODD FY MLWYDDYN dywyll mewn tre yn Ne America o dan y sêr mwyaf llachar i mi eu gweld. Roedd yr awyr yn ddu fel triog a'r sêr disglair yn rowlio ar ei thraws fel ceiniogau rhydd. Mi o'n i'n eistedd o flaen cyfrifiadur, wedi deilio i ddefnyddio'r *wi-fi* a chiw o bobl ifanc tu ôl i mi isio defnyddio'r un peiriant. Mi o'n i'n nyrfys ac yn ecseityd ar yr un pryd.

Edrychais ar y rhif o 'mlaen: 58.8. 2:2.

Edrychais eto. Mae'n rhaid fod yna gamgymeriad. Ond roedd y rhif dal yna wrth i mi bwyso *refresh* drosodd a throsodd. Suddodd fy nghalon a dechreuais deimlo fel bod y tir odana i yn anwastad a finnau'n disgyn, disgyn. Mi oedd o'n un o'r eiliadau 'na lle o'n i'n meddwl – mae un o'r pethau gwaethaf wedi digwydd i mi a dwi dal yma... sut o'n i'n codi o'r gadair 'ma? Mae derbyn newyddion drwg yn anodd. Ond mae gorfod dweud y newyddion wrth bobl eraill yn anoddach. Sut o'n i'n mynd nôl i'r dent i ddweud wrth Kathryn mod i wedi cael 2:2? Sut o'n i am allu ffonio fy rhieni, miloedd o filltiroedd i ffwrdd, i ddweud wrthyn nhw? Sut o'n i'n dweud wrth fy ffrindiau?

Mi o'n i wedi bod yn teithio o amgylch De America efo Kathryn ar ôl gorffen fy arholiadau ac ar ôl wythnosau o ddringo mynyddoedd, o ganu mewn bysus efo pobl newydd, o fwyta *empanadas* ac yfed Pisco Sours, roeddan ni wedi glanio yn San Pedro de Atacama yng ngogledd Chile.

Cerddais yn ôl i'r dent at Kathryn efo cwlwm mawr yn fy mol. Cyn hyn mi o'n i wedi bod yn *top of the class*, yn boen yn din i'n ffrindiau oedd yn treulio wythnosau ar eu traethodau a finnau'n medru cwblhau aseiniad mewn un noson a chael marc ucha'r criw. Efallai mai dyma o'n i'n haeddu. Roedd 'na rywbeth mor siomedig o derfynol am y rhif – tair blynedd o goleg, 18 mlynedd mewn addysg i syrthio ar yr hyrdl olaf. Mi o'n i'n teimlo fel methiant llwyr, fel mod i wedi siomi fy hun a phawb o'n i'n garu – sut o'n i wedi gadael i hyn ddigwydd? Eisteddais ar yr hamoc.

'Well?' gofynnodd yn obeithiol.

'I got... a... 2:2.'

Cododd ar ei heistedd yn sydyn. 'What?' gwaeddodd dros y dent.

'Yeah. I did really shit in my dissertation. Like awful. And it dragged my average down.'

'We need to contest it. We need to email your tutor, contest it. Surely it can't be right.'

Roedd Kathryn yn ymarferol. Roedd hi wastad yn meddwl am atebion yn syth, yn mynd i wraidd y broblem i geisio'i datrys, a finnau'n fwy tebygol o anwybyddu'r broblem am 'chydig cyn meddwl a ddylwn i fynd i'r afael efo hi neu beidio.

'Honestly, I just need to drink.'

'We could just email her now.'

'I NEED TO DRINK. Please say you'll drink with me.'

'Of course I'll drink with you.' Oriau wedyn ar ôl gormod o Pisco Sours, ein gyddfau ar dân efo dŵr poeth, cyrhaeddom yn ôl yn yr hostel.

'I think I need to cry,' bloeddiais wrth Kathryn.

'I think you need to cry too,' slyriodd hithau'n ôl.

'I can't though. I don't know what's wrong with me.'

'Do you want to talk about it?'

'No. Let's go to the fire.'

Eisteddom o amgylch y lle tân efo dieithriaid yn siarad am ddim byd a phob dim, tan oriau mân y bore, o dan y sêr mwyaf llachar i mi eu gweld.

*

Ar ôl bod yn Chile, teithiom i Buenos Aires yn Argentina. Mi o'n i dal â 'mhen yn fy mhlu am y canlyniad a Kathryn yn dal i drio herio'r marc ar fy rhan a chodi'n ysbryd. Cyrhaeddom yr hostel mwyaf yn y ddinas (oedd yn enwog am fod y parti sbot mwyaf yn y ddinas hefyd) ac aethom i'r stafell oeddan ni'n ei rhannu efo dau foi pen melyn, un o Awstralia a'r llall o'r Almaen.

Ar ein noson gyntaf penderfynom fynd i gymryd rhan mewn dosbarth a sioe Tango *all-you-can-drink*. Mae'n saff dweud ein bod ni wedi bod yn yfed gwin coch mwy na wnaethon ni ddawnsio. Mi wnaethon ni hyd yn oed sleifio potel yr un o dan ein cotiau ar gyfer y siwrne yn ôl. Mi oeddan ni wedi yfed cymaint o win coch nes i ni gerdded i fewn i far yr hostel efo *full True Blood mouth* – roeddan ni'n edrych fatha bo ni wedi bod yn bwydo.

O fewn 'chydig funudau roedd 'na ryw foi o Denmarc wedi dechrau ordro *shots* o *tequila* i bawb ac roeddan ni'n gwneud llwncdestun i'r noson o'n blaenau.

Cerddais tuag at hogyn tal o'n i wedi'i lygadu ar ochr arall y bar, hyder y gwin coch yn fy ngwthio tuag ato – roedd o fel magnet yn fy nhynnu'n nes. Sam oedd ei enw, ac mi oedd o'n dod o Finsbury Park. Roedd o'n amlwg yn Sais i'r carn, yn pelydru'r hyder digymar 'na sydd ddim ond gan Saeson. Roedd ganddo lais dwfn oedd yn adleisio ar draws bar yr hostel, gwên lydan oedd yn llawn dannedd sgleiniog, ac mi oedd o'n chwerthin fel petai'n dod reit o waelod ei fol.

Roedd ganddo gôt ffwr amdano, fel un fysa chdi'n ffeindio yng nghefn wardrob dy nain, ac roedd o'n 'i gwisgo hi efo *va va voom* rhywun sydd efo hyder mewnol, nid hyder *tequila*.

'I like your coat,' dywedais wrtho.

'I like your eyes.'

'You're making me blush,' atebais innau'n ôl, ei eiriau yn gwneud i'm llygaid sgleinio mwy fyth.

'I'm Gwen. Pleasure to meet you.'

Be oedd y geiriau 'ma oedd yn dod allan o 'ngheg? Do'n i erioed wedi teimlo awch mor anifeilaidd.

'Sam. Pleasure to meet you too.'

Yn fuan wedyn roeddan ni mewn clwb nos ac roeddan ni'n dawnsio'n agos, ein cyrff chwyslyd yn rhwbio'n erbyn ei gilydd, y golau melyn-oren-wyrdd yn fflachio ar ein gwynebau eiddgar. Gafaelodd amdana i â'i freichiau mawr a 'nhynnu fi fyny gerfydd fy wast a thaflais fy nghoesau o amgylch ei gorff mawr, fy nghorff fel petai'n anghofio'i hun wrth uno efo'i gorff ynta. Roeddan ni'n snogio'n ffyrnig, ein cyrff wedi nadreddu rownd ei gilydd, ein cegau yn methu dal fyny efo'r awch cnawdol oedd wedi'n meddiannu. Yr eiliad nesaf mi o'n i ar ei ben o ar lawr y clwb, yntau wedi syrthio ar y llawr llithrig.

'Shall we head back to the hostel?' gofynnais.

'Absolutely.'

O fewn eiliadau roeddan ni'n rasio ar draws y ddinas i gyrraedd yr hostel unwaith eto, ei gôt ffwr amdana i. Cyrhaeddom yn hostel a sylwi fod yna rai materion logistaidd doeddan ni heb eu hystyried.

Yn gyntaf, roedd o'n aros mewn dorm i 24 o bobl. Mi o'n i'n feddw ond do'n i'm wir isio ffwcio o flaen 23 o bobl eraill.

Ac yn ail, doedd fy stafell i ddim yn opsiwn achos fysa'r ddau ddieithryn pen melyn neu Kathryn yn medru glanio yno unrhyw funud. Roedd Kathryn a fi'n agos, ond ddim mor agos â hynna chwaith.

'What on earth shall we do then?'

'Let's go the bathroom on the top floor. Nobody uses it.'

Yna dyma ni'n rhuthro i'r llawr uchaf, yr adrenalin a'r awch yn ein cario. Chwalom drwy'r drws i fewn i'r stafell folchi a chloi y drws yn glep. Dechreuodd ein dillad hedfan i ffwrdd ar gymaint o wib a'r peth nesaf roeddan ni'n snogio yn y gawod, y dŵr poeth yn tasgu arnom yn gwneud i'r holl beth deimlo'n fwy gwyllt. Rhywsut neu'i gilydd llithrais gan ddod â chyrtan y gawod i lawr efo fi a glanio yn y bath gan daro'n *nose stud* allan. Ond doedd dim bwys gen i os fysa'r twll yn cau achos roedd yntau yna efo fi'n fy nghusanu, ac roedd hi'n bwysicach cario mlaen achos duw a ŵyr os fyswn i'n gweld Sam fyth eto a fyth yn cael teimlad fel'ma eto.

Roedd y stafell folchi'n erych yn *post-apocalyptic* ar ôl i ni orffen a doedd 'na ddim golwg o'n *nose stud* i yn nunlla. Roedd fy nillad i'n socian wrth i mi roi sws ar geg Sam a rhedeg o'r stafell folchi yn ôl i fy stafell yn hollol noeth.

Yn ddiarwybod i mi, roedd Kathryn wedi bachu y boi Awstralaidd oedd yn aros yn ein dorm ac roedd yr Almaenwr yn aros tu allan i'r stafell, a finnau rŵan yn noeth wrth ei ochr.

'Oh my god, get some clothes on.'

'I'm so sorry, I didn't expect anyone to be here'

Cnociais ar y drws.

'Kathryn! I'M COMING IN, I NEED CLOTHES. I'M COVERING MY EYES.'

Sleifiais i fewn i'r stafell yn sydyn a gafael yn y crys-T a'r *knickers* agosaf a sleifio'n ôl allan. Gwisgais amdanaf yn sydyn a throi at yr Almaenwr.

'Shall we go downstairs to let these finish then?'

'You disgust me.'

Edrychais arno a chwerthin, 'Oh shut up.'

Cerddom i lawr y grisiau, a throdd ata i a gofyn, 'Are you more embarrassed or disgusted with yourself then?'

Dechreuais chwerthin eto.

'Why would I be either of those things? It's just sex. It's just my body.'

Roedd hyder y gwin coch yn fy amddiffyn ac yn fy ngwneud i'n *cocky*. Mi o'n i wedi teimlo cywilydd am fy nghorff ac am gael secs ers i mi fod yn ddeunaw oed. Roedd hanner y cywilydd yn dod o'r tu mewn i mi a'r hanner arall yn dod o sut oedd dynion yn gwneud i mi deimlo. Am y tro cyntaf, do'n i ddim yn teimlo cywilydd am yr hyn oedd wedi digwydd ond roedd o'n trio'i orau i godi cywilydd arna i.

Eisteddom ar soffa isel y stafell gyffredin, fi a'r Almaenwr blin.

'You seem very troubled, to walk around the hostel naked. Do you crave the attention of men? I will not have sex with you, by the way.'

Edrychais arno mewn anghrediniaeth. Mi o'n i'n gwybod

fod yr Almaenwyr yn bobl *blunt* ond dyma'r tro cyntaf i mi gael dyn yn bod mor *blunt* efo fi.

'Calm down, will you, my clothes were wet. I don't just walk around hostels naked all the time.'

Mi o'n i wedi arfer efo hogia Pen Llŷn a stiwdants Manceinion yn slut-shamio tu ôl i gefnau merched ond do'n i, cyn yr eiliad yma, wrth eistedd yn fy nicar a chrys-T person diarth, erioed wedi cael fy slut-shamio i 'ngwyneb.

Am y tro cyntaf, mi o'n i wedi cymryd rheolaeth – o be o'n i isho, o fy rhywioldeb, o fy chwantau. Mi oedd yr holl beth wedi bod yn hafal ac ro'n i wedi pwsio'r peth cymaint â'r dyn. Do'n i ddim wedi eistedd yn f'ôl a gadael i Sam reoli beth oedd am ddigwydd y noson honno. Mi o'n i wedi cael hwyl ac wedi mwynhau fy hun a rŵan mi o'n i'n cael fy meirniadu gan berson do'n i'm hyd yn oed yn nabod.

Mi o'n i wastad wedi meddwl fod dyn isio merch oedd yn *slut*, ond doeddach chdi'n amlwg methu bod yn ormod o *slut* neu fysa chdi'n cael dy feirniadu. Hyd heddiw, mae hi wastad yn fy synnu i fod dynion yn meddwl eu bod yn medru gwneud sylwadau am ferched – am eu rhywioldeb, eu cyrff, eu gwynebau. Ydi dynion yn cael eu bygwth gan ferched sydd yn hapus i hawlio'u rhywioldeb achos ei fod o'n golygu'n bod ni ddim yn ddibynnol arnyn nhw? Ac ydi o'n gwneud iddyn nhw deimlo'n ddiangen a llai pwysig os ydan ni'n cymryd owns o reolaeth?

*

Pan laniodd yr awyren ym Manceinion, do'n i ddim isio gadael y maes awyr. Mi o'n i isio hedfan i rywle arall, i wlad bell lle doedd 'na neb yn fy nabod i a neb yn gwybod mod i'n fethiant. Ond allwn i ddim achos doedd gen i ond punt ar ôl yn fy manc ac roedd Mam a Dad yn aros amdana i yn yr *arrivals lounge*. Wrth eu gweld dechreuodd y dagrau lifo lawr fy ngwyneb o'r diwedd, fel taswn i'n cael aduniad efo nhw ar ôl blynyddoedd yn byw dramor; ond roedd y dagrau drosta fi fy hun. Dechreuodd rhyw gwmwl du ffurfio uwch fy mhen ac mi o'n i'n teimlo fel taswn i'n suddo mewn i fowlen ddyfn a do'n i'n methu dringo ohoni. Mi o'n i'n styc ym Mhwllheli, y lle o'n i wedi trio denig ohono ers blynyddoedd, a doedd gen i ddim ffordd o ddianc tro 'ma achos doedd gen i ddim pres a doedd gen i ddim rhagolygon.

Mi es i fewn i *hiding*. O'n i prin yn medru gadael fy stafell, heb sôn am fynd i nunlla. Roedd y *jetlag* yn esgus perffaith i beidio gorfod wynebu unrhyw un am yr wythnos gyntaf. Roedd o'n teimlo fel tasa gan bawb arall o fy ffrindiau gynllun o ryw fath.

Mi o'n i'n cerdded i Spar Pwllheli efo Mam pan wnaethon ni daro mewn i chwaer Mali, Gwenno, a'i mam. Roedd Gwenno ddwy flynedd yn hŷn na ni ac yn gwneud PhD yng Nghaerdydd, felly mi oedd hi'n rhywun oedd wastad *yna*, ond doeddan ni erioed wedi bod yn ffrindiau. Trodd ata i wrth i'n mamau gael sgwrs.

'Ti'n iawn 'ta?'

'Ugh, dim rili.' Roedd hi'n hawdd bod yn onest efo Gwenno.

'Glywish i. Paid â poeni. Does 'na uffar o neb yn malio am dy radd di ar ôl i chdi orffan coleg. Wir 'wan, paid â poeni. 'Di o'm byd sti.'

Do'n i'm yn meddwl hynny fy hun eto, ond mi oedd 'na gysur wrth glywed y geiriau.

'Ti'n dod i Steddfod flwyddyn yma?'

'Dwi'm yn gwybod. Sgenna i ddim pres.'

'Pam nei di'm gofyn i Llio os gei di weithio ar stondin? Wedyn fydd gen ti bres cwrw bob diwrnod. Tyd! Fydd o'n laff!'

Ar ddydd Sadwrn, 'chydig ddyddiau wedyn, mi o'n i'n ista yng nghefn Volvo rhieni Megan efo gwinadd *acrylic pastel* yn mynd lawr am Llanelli. Roedd Megan yn hen law ar yr Eisteddfod, yn steddfotwr ers iddi fod yng nghroth ei mam. Mi o'n i wedi bod mewn dwy Eisteddfod a heb fod yn y pafiliwn.

Roedd cyrraedd yr Eisteddfod ar y dydd Sadwrn cyntaf yn gwneud i mi deimlo'n hollol *hardcore*. Do'n i heb gael cyfle o'r blaen i weld faint o'n i'n ei golli jest o fynd o ddydd Iau ac aros yn Maes B. Roedd aros yn y Maes Carafannau yn teimlo fel aros mewn moethusrwydd gwesty 5 seren; doedd 'na neb yn cachu ar loriau'r *shower*, neb yn jamio tu allan i'w carafannau, achos roedd pawb yn fama'n wareiddiedig. Roedd pawb am y gorau efo'u carafannau a'u hadlenni, yn yfed eu Pinot Grigio allan o wydrau crand wrth eistedd yn eu cadeiriau Gelert.

Mi fyswn i'n gweithio yn y stondin bob bore ac yn cerdded o amgylch y Maes yn y prynhawn – do'n i'n sicr heb gael y cyfle i fod mor ddiwylliedig yn yr Eisteddfod o'r blaen. Y ddau dro cyn hynny do'n i mond wedi gweld Maes B a'r Bar Gwyrdd. Llenwais fy nyddiau'n gwylio talentau gorau Cymru ar y llwyfan (Côr Pensiynwyr Caerdydd, heb os), eu perfformiadau'n dod â deigryn i'm llygaid. Mi o'n i hefyd yn mwynhau mynd i seremoni wobrwyo'r diwrnod a thrio defnyddio fy mhwerau i weithio allan pwy oedd wedi ennill cyn iddyn nhw godi (do'n i byth yn gywir wrth gwrs). Mi fyswn i wrth fy modd yn gwylio'r seremoni'n graff: y cleddyf, y dawnsio, aelodau'r Orsedd – finnau'n eiddigeddus o'u statws fel uwch-ddinasyddion Cymreig: rhain oedd *crème de la crème* Cymru. Ar ôl gadael y pafiliwn, dyna oedd diwedd y diwylliant am y diwrnod, ac mi fyswn i'n cyfarfod pawb yn y Bar Gwyrdd, yn gwario bob ceiniog o 'nghyflog ac yn yfed fy hun i ebargofiant bob noson.

Roedd Gwenno'n campio yn y Maes Carafannau hefyd ac ers ein sgwrs gyntaf tua allan i Spar Pwllheli, roedd hi'n teimlo fel tasa 'na sbarc rhyngom ni. Mae sbarc ffrindiau cyn gryfed â'r sbarc rhwng cariadon, ond anaml mae pobl yn siarad am ba mor sbesial ydi gwneud ffrindiau newydd, yn enwedig os ydi o'n digwydd tu allan i waliau ysgol neu goleg. Ond mae dal angen dod i nabod y person 'ma, gwybod sut berson ydyn nhw, holi am eu hoff bethau, dysgu am eu *habits* drwg. Roedd hi mor hawdd siarad efo Gwenno, ac mi wnes i ymroi'n llwyr i fod yn ffrindiau efo hi. Yn ystod yr wythnos hon, cafodd y sbarcs y cyfle i gydio'n iawn wrth drafod llyfrau a miwsig a chelf a'r byd o'n cwmpas.

Gwenno oedd yr un wnaeth roi addysg i mi am ddiwylliant Cymraeg hefyd. Do'n i erioed wedi teimlo fel Cymraes dda. Roedd y ffaith mod i wedi gadael Cymru mor ifanc, wedi mynychu ysgol a choleg Saesneg, yn gwneud i mi deimlo'n tu hwnt o euog. Ond mi wnaeth Gwenno i mi sylweddoli mod i'n medru bod yn wladgarol a bod yn rhan o'r diwylliant p'run bynnag. Ces gyfle i ymdrochi mewn diwylliant fwyfwy yn Maes B, yn dawnsio i sêr yr SRG ac yn malu cachu efo enillydd rhyw fedal lenyddiaeth yng nghefn y babell.

Safom o amgylch y tân yn Maes B un noson, gweddill ein ffrindiau un ai wedi bachu neu wedi cael digon o'r bondio oedd wedi bod yn digwydd rhwng y ddwy ohonom ac wedi gadael. Roeddan ni'n gweiddi siarad dros ein gilydd a phawb arall, ac yna sbotiais Cliff.

'Tyd, Gwens,' dywedais, wrth lyncu fy niod a gafael yn ei braich.

Mi o'n i wedi'i weld ar y teledu 'chydig fisoedd ynghynt a phenderfynais stompio yn syth ato ac awgrymu fod o angen newid *lyrics* ei gân. Doedd o ddim mor siŵr â fi. Ond mi oedd 'na rywfaint o chwilfrydedd yn amlwg wedi'i ennyn ac yna dechreuom siarad, y tri ohonom. Mae'n rhyfedd sut mae pawb yn gwirioni efo cerddorion. Roedd ei lais dyfn, bloesg i'w glywed filltiroedd i ffwrdd ac roedd o'n ynganu pob *ech* ac *ell* fel tasa ganddo rywbeth yn styc yng nghefn ei wddw ac angen fflemio. Roedd o mor sicr ohono'i hun, yn gwbl hyderus yn ei groen a'i ddillad *indy*, yn amlwg wedi cael merched o bob oed yn taflu eu hunain arno ers iddo berfformio'i gân gyntaf. Roedd o mor *charming*, yn amlwg wedi gwneud hyn ganwaith o'r blaen ac yn gwybod pryd i chwerthin, pryd i wenu efo'i lygaid, pryd i adael i mi siarad, pryd i gyffwrdd fy mraich neu waelod fy nghefn.

Cerddom yn ôl i'w dent gan siarad pymtheg y dwsin ac mi o'n i'n falch i gael Gwenno yno fel *moral support*, ond yn poeni be yn union oedd am ddigwydd pan oeddan ni'n cyrraedd y dent. Oedd o'n disgwyl *ménage à trois*? Wel doedd dim rhaid poeni. Wrth i ni blygu fewn am ein snog gyntaf, wnaeth Cliff ddim rhagweld pa mor fawr oedd fy nhrwyn a gyda sŵn crensian mawr dyma'i wyneb yn bangio fewn i fy un i. Yn rhyfeddol doedd 'na ddim llawer o waed ac roedd pawb yn ddiffwdan, ond dyma fi'n teimlo'r boen fwyaf nes i ddagrau ddechrau rhedeg fel rhaeadr lawr fy mochau.

'O god, nesh i glwad hwnna, ia,' dywedodd. 'Ti'n iawn?'

Do'n i methu gweld dim, dim hyd yn oed ei wyneb oedd yn un *blur* o 'mlaen i. Roedd fy mhen i'n teimlo fel tasa 'na rywun wedi datgysylltu 'nhrwyn o weddill fy ngwyneb, a do'n i methu mynegi fy hun, felly dechreuais chwerthin. Roedd hyd yn oed Gwenno wedi clywed o'r compartment arall ac yn rhyw biffian chwerthin.

'Wffd, ti'n iawn Gwens?'

Dechreuodd pawb chwerthin ac yna disgynnom i gysgu, yr holl gyffro a'r alcohol wedi'n blino'n sydyn. Deffrais i sŵn mynd a dod tu allan i'r dent, a chofio mod i ddim yn yr adlen, ond yn cysgu wrth ochr Cliff.

'Gwenno! Gwenno! Shit! Tyd, 'dan ni angan mynd,' sibrydais wrth ddringo dros Cliff ac allan o'r dent.

'Wel diolch am y llety, ella welwn ni chdi eto,' sibrydom wrth gau'r *zip*. Rhedom o Faes B a dal bws yn ôl i'r Maes Carafannau yn chwerthin fel dwy iâr wyllt, ac yn gweiddi am yn ail bo ni methu credu'r noson oeddan ni wedi'i chael.

'O mai god, who are we, Gwens?'

'Methu ffycing credu wir.'

'Ti weld o eto ta be?'

'Dwn i'm, dwi bownd o redeg fewn iddo fo ryw ben, dydw?'

'Wel wyt, a fynta'n SELÉB! LOL!'

Eisteddom ar y bws ac astudio'r briw glas oedd wedi dechrau codi ar fy nhrwyn. Roedd yr alcohol, y wefr o gael snog gan seléb ac eistedd wrth ochr y person gwych yma yn ddigon i leddfu unrhyw boen o'n i'n deimlo.

*

Pwy ydi dy Eisteddfotwr delfrydol?

Ffrynt man SRG

Ti'n debygol o ffeindio hwn yn jamio wrth ei dent efo'i *entourage* yn ystod y dydd ac ar brif lwyfan Maes B gyda'r nos. Mi wneith hwn wneud i chdi deimlo fel mai chdi ydi'r unig hogan yng Nghymru y noson honno. Ond byrhoedlog fydd y rhamant achos fydd ganddo fo hogan fwy golygus nos fory. A phaid â disgwyl am decst ar ôl gadael ei dent, ond gwranda allan am gân ti wedi'i hysbrydoli ar ei albym nesaf.

Bardd *up-and-coming* yn y Babell Lên

Ti'n sicr o ffeindio hwn yn llyfu tin Eurig Salisbury neu

Myrddin ap Dafydd yn Bar Sychad ar ôl seremoni wobrwyo'r dydd. Paid â gwastraffu dy amser, mae ganddo fo fwy o ddiddordeb mewn cynganeddu, bwydo'i *ego* ac ymuno efo'r Orsedd.

Clocsiwr o'r de-orllewin
Mae hwn yn sicr yn aros yn adlen y garafán deuluol a'i fam o'n nôl brechdan bacwn a *latte* iddo bob bore. Boi sydd efo lot o rythm, disgyblaeth a hunanreolaeth ond fawr o syniad sut i bleseru merch.

Boi Bar Gwyrdd
Good-time-guy go iawn. Mae hwn yn pigo'i sbot ac yn aros yn yr un lle wrth ymyl y Bar Gwyrdd drwy'r dydd. Mi wneith o brynu peintiau i chdi, rhannu *chips* efo chdi, dawnsio i Al Lewis efo chdi a thalu am dy docyn Maes B. Ond mi fydd o wedi cael KO mewn *portaloo* cyn yr *headline act*, felly paid â disgwyl gormod.

Ffarmwr sy'n cachu ar lawr y *portaloo* yn Maes B
Mab ffarm sy'n teimlo'n fwy cartrefol yn y Sioe Frenhinol, ond mae ei ffrindiau wedi'i orfodi fo i ddod i'r Eisteddfod achos mai ei garafán o maen nhw'n ei ddefnyddio. Tydi'r boi yma heb folchi ers iddo fo gyrraedd ac mae o'n meddwi mor ofnadwy sganddo fo ddim gobaith ei chael hi fyny. Ond mi wneith o dy ffingro di i farwolaeth a dy gydlo di drwy'r nos.

Boi côr meibion
Hogyn sy'n canu yn y côr lleol achos bod ei fam o'n poeni fod ganddo fo ddim digon o hobïau tu hwnt i rygbi ac yfed Carling. Paid â gwastraffu dy amser efo hwn, mae ganddo fo wraig adra!

Cyfryngi Caerdydd

Boi *angsty* o Bontcanna sy'n meddwl fod o'n ffwc o foi yn cynnig *internship* i chdi achos mae'i dad o'n uchel yn y BBC ac mae'i fam o ar *Pobol y Cwm*. Mi fydd o'n crio am ei *ex* enwog cyn diwedd y noson. *Take the internship and run!*

Actor

Enillodd Wobr Richard Burton flwyddyn dwytha, ac mae Regan wedi'i seinio fo erbyn flwyddyn yma. Bosib fydd y llygaid glas 'na ar y teli bocs flwyddyn nesaf... bosib ddim. Jans fydd o'n enwog neu'n gyfoethog un diwrnod ond wneith o fyth dy garu di gymaint â mae o'n caru ei hun.

*

Pythefnos yn ddiweddarach, roedd Gŵyl Gwydir yn Llanrwst (heb os un o'r gwyliau gorau i gael ei chreu) gyda Gruff Rhys a Cowbois Rhos Botwnnog yn hedleinio.

Clywais Cliff cyn ei weld, ei lais yn rhochian dros y clwb rygbi. Roedd o mor *indy*, doedd ganddo ddim Facebook, felly do'n i ddim wedi gallu cysylltu ers ein hantur unnos eisteddfodol. Sylwais eto ei bod hi'n bosib cynnal rhamant neu fachiad Cymreig drwy'r haf heb orfod mynd drwy'r *stress* a'r *admin* o decstio rhywun. Mi fysach chi'n eu bachu am y tro cyntaf yn Builth neu Sesiwn Fawr Dolgellau, eu gweld eto wedyn yn yr Eisteddfod, yna Gŵyl y Dyn Gwyrdd (os oeddan nhw'n rili cŵl), Gŵyl Gwydir ac yna i gladdu'r haf, Gŵyl Pen Draw'r Byd neu sesh gŵyl y banc yng Nghaernarfon. Ac yna mi fysach chi'n cael penderfynu os oeddach chi isio mynd â phethau'n bellach eto, neu eu gadael yn rhamant byrhoedlog yr haf, fel rhywbeth sbeshal yn y galon a'r cof. Doedd 'na ddim pwysau i decstio rhwng pob digwyddiad, dim pwysau i weld eich gilydd tu hwnt i'r bybl 'ma. (*Caveat* i hyn: roedd o'n debygol bo chdi am eu gweld ymhen wythnosau neu fisoedd beth bynnag achos mae Cymru'n reit fach.)

Siaradais efo Cliff drwy'r nos ac erbyn diwedd y noson roedd o'n *keen* i ddod nôl i fy nhent i'r tro hwn. Roedd y genod i gyd wedi mynd off yn eu parau y noson honno, y noson yn 'llwyddiant' i bawb a phawb wedyn yn profi'r teimlad penysgafn, *hungover*, *giddy* 'na am weddill y penwythnos. Nid realiti oedd hyn mewn gwirionedd, ond rhyw freuddwyd.

'Dwi'm isio mynd adra, Gwens,' dywedais wrth Gwenno ar fore Sul wrth bacio'r dent.

'O god, na finna. Dwi'm isio gwynebu bywyd.'

'Mae Cliff a'i fêt yn mynd i Aberdaron am 'chydig ddyddia i gampio. 'San ni medru perswadio hein i ddod efo ni, ti meddwl? Neu o leia i roid lifft i ni yna?'

''San ni medru, bysan...'

Y peth gorau am yr haf oedd ei fod o dal yn teimlo fel mod i ddim angen wynebu realiti. Fel tasa gen i berffaith hawl i beidio bod yn *sorted* achos doedd hi ddim yn fis Medi eto. Mis Medi oedd y *deadline* o'n i wedi'i roi i fi fy hun ac roedd o'n hongian uwch fy mhen fel cleddyf Damocles. Ond am y tro, mi o'n i'n hapus i bwyso *pause* ar fy mywyd a mynd i Aberdaron am dridiau i yfed a fflyrtio ac anwybyddu realiti, ac roedd hi'n well fyth fod Gwenno am ddod efo fi.

Ar ein ffordd yn ôl i Ben Llŷn o Lanrwst yn SEAT coch Mali, dyma ni'n stopio yng nghaffi Cadwaladers Cricieth am hufen iâ lle wnaeth Gwenno a fi grybwyll y syniad o fynd i Aberdaron am y noson wrth sipian ein coctels hufennog.

'Duwcs, do's 'na neb yn gweithio fory, neith hi sesh arall?'

'Ia, 'dach chi ffansi Aberdaron am noson?'

'O ia, isio mynd i weld CLIFF ti 'de, Gwenllian,' meddai Elin Parc yn ddireidus.

Wrth gwrs, roedd 'na wir yn hynny.

'Nage! Dwi jest ddim isio mynd adra eto! Alla i ddim gwynebu realiti.'

Mi oedd 'na fwy o wirionedd yn hynny.

Dechreuodd pawb chwerthin i fewn i'w hufen iâ a chytuno eu bod nhwythau ddim isio mynd adra na wynebu realiti. Ac yna'n rhyfeddol roeddan ni i gyd yn Nhŷ Newydd Aberdaron yn cael noson arall o siarad yn ddwys, a chwerthin am yr un pethau oeddan ni wedi chwerthin amdanyn nhw ers blynyddoedd.

Cymaint roedd Gwenno a fi'n mwynhau, mi wnaethon ni benderfynu aros yno am ddyddiau wedyn mewn tent efo Cliff a'i fêt. Treuliom y deuddydd nesa'n nofio yn y môr, yn cerdded o amgylch rhimyn y bae, yn trafod Cymru a Chymreictod fel tasan ni am fedru sortio holl broblemau'r byd, y pedwar ohonom ni mewn pentref heb hyd yn oed signal ffôn.

Ar ein noson olaf o amgylch y tân ar y traeth, roedd Gwenno a finnau'n eistedd ar y tywod eto, yn yfed cans ac yn piffian chwerthin wrth feddwl ein bod ni'n Aberdaron efo'r ddau drwbadŵr yn ein serenadio o dan leuad llawn a sêr llachar. Ac ella mai dianc o fy realiti o'n i'n wneud, ond yn y foment honno'n rowlio chwerthin ar y traeth doedd realiti ddim yn rhy ddrwg o gwbl.

*

Roedd y 'chydig ddyddiau i ffwrdd wedi bod yn gysur ac yn frêc o feddwl am fy mywyd *pathetic*. Mi o'n i'n teimlo ar goll yn llwyr, heb unrhyw gyfeiriad yn y byd. Ro'n i'n teimlo fel pry cop oedd yn methu dringo allan o'r bath;

mi fysa rhywbeth yn digwydd ac mi fyswn i'n teimlo'n dda am 'chydig ond wedyn fyswn i'n llithro'n ôl i fewn i'r tywyllwch ac roedd y syniad o orfod cychwyn dringo eto yn rhy galed.

Fel llawer o blant ffarm yng Nghymru, symudais i fewn i garafán statig oedd yn yr ardd. Roedd hynny'n teimlo fel ffug-annibyniaeth. Mi o'n i'n cael cysgu yno a lownjan heb fy rhieni o 'nghwmpas (er eu bod nhw ddim yn gwneud dim o'i le tra o'n i'n lownjan yn y tŷ), ac mi oedd hi'n braf cael gofod i mi fy hun er mod i'n mynd yn ôl i'r tŷ i fwyta neu watsiad Sky. Roedd hi'n teimlo fel mod i'n chwarae tŷ pan o'n i'n llenwi'r lownj efo blancedi a lampau a *potpourri* a gwahodd y genod draw am baned neu swper.

'Be ti am neud rŵan?' neu 'Be ti isio neud?': o bosib y ddau gwestiwn gwaethaf i ofyn i rywun sydd newydd raddio. Mi oedd y cwestiynau yma i'w teimlo fel dwrn i'r corff ac mi fyswn i'n suddo'n bellach ac yn bellach i mewn i mi fy hun. Roedd 'na lot o fy ffrindiau o coleg yn cychwyn *grad schemes* neu *internships*, rhai wedi cael swyddi, rhai wedi mynd i deithio. Ac mi o'n i wedi dechrau gweithio mewn tafarn ym Mhwllheli. I mi doedd 'na ddim byd yn bod ar hynny, ond roedd o'n rhywbeth roedd y bobl o 'nghwmpas yn poeni amdano. Doedd y syniad o gymryd seibiant a meddwl ddim yn rhywbeth oedd yn dderbyniol, yn enwedig ym Mhen Llŷn, yn enwedig yn fy nghartref i.

Mi fysa Nain yn torri *clippings* swyddi o gefn y *Daily Post* ac yn dod i fewn i'r garafán efo llwyth o swyddi posib i mi. Weithiau mi fysa hi'n cynnig ffonio cwmnïau i ofyn be oedd ar gael ac os fysan nhw'n fy ystyried i. Roedd ei chynigion yn dod o le da, ond doedd ganddi ddim syniad faint oedd y byd wedi newid a do'n i'm yn dallt pam fysa rhywun isio fy nghyflogi i p'run bynnag.

Derbyniais neges gan fy ffrind Sam un prynhawn: 'Writing

competition! You should enter. Or start that blog you always talked about... anyway, hope you are doing ok x.'

Roedd Sam wedi cael ei derbyn i wneud gradd meistr yng Nghaergrawnt, roedd o'n ddigon hawdd iddi hi. Fyswn i ddim hyd yn oed yn cael fy nerbyn i wneud cwrs meistr rŵan. Penderfynais stopio pitïo fy hun am 'chydig: mi o'n i dal yn gallu sgwennu os o'n i isio ac mi fysa mor hawdd creu blog a'i gyhoeddi.

Dechreuais sgwennu blog dienw o'r enw *Life in Second Class* am fywyd a *sex life* merch ifanc oedd wedi gorfod symud yn ôl i'w chartref boring yng ngogledd Cymru. Roedd o wedi ei ddylanwadu gan yr holl *rom-coms* a *chick-lit* o'n i wedi eu gwylio a'u darllen dros y blynyddoedd, gyda phinsiad o erotica wedi ei ddylanwadu gan *Fifty Shades of Grey* oedd yn sgubo drwy'r byd ar y pryd.

Golygodd Sam y darn i mi, mi wnaeth Elin Parc wneud darlun ohonaf i ac yna mi o'n i'n barod i'w gyhoeddi. Am y tro cyntaf ers gorffen coleg, mi o'n i'n teimlo fel mod i'n gwneud *rhywbeth*. Mi o'n i'n rhoi fy hun allan 'na – mi oedd o'n gwbl frawychus ond roedd hi'n braf teimlo fel mod i'n bod yn rhagweithiol o'r diwedd.

Pwysais *make live* ar y dudalen ac aros am yr *hits*. Ond byrstiodd fy mybl yn sydyn. Yn lle clywed pobl yn brolio'r blog, yr unig beth oeddan nhw'n ddweud oedd ei fod o'n 'too much braidd' neu'n 'very sexual, dydi'. Mi fyswn i'n clywed sibrydion am y blog drwy ffrindiau. O'n i'n siŵr mod i isio i bobl 'ddarllen rwbath fel'na, dŵad?' Er ei fod o'n ddienw, roedd pawb o 'nghwmpas yn dal i feddwl ei fod o'n *ormod* ac y dylwn i fod yn ofalus a chysidro'i dynnu lawr.

Felly mewn panig llwyr, dyna 'nes i. Roedd gen i gymaint o gywilydd fod pobl ddim wedi ei ddarllen mewn ffordd dafod-yn-y-foch fel o'n i wedi'i fwriadu. Doedd gen i ddim mynadd trio perswadio neb ei fod o'n iawn i ferch sgwennu am secs, ei fod o'n iawn i ferch fod yn *explicit* yn y ffordd mae hi'n siarad am secs. Mi o'n i'n cael fy labelu yn fras neu'n hen hwch ond yn lle dweud wrth bawb mod i jest yn rheoli fy naratif a bod gan ddynas hawl i siarad am secs, 'nes i ddileu y blog a bob dim oedd yn gysylltiedig ag o, am byth. Os oedd unrhyw un yn holi neu ddweud rhywbeth, mi fyswn i'n cochi gyda chywilydd a mwmian o dan fy ngwynt neu wadu mod i wedi gwneud unrhyw beth. Roedd yr unig beth rhagweithiol o'n i wedi'i wneud ers gadael coleg wedi bacffeirio'n llwyr arna i. Suddais yn ddyfnach i mewn i'r fowlen.

Un peth wnaeth helpu i oleuo 'chydig ar y tywyllwch oedd dechrau gweithio yn nhafarn Whitehall. Pan ddechreuais weithio tu ôl i'r bar, roedd Whitehall newydd gael *makeover* a hwn bellach oedd y lle i ddiweddu noson allan ym Mhwllheli wrth i bawb heidio yno yn lle mynd i Blu. Os oeddach chdi tu ôl i'r bar roedd hi'n amhosib gweld allan i'r llefydd eistedd, ac os oeddach chdi'n y lle eistedd roedd hi'n amhosib cyrraedd y bar: dyna pa mor brysur oedd hi. Mi fysa 'na ganeuon Cymraeg yn bloeddio drwy'r *speakers* a phawb yn canu nerth eu pennau. Roedd o hefyd wedi cymryd drosodd fel y lle byddai pobl yn mynd i fachu ar noson allan ym Mhwllheli – roedd 'na ddigon o gorneli tywyll yma, er, mi fysa 'na bobl jest yn bachu reit yng nghanol y lle hefyd.

Y peth gorau am weithio yno oedd gwneud ffrindiau efo'r bobl eraill oedd yn gweithio yno. Roedd Hefina'r perchennog wastad yn rhybuddio'r bownsars fod y staff yn fwy o drafferth nag unrhyw gwsmer oedd yn dod drwy'r drws ac roedd hynny'n wir. Mi fysan ni'n sgipio'r ciws, yn mynd yn syth i'r bar i nôl ein diodydd, yn dewis y caneuon oeddan ni isio ac yn barjo drwy ddrws y gegin i ofyn am sbarion i drio'n sobri. Roeddan ni i gyd yn hollol wyllt; yn

149

snogio, yn tynnu'n topiau ac yn cropian ar hyd y bar, ac mi fysa'r noson yn ddi-ffael yn diweddu i fyny'r grisiau yn bwyta brechdanau ham a cholslo'r staff oedd yn gweithio'r noson honno ac yna'n begian am liffts adref ganddyn nhw.

Dyma oedd *heyday* Whitehall – hwn oedd *y* lle i fod. Roedd 'na hud yn y diodydd a'r awyrgylch a ro'n i'n teimlo fel mod i'n rhan o rywbeth mwy na jest noson allan ym Mhwllheli – dim ots pa ochr i'r bar o'n i. Roedd y staff yn gwneud i'r lle deimlo'n fwy sbesial: roeddan ni'n meddwi ar ein gilydd. Ar brydiau, doedd o ddim hyd yn oed yn teimlo fel gwaith.

*

Parhaodd Cliff a finnau i ddêtio tu hwnt i wythnosau'r haf ac ymhell i fewn i'r Hydref. Roeddan ni mewn swigen, yn mynd am dro i'r crochendy'n Sarn, mynd i gampio'n Aberdaron, mynd am anturiaethau o amgylch Eryri, a do'n i'm yn siŵr iawn be o'n i'n wneud ond roedd o'n *rhywbeth* i'w wneud pan doedd 'na uffar o ddim byd arall yn digwydd. Mi fysa fo'n eistedd wrth y bar yn Whitehall yn cael cinio tra o'n i'n gweithio, y ddau ohonan ni yn gwbl fodlon yng nghwmni'n gilydd, yn bodoli mewn rhyw wynfyd tragwyddol.

Mi o'n i'n sefyll wrth y bar ar brynhawn glawog, heb glywed gan Cliff ers 12 diwrnod pan dderbyniais neges ganddo yn ateb i'm neges ddwythaf i'n gofyn am gael gwneud rhywbeth:

'Iawyn? Sori, 'di bod yn rili prysur wythnosa ola 'ma. Rhydd nos Sul?'

Doedd o ddim hyd yn oed yn fodlon rhoi noson premiwm i mi (nos Iau, Gwener neu Sadwrn gyda llaw). Yn fy mherfedd mi o'n i'n gwybod bod y ffling wedi dod i ben ers iddo ofyn os o'n i isio mynd i gerdded y tir o amgylch y ffarm a finnau jest wedi sbio'n syn arno cyn gwrthod a'i orfodi i watsiad *When Harry Met Sally*. Roeddan ni jest yn rhy wahanol. Roedd y tecsts a'r galwadau wedi 'rafu ers hynny. Mae ghostio yn un o'r ffenomenons dêtio creulonaf achos mae'n dy adael di'n meddwl mai chdi ydi'r broblem ac mai chdi sydd wedi gwneud rhywbeth o'i le. Ond mae o jest yn ddigywilydd ac yn gwneud i'r person arall deimlo mor ddi-werth. Dim ots pa mor *casual* ydi pethau, mae'n bwysig cyfathrebu a chynnal lefel o barch.

Ymbinciais a gwisgo fy jîns tynnaf cyn dreifio i'w gyfarfod o.

Mi oedd 'na ran *twisted* ohonaf i isio medru ei berswadio fo i beidio gorffen efo fi: ella os oedd o'n cael cyfle i 'ngweld i, mi fysa fo'n newid ei feddwl. Ond gorffen efo fi wnaeth o mewn sgwrs letchwith yn Black Boy, Caernarfon.

'Ia, dwi'm yn meddwl ddylan ni weld 'yn gilydd ddim mwy sti.'

Edrychais arno, yn falch ei fod o'n dweud rhywbeth o'r diwedd ond yn teimlo'n fwy trist nag o'n i wedi'i feddwl.

'O'n i'n teimlo chdi bach yn *distant* wythnosa olaf 'ma, so dwi'n meddwl na hyn sy ora,' medda fi.

'Ia. Dwi rili 'di mwynhau treulio amsar efo chdi a dwisho bod yn ffrindiau, ia.'

'Sicr,' dywedais gyda gwên ffals, yn gwybod yn iawn mod i ddim isio bod yn ffrindiau efo'r ffycar *indy* ffwc.

Dreifiais yn ôl adra, yn teimlo'n rhyfedd. Ar un llaw, mi o'n i'n teimlo rhyddhad mod i wedi cael fy nympio a mod i ddim am orfod aros am decst, ddim am orfod poeni am sut o'n i'n edrych, sut o'n i'n ymddwyn, ddim am orfod poeni am sut oedd o'n edrych na sut oedd o'n ymddwyn; ond mi o'n i hefyd yn teimlo siom fod 'na ddyn ddim fy isio i ddim mwy, mod i ddim am gael y wefr o weld neges yn ymddangos ar fy ffôn, mod i ddim efo neb i boeni am sut o'n i'n edrych na sut o'n i'n ymddwyn.

Mi fyswn i wedi licio cael yr hyder oedd gen i yn Ne America, ond adra, yn sobor, pan oedd hi'n dod at ddynion, mi o'n i'n gwbl oddefol. Fo oedd yr un oedd wedi dangos digon o flaengarwch ar ôl y noson gyntaf i barhau pethau tan y foment honno yng Nghaernarfon. Mi o'n i wedi bod yn ista yna, jest yn *going with it* achos mod i'n mwynhau ei gwmni ac yn licio'r sylw.

Mae hi mor anodd siarad am be ti isio pan ti'n cychwyn gweld rhywun, yn enwedig os mai dynas wyt ti. Os wyt ti'n dweud mai rhywbeth *casual* wyt ti isio, 'secs yn unig plis!', mi wneith dyn feddwl un ai dy fod di'n dweud clwydda neu dy fod di'n *slag*. Ond os wyt ti'n dweud dy fod di isio rhywbeth siriys, mi wyt ti'n boring neu'n *psycho* neu ti'n ymddangos yn rhy *keen* ac mae ymddangos yn *keen* yn *killer* yn yr wythnosau cyntaf.

Do'n i erioed wedi gofyn i mi fy hun be'n union o'n i isho, heb sôn am ofyn iddo fo be oedd o isho. A hyd yn oed taswn i wedi bod isio perthynas efo unrhyw un, mi oedd gen i gymaint o ofn mynegi hynny, mi fysa'n well gen i ddweud dim a gadael i'r dyn benderfynu lle oedd pethau'n mynd beth bynnag. Roedd the *fear of rejection* yn hollbresennol a rŵan roedd o wedi digwydd ac roedd fy hunan-werth am bob rhan o 'mywyd i yn y gwter. Felly parheais i gael secs diystyr efo pwy bynnag oedd yn dangos diddordeb yndda i.

*

Daeth Mali i fewn i'r garafán un diwrnod gyda golwg ddrygionus ar ei gwyneb.

'Genna i bresant i godi dy galon di.' Tynnodd fag Ann Summers o'i handbag a rhoi'r bocs bach i mi. 'Joia!'

Edrychais arni a dechreuais chwerthin – mi o'n i'n teimlo mor gysetlyd wrth i mi afael yn y bocs bach du a thynnu fy *vibrator* cyntaf ohono.

'O mai god, Mali!'

'Dwi 'di dod â batris i chdi 'fyd.'

Dechreuon ni chwerthin yn uchel dros y lle wrth astudio'r teclyn bach arian.

Ar ôl i Mali fynd, eisteddais wrth y bwrdd yn y garafán yn piffian chwerthin, ddim yn siŵr os fyswn i'n ddigon dewr i fynd amdani efo'r bwlet bach digrynedig.

Cloiais ddrysau'r garafán a gorwedd ar fy ngwely. Do'n i erioed wedi gwneud y ffasiwn beth o'r blaen ac, yn debyg i gael secs am y tro cyntaf, do'n i'm yn siŵr iawn be o'n i'n neud. Gorweddais yn fy ngwely, a mentro lawr yno ar y *setting* isaf a chau fy llygaid wrth droi'r rhicyn bach yn uwch ac yn uwch a'i redeg ar draws fy nghlitoris.

Mae gen i gywilydd wrth sbio nôl mod i heb archwilio'n fagina neu 'nghlitoris mewn manylder o'r blaen – yr unig beth oedd yn bwysig oedd ei fod o'n llyfn ac yn foel ar bob achlysur rhag ofn i mi gael secs. Do'n i heb feddwl be oedd yn gwneud i mi dincian neu deimlo'n dda, heb feddwl be o'n i'n licio neu ddim yn licio. Mi o'n i wastad wedi meddwl am secs fel rhywbeth o'n i isho'i wneud ond roedd yr elfen o bleser wastad ar goll i mi: roedd o wastad am wneud yn siŵr fod y dyn yn mwynhau. Ond y peth oedd, doedd 'na neb yn siarad am *female masturbation;* doedd 'na'r un ffrind, rhiant neu athrawes wedi dweud wrtha i i fynd am dro i weld sut le oedd yna a'i fod o'n rhyfeddod.

Mi o'n i wedi clywed hogia'n sôn am wancio, ond do'n i heb glywed am ferched yn gwneud, ddim yn gyhoeddus beth bynnag. Roedd o wastad mewn *hushed tones*, yn rhywbeth i fod â 'chydig o embaras drosto, yn cael ei bortreadu fel rhywbeth budur, ond os oeddach chdi'n hogyn, wel, *boys will be boys*, roedd o'n gwbl naturiol. Ar y pryd roedd 'na stigma enfawr ynglŷn â'r holl beth, fwy na thebyg wedi ei greu gan y patriarchaeth: os oeddach chdi'n ferch oedd yn gorfod wancio roedd o'n golygu dy fod di ddim yn cael digon o secs gan ddyn, ac roedd hynny'n golygu dy fod di'n hyll neu'n fethiant.

Ar ôl sbin ar y bwlet, gorweddais yn fy ngwely ddim cweit yn credu beth oedd newydd ddigwydd ond nid fel y tro ar ôl colli'n *virginity*. Mi o'n i'r tro yma wedi teimlo pleser llwyr a theimlo 'chydig bach yn *giddy* ac yn benysgafn. Do'n i heb gael y teimlad 'na o'r blaen – erioed wedi cael orgasm go iawn tan y foment honno. Mi oedd o'n teimlo'n anghredadwy, anhygoel, aruthrol ac yn orwych. Roedd Mali yn chwyldroadol ac mi oedd hi wedi creu chwyldro yn fy fagina.

Ond roedd 'na fyrhoedledd ynglŷn â'r gogoniant oherwydd y cywilydd o'n i'n ei deimlo wedyn. Yn lle bodloni yn y godidowgrwydd dechreuais boeni am be o'n i wedi'i wneud a sleifiodd yr embaras yn ei ôl. Mi o'n i hefyd yn flin mod i heb gael dyn yn gwneud i mi deimlo fel'ma a finnau'n gwybod mod *i*'n rhoi'r orgasm iddyn nhw, ond roedd pob sôn am bleser neu orgasm merch yn gwbl absennol o 'mhrofiadau rhywiol i.

Ond roedd o i gyd yn treiddio nôl i'r ffaith mod i ddim yn cyfathrebu efo dynion a wastad yn cymryd rôl oddefol yn y profiadau, yn jest *going with it*. Ar nosweithiau allan mi fyswn i'n mynd efo pwy bynnag oedd yn rhoi sylw i mi, byth yn meddwl fod gen i'r opsiwn i ddewis hefyd. Ac roedd o'n waeth pan ddeuai at secs achos do'n i ddim yn blaenoriaethu fy mhleser fy hun. Doedd gen i ddim yr hyder i fynegi be o'n i'n licio neu ddim yn licio wrth y dynion oedd yn dod yn eu holau i'r garafán. Yn lle hynny mi o'n i'n perfformio secs, yn actio fel mod i'n cael y noson orau erioed, yn gwneud y synau o'n i'n meddwl o'n i fod i'w gwneud.

Daeth y tro cyntaf i mi ddweud wrth ddyn mod i heb ddod yng nghanol fy ugeiniau pan o'n i'n 25 oed. Roedd Kathryn a fi wedi mynd i Copenhagen am benwythnos ac yn y bar cyntaf dyma ni'n cyfarfod tri cowboi o Alabama. Roedd gen i obsesiwn efo cowbois ers dod yn ffrindiau efo Alys ac mi o'n i wedi trosglwyddo'r obsesiwn i Kathryn. Roeddan ni wrth ein boddau efo ffilmiau cowbois rhamantus wedi eu gosod yn Texas neu North Carolina a chaneuon gwlad Americanaidd am ddynion unig yn trio ennill dynas. Felly roedd cyfarfod nid un ond tri mewn bar yn Nenmarc o bob man yn teimlo fel rhywbeth oedd wedi'i dynghedu.

Dechreuodd Kathryn siarad efo *ranch owner* o'r enw Ford, a 'nes i ddim gweld fawr ohoni am weddill y noson wedyn achos mi o'n i wedi dechrau siarad efo'i ffrind, Ethan. Roedd o'n creu cwlwm mawr cynnes yn fy mol wrth iddo fo siarad efo fi yn ei acen gawslyd Dde Americanaidd. Roedd o'n bob dim o'n i wedi'i obeithio amdano mewn Americanwr, yn gwisgo *plaid shirt*, yn siarad fel cowboi ac yn prynu *shots* i mi. Roedd ganddo wyneb clên a sbectols efo ffrâm dew oedd yn gwneud i mi feddwl ei fod o wedi bod yn fwy o *science geek* na *jock* neu *homecoming king* yn *High School*. Ond doedd gen i ddim ots am hynny – roedd pawb yn gwybod fod y *geek* yn dod i'r brig fel rheol, yn enwedig os oeddan nhw'n tynnu'u sbectols.

Cyn pen dim, mi oeddan ni'n cerdded yn ôl i'w Airbnb oedd yn edrych allan ar yr afon. Eisteddais i ac Ethan ar y balconi, yn yfed *bourbon* fel *nightcap*. Aethom i fewn i'w stafell wely a dechrau tynnu amdanom wrth snogio. Yna roeddan ni yn y gwely. Yn snogio mwy. Yn ffymblo am *genitalia*'n gilydd.

155

Ar ôl 'chydig o ffymblo o dan y cynfasau, dyma'r ysfa i benetreiddio yn gorchfygu ac yna roedd o tu fewn i mi. Dechreuodd yn araf a gofyn os oedd bob dim yn iawn, ac yna dechreuodd bowndio ei bidlan i mewn i mi. Roedd o fel ei fod o'n tyllu am olew, yr awch anifeilaidd, hunanol wedi cymryd drosodd wrth iddo dyllu'n ddyfnach ac yn ddyfnach i mewn i mi a chladdu'i ben yn fy ngwddw.

Mi wnaeth o ddod.

Trodd ar ei ochr gan anadlu'n fyr a sydyn fel tasa newydd redeg marathon neu wneud sesiwn yn y *gym*, ei chwys yn gwlychu'r gwely. Yna trodd ata i gan wenu, a rhoi sws ar fy moch.

'Oh my Gwen, that felt so good.'

'Oh really, that's good,' dywedais wrth geisio cael ei gorff gwlyb i beidio 'nghyffwrdd i.

Ac yna gofynnodd yn ei lais *wholesome* Americanaidd, 'So, DID YOU CUUUUUUUM?'

Edrychais arno. Dyma oedd fy nghyfle i *stick it to the man*.

'How do I put this? No, I didn't. You literally pounded me for ten minutes straight.'

Edrychodd arna i wedi ei frifo ac mewn sioc llwyr fel taswn i wedi boddi cwningen o'i flaen. Aeth y fraich oedd amdana i yn stiff a thynnodd i ffwrdd mewn anghrediniaeth.

'What?' gofynnodd mewn llais gwantan.

Mi o'n i'n dechrau difaru codi'r peth. Er mod i'n teimlo fel mod i'n gwneud hyn *for the greater good*, yn gwneud hyn fel bod 'na neb o'i goncwestau yn y dyfodol yn gorfod mynd drwy'r fath orchest, mi oedd ei wyneb yn dangos i mi ei fod o acshli wedi cael sypréis yn clywed hyn. Doedd bosib fod o acshli'n meddwl ei fod o wedi gwneud job dda?

Ar ôl i mi egluro fod y fagina angen bach o *stimulation* i wlychu, fod o angen amser cyn derbyn pidlan a bod angen cyfathrebu mwy ('chydig o leiaf!) efo dy bartner yn ystod yr *act*, roedd o i weld yn hyd yn oed yn fwy clwyfedig. Fel myfyriwr awyddus, dechreuodd roi ei law arna i, fel tasa fo am ddechrau ymarfer ac ymchwilio'r noson honno. Daliais yn ei law.

'I think the moment's passed...'

Roedd o'n edrych fel fod o wedi'i drechu'n llwyr. 'I'm sorry.'

Gorweddom yn y gwely mewn distawrwydd lletchwith a thrio cysgu. Sleifiais allan y bore wedyn efo Kathryn, hithau wedi cael noson ryfedd ac yn fwy na pharod i adael hefyd.

'Well, bye. Good to meet you.'

'You too... I'm sorry about last night. Bye.'

'Bye.'

Weithiau mae hi'n well ffantaseiddio am gowbois: tydyn nhw ddim wastad yn mynd i droi allan fel cymeriad allan o lyfr Nicholas Sparks.

*

Siom enfawr sydd wedi hauntio fy mywyd ydi'r ffaith mod i methu canu. Doedd fy mreuddwyd o gael bod y chweched Spice Girl (Welsh Spice) ddim am gael ei gwireddu os nad o'n i'n medru canu. Doedd o ddim yn helpu fod y genod o'n i'n ffrindiau efo nhw ar y pryd yn medru canu'n *ofnadwy* o dda. Roedd Elen yn anhygoel o gerddorol, yn swnio fel canwr opera'n 9 oed.

Tydw i jest methu cario tiwn o gwbl. Roedd o'n rhywbeth gafodd ei amlygu i mi yn ifanc iawn gan athrawon a theulu a ffrindiau. 'Nes i ddysgu mewn ymarfer ar gyfer y cyngerdd Diolchgarwch mod i heb gael fy mendithio efo llais angel pan wnaeth athrawes blwyddyn 4 Ysgol Pentreuchaf ofyn os o'n i isio arwain y trionglau – un ai hynny neu feimio.

Wel, os o'n i am arwain y trionglau mi o'n i am eu harwain yn iawn. Gyda phroffesiynoldeb *conductor* yn arwain *120 piece orchestra* yn y Proms, mi es i'r pulpud a sefyll yno fel y dduwies Nike yn sefyll dros ei phobl ar y Parthenon.

'Un dau, Ping!'

'Un dau, Ping!'

'Un dau, Ping!'

Gyda phob ping mi fyswn i'n troi i'r naill ochr gan wenu ar yr hogia fel mam falch.

Roedd hyn wastad yn thema yn fy mywyd wrth i mi dyfu fyny – fyswn i byth yn cael bod yn rhan o'r côr ac mi fyswn i un ai'n gorfod bod yn y band neu yn cael actio mewn cân actol yn unig. Tydw i erioed wedi cael y boddhad o ganu mewn côr neu barti cerdd dant ar lwyfan y Genedlaethol, heb deimlo'r *buzz* o wybod mod i wedi nailio perfformiad *karaoke*. I ddweud y gwir, bob tro o'n i'n gwneud *karaoke*, roedd pobl yn dueddol o chwerthin ac erfyn arna i i gau fy ngheg yn hytrach na pharchu fy llais, er mod i'n rhoi 100% i bob perfformiad.

Roedd Eisteddfod Meifod yn nodi blwyddyn ers i mi fod yn Welsh Nash a dros flwyddyn ers i mi raddio. Mewn blwyddyn do'n i heb gyflawni dim byd. Felly, roedd hi'n bleser llwyr fod Megan wedi gofyn i mi os o'n i isio bod yn y côr cydadrodd y flwyddyn honno. Cytunais; ella y byswn i'n cael ennill ar lwyfan y Genedlaethol wedi'r cwbl.

Roedd 'na *technical difficulties* o'r cychwyn; yn yr ymarfer cyntaf mi wnaeth Rhian, mam Megan ac arweinydd y côr, ofyn i mi ddod â'm llais octif yn uwch wrth i mi adrodd y llinell gyntaf.

Rhuthrais i'r car ar ôl yr ymarfer a ffonio Elin fy chwaer yn syth.

'Dwi'm yn meddwl bo fi'n cut out i hyn sti. Ma'n llais i rhy ddyfn!'

Ond dyfalbarheais. Ymarferais gerdd Ceri Wyn Jones fel tasa 'mywyd i'n dibynnu arno. Mi fyswn i'n teithio i Fotwnnog bob nos Fawrth ac yn ymarfer adrodd octif yn uwch yn y car ar y ffordd yno.

Ac yna daeth diwrnod y cystadlu yn Eisteddfod Meifod. Deffrais mewn tent anghyfarwydd, efo cur yn fy mhen a 'nghoes wedi chwyddo i ddwbl ei maint. Mi o'n i'n gorwedd wrth ochr un o sêr eraill yr SRG, yn noethlymun borcyn, a daeth atgofion y noson cynt i gyd yn ôl: Rhian yn rhybuddio Megan a fi i beidio mynd dros ben llestri cyn y diwrnod mawr, yfed yn y Bar Gwyrdd, sbotio *chief*, cerdded o Maes B a baglu dros fynedfa'r Eisteddfod wrth wneud lol, dyn St John's Ambulance yn rhoi *ice pack* i mi, hercio o amgylch Maes B, sbotio *chief* wrth y tân, snogio *chief* ar y ffordd yn ôl i'r dent.

'Hei, dwi angan mynd, sori. Dwi angan mynd yn ôl i'r adlen, genna i shifft yn y stondin am 9!' Rhois fy ffrog yn ôl amdana i a thaflu'r *ice pack* cynnes i'm mag. 'Ella wela i di wedyn 'ta!'

A gyda hynny, herciais yn ôl i'r dent, yn teimlo cyffro fel ffŵl gwirion. Cerddais i fewn i'r adlen gan geisio fflatnio'n ffrinj a sychu 'chydig o fake-up neithiwr o 'ngwyneb.

'Bore da, helô,' dywedais yn swta.

'A lle TI 'di bod?' gwaeddodd chwaer Megan o'r garafán.

'Ym, nesh i aros efo Gwenno neithiwr! Sori... lle mae Megan?'

'NADDO TAD, DEUD!' gwaeddodd ei chwaer.

Agorais y dent fach yn yr adlen i siarad efo Megan. 'Tyd, 'dan ni angan bod yn y stondin mewn hannar awr. *Tyd.*'

'A 'dach chi ar y llwyfan pnawn 'ma, cofiwch, genod. Blydi hel 'de, nesh i ddweud wrthach chi i beidio mynd dros ben llestri,' dwrdiodd Rhian wrth i wên ddenig o gornel ei gwefusau.

'O mai god, dwi 'di cael diawl o noson,' sibrydais wrth Megan wrth i ni'n dwy ddechrau giglan.

'O, BE 'dan ni am neud efo chi, genod?' meddai Rhian wrth gamu i'r garafán.

Mi o'n i wedi anghofio mod i'n perfformio ar lwyfan y Genedlaethol mewn 'chydig oriau. Roedd 'y nghoes i bellach yn powndio a'r unig beth du o'n i wedi dod efo fi i'w wisgo oedd *skinny jeans*. Gwasgais fy nghoes gleisiog i fewn iddyn nhw.

Oriau wedyn mi o'n i'n chwydu tu ôl i'r stondin, fy nerfau a fy hangofyr yn dod i'r golwg mewn beil gwyrdd. A wedyn mi o'n i'n hercian ar y llwyfan ac yna roedd o drosodd mewn fflach, adrenalin wedi 'ngharıo a'm llais wedi goroesi heb gracio. Enillon ni, ac mi o'n i o'r diwedd yn teimlo fel mod i'm yn dwyllwr: mi o'n i'n Nashnyl Winyr, yn rhan o'r diwylliant 'ma o'r diwedd. Ac mi o'n i wedi cyflawni un peth dros y flwyddyn o'r diwedd.

*

Blwyddyn ar ôl graddio mi o'n i'n dal i deimlo mor anobeithiol ac anhapus, fy hyder a'm hapusrwydd yr isaf iddyn nhw fod erioed. Doedd gen i ddim syniad be o'n i am wneud efo fi fy hun a do'n i methu dychmygu'r diwrnod lle fyswn i ddim yn gweithio'n Whitehall ac yn byw efo fy rhieni. Roedd gan bawb arall gynllun bywyd, ryw syniad o'r hyn oeddan nhw isio neu am ei wneud; roedd Alys hyd yn oed wedi ffeindio cariad. Roeddan ni wastad wedi bod ar yr un llwybr, ond rŵan roedd hi'n fy ngadael i ar ôl efo'i chariad newydd ac yn mynd am antur i Awstralia tra o'n i'n dal i fyw mewn carafán yn cael secs *shit* efo *one-night stands* oedd ddim efo llawer o ddiddordeb ynddo i. Mi o'n i wedi colli fy awch am fywyd ac yn byw fy nyddiau fel mod i ar *autopilot*, yn hollol llesg.

Perswadiodd Anti Mariel fi i fynd ar gwrs sgwennu efo hi mewn coedwig ym Mhlas Tan y Bwlch. 'Writing with Nature' oedd enw'r cwrs ac mi oedd 'na elfen o *mindfulness* ynghlwm ag o. Yn amlwg, roedd o 'chydig bach yn hipi-dipi ond mi o'n i wastad yn hapus i archwilio'r ochr yna i fywyd, yn enwedig os oedd o'n golygu treulio amser efo Anti Mariel. Ymdrochais yn llwyr yn y cwrs gan drio eistedd efo fy meddyliau a 'nheimladau. Roedd o'n ddau ddiwrnod o ddatgysylltu'n llwyr oddi wrth y byd a'r bobl o'n i'n nabod. Yr unig broblem oedd mod i heb acshli sgwennu gair ers misoedd ac roedd y syniad o orfod llenwi'r llyfr nodiadau yn fy nychryn i.

Ar y diwrnod cyntaf, roeddan ni'n gorfod dewis cardyn *tarot* natur roeddan ni'n teimlo cysylltiad efo fo, ac yna'n sianelu'r anifail hwnnw am weddill y diwrnod. Mi wnes i ddewis y crëyr glas.

'Crane brings the qualities of patience, independence and perseverance.'

Yn syth mi wnes i gysylltu nodweddion y crëyr efo fy sefyllfa i: ro'n i ar ddibyn fy mywyd, yn aros yn amyneddgar i rywbeth ddigwydd. Drwy gydol y dydd cerddais o gwmpas y goedwig yn ymgorffori'r crëyr, ei annibyniaeth, ei amynedd, a gwau hynny efo'r hyn o'n i'n ei sgwennu. Mi o'n i'n rhy swil i rannu fy ngwaith efo'r grŵp ac yna mi fyddwn i'n teimlo'n euog am beidio a nhwythau yn rhannu gymaint.

Ymarfer olaf y diwrnod cyntaf oedd defnyddio'r *medicine wheel* fel sylfaen i'n sgwennu. Mae'r *medicine wheel* yn dysgu fod ganddon ni bedwar ffased i'n bodolaeth sef y corfforol, y meddyliol, yr emosiynol a'r ysbrydol. Roedd gen i awr i sgwennu ac yna chwe munud i rannu be o'n i wedi'i sgwennu efo 'mhartner a doedd fy mhartner ddim yn cael ymateb o gwbl – dim drwy siarad na chyffyrddiad. Ar ôl clywed beth oedd fy mhartner wedi'i rannu, mi es i'n hollol swil. Do'n i methu hyd yn oed darllen y geiriau yn fy llyfr nodiadau; doeddan nhw ddim mor dda â'r hyn oedd o wedi'i sgwennu a do'n i ddim isio codi cywilydd arna fi fy hun. Ar ôl mwmian 'chydig o frawddegau, dyma fi'n teimlo'n benysgafn a gofyn iddo os fysa fo'n fodlon rhannu'r distawrwydd efo fi. Mae rhannu chwe munud o ddistawrwydd efo dieithryn llwyr yn brofiad lletchwith; dechreuodd y chwys ddiferu i lawr fy nghefn ac roedd fy llygaid yn dechrau llenwi â dagrau. Ro'n i'n teimlo fel methiant. Roedd pawb arall yn y grŵp yn rhannu, pam mod i methu?

'Sut nest ti ffeindio heddiw 'ta?' gofynnodd Anti Mariel i mi ar ddiwedd y diwrnod cyntaf.

'Dwi'n meddwl dwi out of my depth. Mae pawb arall mor wych, a dwi jest yn shit a dwi'm yn gwybod be dwi'n drio'i ddeud. A wedyn dwi methu rhannu a dwi'n teimlo'n euog.'

'Ti angan cael mwy o ffydd yna chdi dy hun. A cofia, mae pawb arall yn teimlo'n union 'run fath â chdi – dim bod y gora ydi pwrpas y cwrs, mae o jest am gymryd rhan a sgwennu be sy'n dod i chdi yn y foment 'na a be sy'n teimlo'n naturiol. Gad i'r ofn 'na fynd, mae o am dy ddal di nôl.'

'Dwi'm yn gwybod sut i.'

'Wel, mi ddaw. Ac os 'di o'n neud i chdi deimlo'n well, hyd yn oed os 'di be ti'n sgwennu'n crap, does 'na neb yn mynd i ddeud hynna wrtha chdi!'

Mi ddechreuon ni chwerthin a dechreuais deimlo'n ysgafnach. Deffrais y bore wedyn yn benderfynol o fod yn fwy agored i sgwennu ac i rannu. Y diwrnod hwnnw, roeddan ni'n dewis un o'r cardiau *tarot* natur yn ddall ac yna'n sianelu'r anifail hwnnw am weddill y diwrnod. Dewisais y llwynog y tro hwn.

'Fox brings the qualities of creativity, faithfulness, cultivation, cleverness and resilience.' Ac roedd 'na gwestiwn ar y cerdyn: 'Are you camouflaging yourself to avoid intimacy? Now is not a time to hesitate but a time for swift action of the mind.'

Ymddangosodd y croen gŵydd yn dew ar hyd fy nghorff a dagrau yn fy llygaid. Wedi fy magu ar ffarm mi o'n i wastad wedi meddwl am lwynogod fel hen ddiawlad slei oedd yn lladd er mwy lladd. Ond rŵan mi o'n i'n sefyll mewn coedwig yn gafael yn y cerdyn yn crio ac yn benderfynol o fod yn fwy dewr – ar y cwrs yma ac mewn bywyd hefyd.

Erbyn amser gwneud y *medicine wheel* y diwrnod hwnnw do'n i dal heb rannu efo'r grŵp. Gwyddeles oedd fy mhartner y tro hwn, a sgwennwr anhygoel, ond mi oedd rhaid i mi rannu. 'Are you camouflaging yourself to avoid intimacy?' Rhannais efo hi. Mi o'n i wedi sgwennu casgliad o gerddi (hollol crap) lle roedd 'na hogan yn bodoli mewn powlen. Wrth gwrs, doedd y Wyddeles ddim yn cael ymateb i unrhyw beth o'n i'n ddweud tan i'r chwe munud ddod i ben. Erbyn i mi ddehongli'r cerddi, roedd 'na ddagrau wedi dechrau ymddangos yn fy llygaid ac roedd fy ngwddw i'n teimlo'n sych.

'Are you camouflaging yourself to avoid intimacy?'

'Sorry, I don't know what I'm trying to say. Sorry.'

Edrychais arni yn ymddiheurgar a chyn i mi wybod be oedd yn digwydd roedd y dagrau'n llifo lawr fy ngwyneb, y distawrwydd yn llethol. Ac yna canodd y gloch i ddweud fod y chwe munud ar ben.

Edrychais arni a dechreuais grio mwy gan ddweud mod i'n wirion. 'Oh, I'm so sorry about this, I don't know what's come over me.'

Plygodd tuag ata i a chymryd fy nwylo yn ei dwylo hithau ac edrych i fyw fy llygaid.

'But Gwen, storms gather in bowls.'

Mi o'n i wedi fy llorio. Ymddangosodd y croen gŵydd

yn dew ar hyd fy nghorff unwaith eto, a'r tro hwn dyma'r dagrau'n parhau i lifo'n wlyb i lawr fy mochau ac udais i fewn i gesail y ddynas garedig do'n i'm yn ei nabod. Heb os roedd o'r profiad mwyaf *cathartic* i mi ei gael erioed.

'Now is not a time to hesitate but a time for swift action of the mind.'

Y bore wedyn penderfynais symud i Gaerdydd i fyw efo Gwenno. Heb yn wybod i mi ar y pryd, roedd diwedd fy mlwyddyn dywyll wedi digwydd mewn coedwig yng nghanol nunlla, a minnau'n crio i gesail Gwyddeles.

11. Blodeuwedd

Pethau sy'n bwysig i mi yn 23 oed

- Bod yn cŵl yng Nghaerdydd
- Gwenno ac Elin Parc
- Peidio bod mor sgint
- Ffeindio cariad neu *fuck buddy*
- Deffro ar amser i fynd i weithio yn y Deli,
hyd yn oed os dwi wedi cael sesh noson cynt

DECHREUODD FY STORI garu efo Caerdydd fisoedd cyn i mi symud yno. Cyn i mi fod yn ffrindiau efo Gwenno, mi o'n i wedi bod yno ddwywaith o'r blaen ac erioed wedi dallt y ffŷs. Do'n i methu gwneud pen na chynffon o'r ddinas pan es i yno i watsiad gêm rygbi efo Megan i ddathlu'i phen-blwydd achos mod i wedi cael KO ar stôl yn City Arms cyn deg o'r gloch. Y tro cynt mi o'n i'n 17 ac wedi cael benthyg ID fy ffrind i fynd i ddathlu pen-blwydd Mali a Llio. Roedd 'na tua ugain ohonom yn aros mewn hostel ac roedd y penwythnos yn un *blur* mawr yn mynd rownd bars Stryd y Santes Fair (doeddan ni ddim hanner digon cŵl i wybod am Glwb Ifor ar y pryd). Treuliom ein nos Sadwrn yn Tiger Tiger yn canu *karaoke*, yn meddwl mai'r clwb yma efo'i waliau drych a'i lawr sgwariau pop art oedd yn goleuo oedd y lle mwyaf *chic* yn y byd, a ninnau wrth ein boddau'n mynd drwy'r holl luniau ar ein camerâu digidol ar y bore Sul.

Flynyddoedd yn ddiweddarach mi fyswn i'n dreifio lawr yr A470 yn fy Nhoyota Yaris ffyddlon i aros efo Gwenno ac yn cael penwythnosau gwyllt: yn mynd i gigs a Bragdy'r Beirdd, yn mynd i siopa i Urban Outfitters a Topshop cyn mynd am *boozy lunches* i Bill's, ac yn diweddu'n nosweithiau meddw un ai yn Dempseys neu Charlestons yn claddu stêc a photel o win coch. Weithiau mi fysan ni'n croesi i Fryste i weld Elin Parc ac yn cael nosweithiau yr un mor wyllt yn fanno. Un noson aethom i weld sioe gelf Elin Parc a llwyddo i gloi'n hunan allan o'r fflat achos doedd ganddon ni ddim batris yn ein ffôn, ac roedd *rhaid* i ni aros allan drwy'r nos yn dawnsio cyn dal trên chwech o'r gloch y bore yn ôl i Gaerdydd, y bobl eraill ar y trên yn ein damio am fod yn frwdfrydig a meddw mor gynnar yn y bore. Prynodd un creadur ffeind baned o goffi i ni er mwyn ceisio'n sobri, ond mi o'n i mor fyrbwyll efo'r siwgr mi wnes droi'r gwpan a gorfod ei sipian o'r bwrdd yn ymddiheurgar. Roedd 'na rai nosweithiau yng Nghaerdydd lle fysa Gwenno a fi'n colli'n gilydd, neu'n mynd ar goll efo'n gilydd ac yn diweddu mewn tai teras yn Abercynon neu'n cael ein deffro gan y bownsar yn nhoiledau Clwb Ifor. Roedd dyddiau cynnar ein cyfeillgarwch yn llawn penwythnosau o wneud penderfyniadau gwirion, o ddawnsio a bloeddio canu, o yfed *gin* ar ôl *gin* – dim ond ein gilydd oedd yn bwysig, doedd gweddill y byd ddim yn bodoli.

Yr unig berson arall oedd yn cael bod yn rhan o'n swigen oedd Dafydd. Roedd o'n gymeriad ecsentrig gwych, wastad ar ei feic a wastad yn *keen* i fynd am beint i'r Robin Hood. Mi fysa'r tri ohonom yn eistedd yno am oriau yn meddwi'n araf ac roedd blasu'r rhyddid byrhoedlog yn y dafarn ar y Sul yn odidog. Roeddan ni'n galw'r dyddiau Sul 'ma yn siwgr eisin ar benwythnos oedd yn barod yn orlawn o *cherries on top*. Roedd hi'n gysur cael dianc i Gaerdydd ar y penwythnosau hyn a theimlo fel mod i'n berson oedd â diddordebau tu hwnt i dynnu peintiau. Pan o'n i'n Gaerdydd do'n i ddim yn gorfod edrych i wynebau pobl oedd yn poeni amdana i, y siom mor amlwg i weld ar eu gwynebau. Pan o'n i'n Gaerdydd do'n i ddim yn teimlo fel mod i'r person 'na oedd yn styc mewn bowlen heb syniad be'n union i'w wneud efo'i bywyd.

Unwaith 'nes i symud i Gaerdydd, dechreuais weithio mewn deli newydd ym Mhontcanna ac er ei fod o'n debyg i be o'n i'n wneud ym Mhwllheli, roedd cyfarfod Telyn, y perchennog, a dechrau gweithio'n Canna Deli yn un o'r pethau gorau i ddigwydd i mi erioed. Roedd fy rhieni a phawb arall adra'n poeni mod i'n symud o un lle i'r llall i wneud yr un peth ag o'n i'n wneud adra, a rŵan mi fyswn i'n goro talu rhent ar ben bob dim. Ond roedd y teimlad o fod oddi cartra, yn cyfarfod pobl newydd, yn rhoi gwefr i mi a dechreuais boeni llai am be oedd pobl yn meddwl o 'newisiadau a 'nes i drio peidio rhoi gymaint o bwysau arna i fy hun i gael swydd 'go iawn' er mod i efo swydd. Roedd pawb yn actio fel mod i'n gweithio yn y Deli fel hobi ond roedd rhaid i mi fod yn rhywle bob bore, roedd rhaid i mi weithio'n galed, bod yn rhan o dîm a bod yn atebol i rywun.

Mi fysa ambell i berson yn brandio'r blynyddoedd 'na ar ôl coleg yn fethiant achos mod i ddim mewn swydd draddodiadol. Er nad o'n i'n gwybod be o'n i isho'i neud, roedd y teimlad mod i'n gweithio mewn caffi yn poeni lot o bobl, ac mi wnes i'n sicr fewnoli hynny a gadael i boendod pobl eraill godi cywilydd arna i. Mi fysa pobl yn dweud pethau fel 'ti heb fynd i coleg i weithio mewn deli', neu 'ma gen ti fwy o botensial na gweithio mewn caffi'. Mae hi mor hawdd rhoi pwysau arna chdi dy hun i gael dy *shit* di i gyd efo'i gilydd yn ifanc ond mae'n iawn i deimlo ar goll, mae'n iawn cymryd amser i feddwl, mae'n iawn gwastraffu amser a photensial.

Oedd, roedd 'na ddyddiau lle ro'n i'n casáu gorfod mynd i weini coffi a poachio wyau i grachach Pontcanna neu dîm rygbi'r Gleision (yn enwedig pan o'n i wedi bod allan tan yr oriau mân y noson cynt), ond roedd fy mlynyddoedd yn gweithio yno mor werthfawr, ac er nad oedd o'n edrych felly o'r tu allan, roedd o'r peth gorau i mi ar y pryd. Ddaru'r blynyddoedd hynny fy mharatoi at gymaint o bethau a fy nysgu i am bobl. Mae gweithio mewn caffi yn brofiad dylai pawb ei gael.

*

Symudais i fewn i dŷ teras bychan yn Grangetown efo Gwenno. Dros y flwyddyn nesaf daeth y tŷ bach teras yn gartref i chwech ohonom. Symudodd Anna i fewn efo ni, y ferch gwallt cyrls o ganolbarth Cymru oedd yn yfed mwy o win coch na ni. Pan symudodd hi allan, symudodd Elin Parc i fewn ac am gyfnod daeth Eiri, ein mêt hipsteraidd o Bontypridd, i fyw yn y stafell focs. Roedd Mirsi'n sgwasho i fewn i'r tŷ aton ni o bryd i'w gilydd ac yn coginio *frittatas* llysieuol cawslyd i ni bob bore, eu harogl yn llenwi'r tŷ neu'n diffodd y larwm tân.

Roedd ganddon ni i gyd yr un bwriad ar noson allan. Doeddan ni fyth yn chwilio am rywbeth penodol, ond mi oeddan ni wastad yn mwynhau gweld lle oedd y noson am fynd â ni. Doedd 'na ddim byd gwell na chael dim disgwyliadau o'r noson a'i gweld hi'n mynd â ni i rywle fysan ni heb ei ddychmygu. Ac roedd gorffen unrhyw noson yn anodd – roedd 'na rywbeth ynddon ni i gyd yn ysu i weld oren y wawr yn yr awyr wrth gerdded adra. Mi fysan ni'n dod nôl ac yn bloeddio canu caneuon Cowbois Rhos Botwnnog dros y gegin achos dyna oedd yr unig CD oedd ganddon ni ar gyfer y stereo. Mi fysan ni'n eistedd yn yr ardd yn smocio *weed* efo dynion oeddan ni wedi'u cyfarfod y noson honno. Mi fysan ni'n treulio prynhawniau *hungover* yn y lownj yn gwatsiad *Prison Break* ac yn bwyta Dominos, yn drewi o'r noson gynt, yn trafod ein blerwch ond yn gaddo i'n gilydd mai honno oedd y noson orau i ni ei chael.

Mi oeddan ni'n cyrraedd nôl adra â'r drws ffrynt yn gorad neu i bartïon yn llawn ddieithriaid, gan gyflwyno'r dieithriaid oeddan ni wedi eu cyfarfod y noson honno i'n gilydd fel tasan nhw'n rhyw gefndryd pell. Roeddan ni'n aml yn colli'n stwff i gyd. Un prynhawn Sul roedd rhaid i mi fynd nôl i Pulse i nôl fy nghôt, sgidiau a handbag, yn methu hyd yn oed dychmygu sut o'n i wedi medru cyrraedd adra. Roedd rhaid i mi fynd â Gwenno i 'sbyty'r Heath i nôl ei bag. Hyd heddiw tydan ni ddim yn gwybod hanes y noson.

A gyda phob dydd Sul, deuai sesiwn therapi newydd: os oedd gan un ohonan ni broblem, yna roeddan ni i gyd yn ei thrafod. Doedd 'na ddim cyfrinachau yn y tŷ hwn.

Os oedd un ohonom wedi trio a methu mynd efo rhywun, yna roedd y gweddill ohonom yn chipio fewn efo'n geiriau doeth.

'Ei gollad o! Neith o sylwi be mae 'di golli fanna sti.'

Os oedd un ohonom wedi dweud wrth rywun ei bod hi'n licio fo, yna mi fysan ni wastad yn troi'r peth ar ei ben.

'Meddylia neis 'di clwad bo 'na rywun yn licio chdi!'

Roedd ein sesiynau soffa wastad yn ysgafnhau unrhyw broblem ac yn ein helpu ni i ddygymod ag unrhyw *Sunday Scaries*. Efo'r genod 'ma wrth fy ochr, doedd problemau dydd Sul ddim yn teimlo mor ofnadwy o ddifrifol.

Doedd Elin Parc a fi ddim yn gweithio ar ddydd Llun

ac roedd gas gan Gwenno ddydd Llun, felly mi fysan ni'n trin y dydd fel ein dydd Sul ac mi fysan ni'n gwylio *This Morning* ac yfed te drwy'r bore, yn mentro allan am baneidiau i'r Bae neu i siopau, neu mi oeddan ni wedi cael sesh prynhawn Sul ac yn treulio'r dydd yn gorweddian ar y soffas yn bwyta pasta. Roedd y dair ohonan ni'n hollol sgint, ond achos fod y dair ohonan ni yn yr un gwch, roedd hynny'n gwneud pethau'n haws ac yn cyfiawnhau ein penderfyniadau, yn enwedig pan oeddan ni'n mynd allan dair, bedair gwaith yr wythnos, yn gwrthod stopio ein tanysgrifiad Graze Box neu'n anghofio canslo'n haelodaeth PureGym er bo ni ddim yn mynd, a hynny'n golygu mynd yn ddyfnach i fewn i'n *overdrafts*. Roeddan ni'n byw ar wy ar dost drwy'r wythnos neu'n gwneud *batches* mawr o lysiau mewn sos tomato i gael i swper, wastad efo brocoli ar yr ochr i 'fod yn iach'. Weithiau, mi fysan ni'n gwneud jobsys *cash-in-hand* er mwyn cael pres ychwanegol, fel handio *flyers* clwb nos allan ar hyd strydoedd Caerdydd. Ar ôl i ni sylweddoli bod 'na neb am ffeindio os oeddan ni acshli'n eu darparu o amgylch y ddinas, dyma ni'n eu dympio nhw mewn biniau a mynd i yfed prosecco a bwyta cacenni Eidalaidd mewn bar ar Stryd y Santes Fair. Wrth iddi droi'n nos ac i'r lampau stryd gynnau i oleuo'r ddinas yn las ac yn felyn, roeddan ni'n chwerthin i fewn i'n soseri prosecco, wedi'n dal yn y wefr o deimlo fel mai ni oedd y bobl orau ac mai ni oedd pia'r ddinas yma.

Mi o'n i'n disgwyl i fy holl broblemau ddiflannu unwaith ro'n i'n cyrraedd Caerdydd fel taswn i drwy ryw wyrth am gael craen i fy nghodi allan o'r fowlen, ond do'n i dal heb fynd i'r afael â 'mhroblemau – dim go iawn. Ond o leiaf rŵan roedd fy mhroblemau yn ysgafnach. Roeddan ni i gyd yn rhannu y teimlad o ansicrwydd mae rhywun yn ei gael yn ei ugeiniau cynnar – fel tasan ni 'chydig bach ar goll a'r disgwyliadau'n pwyso'n drwm, yn teimlo fel oedolyn ond ddim cweit yn oedolyn chwaith. Roedd bywyd yn teimlo fel tasa fo ynghrog; fel tasan ni ar ddibyn rhywbeth, ond yn methu dallt be eto. Doedd 'na 'run ohonan ni'n gwybod beth oeddan ni'n 'wneud' efo'n bywydau, ond roedd bod efo'n gilydd a mynd drwyddo efo'n gilydd yn golygu mod i ddim yn teimlo mor unig am fy sefyllfa. Ac roedd bod ar goll o dan yr un to â'r merched 'ma yn lot fawr o hwyl. Ella fod ein bywyd dinesig yn edrych yn anghonfensiynol o'r tu allan, ond i ni, roedd o'n gwneud perffaith synnwyr.

Mae'r flwyddyn gyntaf yng Nghaerdydd yn du hwnt o niwlog. Mi o'n i'n dal i ymddwyn allan o reolaeth ar nosweithiau allan, yn yfed fy hun i sefyllfaoedd gwirion a byth yn cofio dod adra, ond roedd cyfarfod pobl ifanc newydd a theimlo fel mod i'n rhan o rywbeth unwaith eto yn fy helpu i deimlo'n llai ar goll. Mi wnaethon ni ffurfio criw newydd, ac roeddan ni'n ymgynnull yn y dafarn bob nos Iau ac yna'n parhau i gael penwythnosau mewn *raves* neu bartïon tanddaearol, ein nosweithiau allan wastad yn troi'n chwech o'r gloch y bore yn nhŷ rhywun, yn smocio ac yn yfed y tŷ'n sych wrth i Tom chwarae'r *tunes* gorau i ni. Ac roedd ein prynhawniau Sul yn cael eu treulio'n pydru ar soffas ein gilydd yn gwatsiad ffilmiau. Weithiau mi fysan ni'n cynnal *dinner party* efo *chilli* a reis ar y fwydlen a dim pwdin 'achos 'dan ni'm yn fois pwdin, sori'. Roedd yr awyrgylch a'r egni yng Nghaerdydd ar y pryd yn drydanol – roedd bob noson allan yn llawn gobaith naïf, roedd posibiliad yn dew yn yr aer, yn llenwi pob congl o bob tafarn. Ac roedd pawb mor wyllt â'i gilydd, wedi eu dal yn yr un teimlad, wedi eu dal yn yr un meddwdod. Un noson cafodd pob un o'r criw ei fanio o dafarn am fod yn rhy wyllt ac am ddawnsio ar ben byrddau, ond doedd ganddon ni'm ots achos roeddan ni i gyd yn yr un gwch ac mi oedd 'na dafarndai eraill am ein derbyn.

Ac roedd pob noson allan 'run fath – yn union fel pan o'n i'n coleg roedd 'na deimlad defodol am wneud ein hunain yn barod. Mi fysan ni wastad yn perswadio'r llall i wisgo rhywbeth gwallgo: os oedd o'n gwneud i chdi deimlo'n dda ond yn dod â phinsiad o ofn bod 'na rywun am ofyn 'be ffwc wyt ti'n wisgo?', yna roeddach chdi'n berffaith. Mae rhai pobl yn meddwl bo dillad yn wirion, ond maen nhw'n medru bod yn gyfrwng mynegiant ac maen nhw'n medru ysgogi dewrder yn rhywun hefyd.

Roedd Gwenno ac Eiri wastad yn edrych yn hipsteraidd, roedd Elin Parc yn cŵl ac mi o'n i'n desbret i fod yn hipsteraidd neu'n cŵl ond yn methu. Mi o'n i'n dal i drio gweithio allan be'n union oedd fy steil, felly 'golwg' oedd fy steil y rhan fwyaf o'r amser. O bryd i'w gilydd, mi fyswn i'n gwisgo teits piws a sgidiau arian, cardigans fflyffi gwyn, a ffrogiau lliwgar at y llawr, ond roedd gan Gwenno a fi theori fod côt dda a sgidiau efo gwadan go lew yn medru dyrchafu unrhyw wisg, felly dyna o'n i'n ei wisgo fel rheol: jîns a thop du, sgidiau mawr a chôt hir ddu at y llawr. Roedd 'na olwg ar fy ngwallt hefyd achos mod i wedi ei dorri o'n fyr a'i liwio'n biws mewn ymgais i fod yn hipsteraidd neu'n cŵl, ond mi o'n i'n debycach i Strempan.

Ar ôl blwyddyn yn Redlaver Street, symudodd Gwenno, Elin Parc a fi i dŷ anferthol ar Clare Road yng nghanol Grangetown – tair stafell wely, stafell sbâr, gardd fach goncrit, garej i Elin Parc ei gael yn stiwdio a dwy stafell fyw ac un o'r rheiny yn stafell anferthol efo'r waliau leim grin mwyaf llachar i mi eu gweld. Helpodd rhieni Gwenno ni i symud mewn ond yn anffodus iddyn nhw roedd y penwythnos yn disgyn ar benwythnos Sŵn, gŵyl gerddoriaeth *indy* yng Nghaerdydd, felly roedd y dair

ohonan ni'n rhoi gorau i'r pacio a'r dadbacio am chwech
o'r gloch i fynd i gìg yn Gwdihŵ. Roedd y dair ohonan ni'n
wirion bost, heb unrhyw ystyriaeth o'r ffaith y byddai rhieni
Gwenno yn ein helpu eto y bore wedyn ac yn ein trîtio i
ginio Sul yn y prynhawn achos mi oeddan ni'n rhy sgint i
wneud hynny fel rheol.

Deffrais mewn stad orffwyll y bore wedyn, efo *glitter* dal
ar fy ngwyneb. Rhedais i lawr y grisiau i ymddiheuro i rieni
Gwenno mod i heb godi'n gynt.

'O mai god, dwi mor sori,' gwaeddais, fy llais yn datgelu
fy meddwdod fwy na'r *glitter* dan fy llygaid. ''Di Gwens lawr
'ma?'

''Di hitha heb godi eto,' atebodd ei mam. 'Lle mae hi,
dwa?' dywedodd gan wenu a chodi ei haeliau.

Roedd diwedd y noson yn *blur* ond mi o'n i'n cofio
cerdded o dŷ ryw gyfryngi S4C yn gynnar yn y bore ar ben
fy hun. Mae'n rhaid ei bod wedi aros efo fo.

'O, 'na i fynd i ddeffro hi rŵan,' dywedais wrth redeg fyny
grisiau i roi sgidiau am fy nhraed. Yna mi o'n i'n rhedeg
lawr y stryd yn Grangetown i fynd i ddeffro Gwenno o'i
thrwmgwsg. Roedd rhaid i mi luchio cerrig at y ffenest i'w
chodi ac yna ar ôl 'chydig funudau roedd y ddwy ohonom yn
rhedeg yn ein holau i'r tŷ newydd, gan floeddio chwerthin a
ninnau'n methu credu'r noson oeddan ni wedi'i chael a gan
feddwl mai ni oedd y bobl fwyaf doniol ar y ddaear.

Ches i ddim amser i dynnu'r *glitter* oedd ar 'y ngwyneb,
felly amser cinio mi o'n i'n bwyta cig eidion efo *foundation*
yn dylu 'chydig ar y sbarcl. Ond doedd 'na ddim posib dylu
sbarcl *hungover* gwirion Gwenno a finnau.

Roedd y tŷ yn llawer rhy fawr i'r dair ohonom ond
roeddan ni'n teimlo fel ein bod wedi ennill y *jackpot*: roedd
o'r maint perffaith i gael partïon ac roedd 'na fwrdd digon
mawr i hostio *dinner parties*. Mi fysan ni'n ffeindio unrhyw

esgus i wahodd pobl draw. Trawsnewidiom y garej drwy ddefnyddio hen *sheets* a matresi, paent a *glitter*, a hongian goleuadau disgo i fyny ym mhobman, jest rhag ofn fysan ni'n cael *after-parties*. Roedd o fel bod yn fyfyrwyr eto ac yn araf mi o'n i'n sylweddoli fod bod yn 24 oed ddim llawer gwahanol i fod yn 18 oed.

O ran fy mywyd carwriaethol, am unwaith, doedd gen i ddim disgwyliadau o gwbl achos do'n i ddim yn cofio yr un noson allan nac yn cyfarfod unrhyw ddynion oedd yn fy ffansïo i. Do'n i ddim yn ffansïo neb chwaith, felly doedd gen i ddim byd i feddiannu fy meddwl. Roedd fy hyder efo dynion yn ôl yn y gwter, fy mlwyddyn hedonistaidd ar ôl coleg yn swyddogol drosodd.

Digwyddodd fy machiad cyntaf yng Nghaerdydd fisoedd ar ôl i mi symud yno pan aethom i barti *fancy dress* Dydd Gŵyl Dewi lle roeddan ni'n gwisgo fyny fel eiconau Cymreig. Gwisgodd Gwenno fyny fel Meic Stevens (peip smocio a bob dim), Buddug, brenhines yr Iceni, oedd Anna ac mi es i fel Blodeuwedd: tri o *sex symbols* mwyaf hanes Cymru. Gwisgais ffrog *strappy* werdd a pheintio blodau ar hyd fy nghorff, rhoi *glitter* a blodau ar fy ngwyneb ac roedd gen i goron flodeuog ar fy mhen.

Y peth sy'n debygol o ddigwydd pan ti mewn parti ac yn nabod neb heblaw am y gwahoddwr ydi bo chdi'n yfed gormod ac yn meddwi'n wirion yn gynnar yn y noson. Roedd 'na bobl yn cynnig *shots* i ni ac roedd y dair ohonom yn eu cymryd efo'n gilydd i roi hwb i ni fynd i gymysgu efo pawb arall yn y parti.

Dechreuais siarad efo hogan Ffrengig. Roedd ganddi wallt brown picsi ac roedd hi'n dlws, yn *chic* a hipsteraidd. Do'n i'm yn siŵr os oedd hi'n fflyrtio neu os o'n i'n feddw ond roeddan ni'n siarad efo'n gilydd drwy'r nos, ac yna roedd hi'n fy arwain i'r stafell wely. Dechreuodd fy nghusanu ar ei gwely a chyn i mi gael cyfle i feddwl mi o'n i'n ei chusanu hi'n ôl, ei gwefusau meddal yn teimlo'n wahanol ond mor debyg i wefusau pawb arall o'n i wedi'i gusanu dros y blynyddoedd.

'Can I?' dywedodd wrth i'w dwylo grwydro'n is ac yn is at fy nghluniau.

'Yes,' atebais, bron fel mod i'n gofyn cwestiwn iddi, heb wybod yn iawn be o'n i'n wneud.

Mi o'n i'n gorwedd ar wely anghyfarwydd yr hogan Ffrengig yn cael fy myseddu ganddi. Ac yna roedd hi'n mynd i lawr arna i. Roedd o'n teimlo'n dda ac yn rhyfedd ond roedd 'na gannoedd o gwestiynau yn chwyrlïo o amgylch fy mhen: Ydw i'n lesbian rŵan? O'n i fod i wneud rhywbeth yn ôl iddi hi? Sut ydw i'n byseddu hogan? Be ar wyneb daear ydw i'n wneud? Lle ddylwn i roi fy nwylo? Ydw i'n *bisexual*? Ella fysa hyn yn egluro pam mod i mor aflwyddiannus efo dynion.

Do'n i'm yn siŵr faint o amser oedd wedi pasio ond daeth i fyny yn ei hôl ac mi o'n i'n teimlo fel mod i rŵan angen dychwelyd y ffafr. Mentrais roi fy mysedd blodeuog ar ei chlit ond do'n i'm yn siŵr iawn beth oeddan nhw i fod i'w wneud. Dangosodd i mi.

Ar ôl 'chydig eiliadau penderfynais fod hyn ddim wir i mi a dylwn i fwy na thebyg adael. Tynnais fy ffrog lawr a'm nicars i fyny.

'Well, thanks,' dywedais wrthi. 'I need to leave now. Sorry.'

'Relax, Gwen. Bye,' dywedodd yn y ffordd *nonchalant* dwi'n dychmygu mae pob Ffrances yn siarad efo'u cariadon unnos. Rhedais i lawr y grisiau ac allan o'r parti ac roedd hi'n teimlo fel mod i'n anadlu am y tro cyntaf ers hanner awr. Daliais y tacsi cyntaf i mi ei weld yn ôl i Grangetown.

Y bore wedyn cawsom bwyllgor ar wely Anna i drafod anturiaethau'r noson cynt. Mi o'n i'n crinjan.

'Blêr,' dywedais wrth gladdu 'mhen yn fy nwylo.

'Noson dda 'ta, bois?' gofynnodd Gwenno gan chwerthin.

'Dwi'n lesbian 'wan ta be?' gofynnais – iddyn nhw ac i mi fy hun.

'Wel, dwi'm yn gwybod, nest ti fwynhau?'

A'r peth oedd, mi o'n i wedi mwynhau ond do'n i ddim wedi mwynhau mwy na taswn i wedi cael fy myseddu gan ddyn. Do'n i jest ddim yn ffansïo merched. Roedd 'na chwilfrydedd yna yn sicr, ond do'n i ddim yn ysu i fynd efo merched a roedd fy mhrofiad byrhoedlog wedi cadarnhau hynny. Roedd gen i ffantasi am fod yn lesbian *chic* oedd yn mynd efo hogan Ffrengig *chic*, ond ffantasi oedd o a do'n i ddim isio fo ddigon. Ac unwaith eto, sylwais mod i wedi licio'r teimlad o gael fy licio, o rywun yn fy ffansïo ac yn dod ar fy ôl i, yn fwy na'r profiad ei hun. Sylwais hefyd mod i wedi bod yn gwbl oddefol, jest wedi gadael i mi fy hun fynd drwy'r profiad heb ofyn os o'n i acshli isio gwneud be o'n i'n wneud.

'Dwi meddwl na jest noson bach yn bi-curious oedd o. Alla i no wê ddangos 'y ngwyneb yn y tŷ 'na eto 'de, am embarrassing.'

Dechreuon ni'n tair chwerthin yn afreolus.

'Paid â poeni o gwbl. Be 'di'r ots beth bynnag?'

'Dwi meddwl dwi angan rhoi time out bach i mi fy hun 'wan 'de.'

'Duw, o leia doedd 'na ffwc o neb 'dan ni'n nabod yn y parti beth bynnag. Wir, tria beidio stresho.'

'Dim ots o gwbl.'

Ar yr eiliad honno, mi o'n i'n teimlo mor, mor lwcus i gael ffrindiau mor anfeirniadol, oedd yn gwybod yn union be i'w ddweud wrtha i pan o'n i'n meddwl fod 'y mywyd i mewn cythrwfl.

Dymp Stryd Womanby: Y ffidlwr

Des ar draws Joe am y tro cyntaf mewn gìg yng Nghlwb Ifor Bach. Roedd o'r teip o foi fysa ddim wir yn dal dy sylw os na fysa fo mewn band, yn lletchwith ac yn swil ond y band yn rhoi *sex appeal* a statws iddo fo. Roedd o'n gwisgo trowsus *waterproof*, sgidiau cerdded a chôt law i berfformio, a'i lygaid wedi'u glynu i'r llawr yn barhaol, yn edrych fyny weithiau i amsugno'r awyrgylch. Roedd o'n ymddangos fwy fel rhywun oedd yn gwylio bywyd, yn dueddol o gymryd pob dim i mewn yn hytrach na chymryd rhan. Ond dyma ni'n dechrau siarad ar ôl i'r band orffen chwarae ac roedd o wedi fy nghyfareddu i'n llwyr – roedd o mor wahanol a diddorol i'r darlun o'n i wedi'i greu yn fy mhen.

Do'n i methu stopio meddwl amdano ac mi fyswn i'n stelcian ei gyfrif Instagram yn ddyddiol ac yn cynhyrfu'n llwyr wrth weld llun sgwâr newydd yn llwytho ar ei broffil, yn cynnig cipolwg ffres ar ei fywyd a'r hyn oedd o'n wneud. Roedd o'r *crush* cyntaf i mi ei gael ers cyrraedd Caerdydd ac roedd y teimlad mor llethol, mor gnawdol. Mi fyswn i'n treulio oriau yn meddwl amdano, yn trio meddwl am sut y byswn i'n ei weld o eto. Bob tro ro'n i'n cael peint yn Tap House, mi fyswn i'n cadw llygad amdano, yn ysu iddo gerdded drwy'r drws. Mi fyswn i'n bwcio tocynnau i gigs yn y gobaith o'i weld o. Ac os fyswn i yn ei weld, mi fysa hynny yn gyrru'r pilipalas yn fy mol yn wyllt. Dechreuais ei weld yn amlach ac ymhen amser cysgais gydag o. Rhedais i fewn i stafell Gwenno y bore ar ôl y tro cyntaf.

'Gwenno, o mai god, GWENNO!' dywedais wedi cyffroi yn lân. 'Mae Joe yn 'y ngwely fi!'

Cododd Gwenno, wedi cyffroi hefyd. 'O mai god!'

Roedd o hyd yn oed wedi rhoi'r teciall ymlaen. Eisteddon ni'n yfed y paneidiau roedd o wedi'u gwneud, yn mân siarad am y noson cynt ac am gynlluniau'r diwrnod o'n blaenau. Cytunodd Gwenno a fi fod ei faners yn ddifrycheulyd.

'Am foi neis!' cytunom ar ôl ffarwelio ag o.

Ar ôl 'chydig fisoedd o gysgu efo'n gilydd ar ôl nosweithiau allan, heb fawr o gyfathrebu rhyngom heblaw am gyfnewid *memes* cathod, mi o'n i wedi colli 'mhen yn llwyr. Un tro mi wnes i banicio cymaint mod i wedi gyrru neges iddo fo gyntaf, gan feddwl bod hynna am wneud i mi ymddangos yn rhy *keen*, mi wnes i ddiffodd fy ffôn am weddill y diwrnod. Ond doedd y chwilan yn fy mhen ddim yn dallt yn iawn be oedd yn digwydd, dal ddim yn gwybod be'n union oedd ei deimladau fo.

Un noson mi oeddan ni'n sefyll tu allan i glwb Full Moon, goleuadau bach yn serennu uwch ein pennau, yn cael trafodaeth feddw wrth smocio *rollies*. Wrth lyncu fy *gin*, gofynnais unwaith ac am byth be oedd 'hyn' ac os oedd 'hyn' yn mynd i rywle.

'I really like you and like spending time with you, the only issue is that I'm waiting on someone else,' atebodd.

Sefais o'i flaen yn gegagored. 'Sorry, what?'

'Yeah, I'm waiting on someone to come back from America.'

Sut o'n i fod i ymateb? Edrychais arno mewn anghrediniaeth llwyr.

'But I do like you and like sleeping with you.'

Roedd gen i ddigon o sens i wybod na ddylwn i fynd efo rhywun oedd yn aros am rywun arall, hyd yn oed os oedd o'n licio cael secs efo fi. Ond doedd gen i ddim digon o hunan-werth i *acshli* neud hynny. Felly er gwaetha pob dim ddudodd o, 'nes i adael iddo ddod yn ôl adra efo fi. Doedd o ddim yn dallt be oedd o wedi'i wneud o'i le ond roedd o wedi llwyddo i wneud i mi deimlo mor fach a dibwys.

Es i'r gwely at Gwenno'r bore wedyn a doedd hithau methu credu ei fod o wedi dweud y fath beth chwaith.

"Sa well 'sa jest 'di deud clwydda, bysa! Idiyt.'

'Be ffwc 'de? As in, sut uffar o'dd o'n disgwyl mi ymatab?'

Sut o'n i wedi ffeindio fy hun yn y sefyllfa 'ma eto? Oedd hi'n well gwybod a theimlo fel'ma, neu oedd hi'n well bod yn anwybodus? Am fisoedd mi o'n i wedi bod yn chwil efo'r posibiliadau, fy meddwl yn rasio wrth ddychmygu be oedd o'n feddwl ohonaf i. A rŵan ro'n i'n gorfod wynebu y realiti fod yr hyn oedd o'n feddwl ohonaf i ddim byd tebyg i'r hyn o'n i wedi gobeithio amdano. Ac roedd hynny'n *crushing*.

Doedd o ddim isio comitio i fwy na chysgu efo fi ar noson allan. Yr unig gysur oedd mod i heb adael i flynyddoedd fynd heibio fel o'n i wedi'i wneud yn y gorffennol a mod i wedi gofyn be oedd yn digwydd cyn i mi wastraffu mwy o amser efo fo. Ond yr un hen stori oedd hi o safbwynt fy hunan-werth – mi wnes i feddwl yn syth mai'r rheswm doedd o ddim isio bod efo fi oedd achos mod i'n dew, yn hyll, yn rhy dal, yn 'rhy gormod' iddo fo. Ond yng nghanol yr holl deimladau o siom a phoen, mi o'n i hefyd yn chwerthin ar y stori, yn mynnu chwarae'r clown eto.

12. Y silff

UN O'R PETHAU gorau am fyw yng Nghaerdydd oedd ei fod
wedi fy ngalluogi i dreulio tri mis yn dod i nabod Mags.
Roedd hi'n un o'r bobl oedd wastad ar fy mherifferi
cymdeithasol, bron yn ffrindiau ond erioed wedi cael
cyfle go iawn i ddod i nabod ein gilydd. Dechreuodd ein
cyfeillgarwch fel mae llawer un yn dechrau – mewn tafarn,
efo ffrindiau. Roedd Gwenno ac Eiri eisoes yn ffrindiau
coleg efo Mags a dechreuodd ddod i lawr i Gaerdydd am
benwythnosau meddw. Mi fysan ni'n eistedd o amgylch
byrddau *sticky* yn Robin Hood neu Cornwall ac yn siarad
am oriau am fywyd a'r byd, am bob dim a dim byd ar yr
un pryd.

Ar ôl llwyddo i godi ei blys efo cymaint o hwyl oedd i'w
gael yn y ddinas, symudodd i fyw i Gaerdydd am 'chydig
fisoedd. Mi fysan ni'n treulio oriau yn cerdded o amgylch ei
dinas newydd, yn mynd am baneidiau, yn mynd allan i yfed
a thrafod tan yr oriau mân ac yna'n dod nôl i'n tai i drafod
mwy. Doedd 'na byth ddigon o amser i roi'r byd yn ei le.
Wrth gwrs, mi fysa'n sgyrsiau'n gwyro tuag at y dynion yn
ein bywydau, boed hynny ar y ddaear, ar ein perifferi neu
gan amlaf yn ein pennau.

Roedd dreifio i ŵyl Green Man yn teimlo'r un fath bob
blwyddyn, yr hapusrwydd pryfoclyd yn llenwi'n heneidiau.
Wrth wibio drwy lonydd troellog yng nghefn gwlad de
Cymru, roeddan ni'n bloeddio canu 'Yr Ofn', cân y band

Bwncath. Roeddan nhw newydd ryddhau albym ac roedd 'na hysteria ledled Cymru, fel tasa'r Beatles wedi ailffurfio, ac roedd y ddwy ohonan ni ymysg y merched oedd wedi eu dal yn y Bwncath-mania. Mi fysan ni'n chwarae'r gân o'i dechrau yr eiliad fysa'r nodyn ola'n chwarae ac mi oeddan ni'n canu pob gair fel tasan ni'n perfformio ar lwyfan Glastonbury; roeddan ni hyd yn oed yn gwneud sŵn daw-daw-daw-daw-daw-daw-daw y gitâr fas.

Trodd Mags ata i. 'Ti'n gwbo be, Gwens, yr unig beth sy'n dal ni nôl 'di'r ofn 'de. Pam nest ti'm dweud wrth Joe bo chdi'n licio fo? Yr ofn 'de. Pam mod i'n methu tecstio chief i ofyn os oedd o isio cyfarfod yn Green Man? Yr ofn 'de. Y ffocin OFN. Efo bob ffacin dim mewn bywyd. Meddylia haws 'sa'i 'swn i jest 'di dweud. Ond na, rŵan dwi'n goro poeni.'

Roedd yr epiffani yma fel rhywun yn rhoi'r golau ymlaen am y tro cyntaf, fel mod i'n gweld y byd trwy lens hollol newydd. Be fyswn i wedi medru ei gyflawni taswn i heb fod ofn? Pa hogia fyswn i wedi'u bachu os fyswn i heb fod ofn? Be fyswn i'n wneud rŵan os fyswn i heb adael i'r ofn fy nal i'n ôl?

Mi wnaeth Mags a fi addo i'n gilydd na fysan ni'n gadael i'r ofn ein dal ni nôl o gwbl y penwythnos hwn. Os oeddan ni'n teimlo ofn, yna roedd rhaid i ni adael iddo fynd a pheidio gadael iddo'n dal ni nôl. Eisteddom ar y gwair tu allan i'r bar, yn sbio o'n cwmpas, yn amsugno'r olygfa: roedd y cae 'ma'n *buzzing*. Llwyth o rieni cŵl yn llusgo'u plant ifanc mewn cartiau y tu ôl iddyn nhw, criwiau o ffrindiau eclectig yn rhoi *glitter* ar wynebau'i gilydd, hen gyplau hipïaidd oedd yn dod i'r cae 'ma bob mis Awst ers pymtheg mlynedd. Roedd yr awyrgylch gobeithiol yn byrlymu – llond le o obaith mai hwn fyddai'r penwythnos gorau erioed. Cawsom ein cipio gan y teimlad 'ma wrth i ni drafod sut oeddan ni am fedru cysylltu efo'r hogia oeddan ni wedi bod yn fachu heb ddod drosodd yn *creepy* ac yn desbret, yr egni hudolus yn ein gwthio i stad o ddeliriwm.

'BE DDUDON NI?' holais.

'Dim ofn!'

'Yn union. Tecstia fo.'

Tecstiodd, ac o fewn yr awr roedd y boi oedd Mags wedi'i fachu yn yr Eisteddfod yn eistedd ar y gwair efo ni. Roedd y busnes dim ofn yn gweithio, a fysa 'na wên yn ymestyn ar ein gwynebau neu chwerthiniad yn llithro o'n cegau bob tro fysan ni'n dal llygaid ein gilydd. Yr awch i fod yn cŵl oedd yr unig beth oedd yn ein stopio rhag neidio ar ein traed i chwerthin a bloeddio dros y lle.

Roedd 'yr ofn' yn un o'r nifer o bethau hurt bost wnaethon ni drafod y penwythnos hwnnw. Rhywsut neu'i gilydd, yng nghanol ein corwynt o wiriondeb dechreuom drafod mewn gorfanylder y *soft launch* mae cariad newydd rhywun yn ei gael ar gyfryngau cymdeithasol.

'Ia ond meddylia 'sa gen ti ddim ofn 'de, 'sa chdi'n ffycing postio'n syth, bysat!'

'Yn union! Dim ffycing ofn!'

''San ni'n medru creu sampl o lunia mysterious a cynnig gwasanaeth i bobl i helpu nhw greu posts i neud i exes nhw'n jelys.'

'Jest iddyn nhw gal cogio bach bo ganddyn nhw gariad.'

'A wbath fatha Huw Gwynfor 'sa'i enw fo.'

Dechreuom chwerthin yn afreolus ar y gwair, bas rhyw fand *indy* yn chwarae yn y cefndir. Roedd ein syniadau yn hollol wirion a diangen, ond ar y pryd roeddan ni mor *high* ar y teimlad mai ni oedd y bobl fwyaf ffraeth yn y byd.

Yn ystod y penwythnos, mewn bwrlwm meddwol seidar and blac, dyma ni'n cael y syniad fod pob merch sengl angen silff. Silff o ddynion lle doeddach chdi ddim wir isio rhywbeth siriys efo nhw, ond mi oeddach chdi'n eu licio ac isio cael hwyl efo nhw. Roedd dynion yn defnyddio merched am secs ers canrifoedd, beth oedd yn bod ar ferched sengl yn cael opsiynau? Yn eistedd yn amyneddgar ar y silff roedd cyn-gariadon unnos, y snogiwyd, y bron-â-snogiwyd, y dry-humpiwyd, y rhai-â'm-llygaid-arnynt, y *go-to-guys*, y boi 'na wnaeth ddal fy llygad ar draws y bar, y boi o Venezuela 'nes i rannu un eiliad drydanol efo fo mewn clwb saith llawr ym Madrid. Silff orlawn o opsiynau diddiwedd. Roedd y silff ym hanfodol: roedd o'n cynnig posibilrwydd a gobaith. Roedd o hefyd yn ffordd o chwalu'r naratif batriarchaidd fod merched sengl jest yn aros o gwmpas am ddynion i gomitio iddyn nhw. Roedd ganddon ni bŵer yn ein penderfyniadau, roedd ganddon ni bŵer yn yr hyn oedd yn digwydd i ni ac roedd ganddon ni ddewis hefyd.

Rhywun oedd ar fy silff i ers blynyddoedd pan o'n i'n byw yng Nghaerdydd oedd Tristan. Roedd bob dim wnaeth ddigwydd rhwng Tristan a fi wastad o fewn cyd-destun y grŵp. Mi fysan ni'n dystio'n gilydd oddi ar y silff ar benwythnosau ac yn treulio nosweithiau meddw efo'n gilydd, ein llygaid yn dilyn y llall, ein cyrff ynghlwm yn ei gilydd. Ac roeddan ni'n ffrindiau mawr. Doedd 'na neb mwy hileriys na Tristan, bron fod sŵn ei chwerthin yn ddigon i wneud i mi chwerthin. Roedd o'n ddifyr, yn mwynhau bwyd, ffilmiau a cherddoriaeth, yn ymddiddori yn y byd ac roedd ganddo galon enfawr a thynerwch yn perthyn iddo fo. Ond roedd o hefyd yn fy ngwylltio i'n gacwn ac yn gwneud i mi amau fy hun a bob dim ro'n i'n meddwl ro'n i'n wybod. Roedd o'n hunanol ac yn blentynnaidd. Roedd y pethau oedd o'n wneud yn gynddeiriog o rwystredig ac mi fyswn i'n gallu mynd o hoffter i gasineb mewn cwta eiliadau. Mewn bydysawd arall, dwi'n siŵr y bysan ni wedi gallu bod yn dda i'n gilydd. Tydw i ddim wir yn gwybod os oedd 'na addewid gan y naill ochr na'r llall i fynd â phethau'n bellach neu'n fwy siriys, ond yn y byd yma, yn ystod y cyfnod gwirion, gwyllt yma yng Nghaerdydd, roedd hi'n haws ei gadw ar fy silff, heb orfod treiddio'n ddyfnach i'n teimladau.

Syniad Busnes: Asiantaeth Ar-lein Sy'n Gwneud i Chdi Ymddangos Fatha Bo Gen Ti Gariad Newydd

Case study: #HuwGwynfor

Cynulleidfa darged: *Millennials* Cymru sydd ar Instagram
Y syniad: 'Dan ni i gyd wedi bod yna: *dumped, depressed* a desbret i wneud dy *ex* neu'r person olaf i chdi fod efo fo yn genfigennus. Neu ella ti jest isio dy fêts stopio haslo chdi i fynd nôl ar y sin, neu ti jest isio twyllo pobl a gwneud iddyn nhw feddwl bo gen ti gariad newydd am hwyl.

Mi fysa'n cwmni ni'n dy helpu i wneud yn union hynny. Mae pawb yn ymwybodol o'r *soft launch* o gariad newydd – dau goffi ar fwrdd a llaw slei yng nghongl y llun, tamaid o gefn neu ysgwydd gyhyrog ar y traeth neu ar dop mynydd.

Yr hyn sy'n angenrheidiol ydi fod y gynulleidfa fyth yn gweld wyneb y person. Y dirgelwch ydi'r peth pwysicaf am hyn i gyd: dyna sydd yn ennyn diddordeb. Ac os ydi pethau'n mynd yn *tits-up*, wel, mae'r niwed i'ch *ego* a'ch enw yn isel iawn.

Mi fydd ganddon ni fanc o luniau o bob math, o bob teip, o bob *physique*, pob lliw gwallt, pob rhywedd, pob diddordeb fedrwch chi feddwl amdano. Dynion a merched, felly os wyt ti'n strêt neu'n hoyw neu'n *bi*, mae ganddon ni'r 'rhywun' delfrydol i chdi.

Yna mi awn ati i greu cynllun ar gyfer pryd y byddwn ni'n postio lluniau slei o'r person newydd – dwyt ti ddim isio mynd yn rhy sydyn. Ond mae'n bwysig cofio na all hyn fynd ymlaen am ry hir. Dwyt ti ddim isio iddo gymylu dy realiti, felly mi ydan ni'n cyfyngu ein gwasanaethau i chwe mis.

Mae croeso i chdi rannu'r lluniau gan ddefnyddio'r *hashtag* #HuwGwynfor

*

Mi wnes i ymroi yn llwyr i chwilio am swydd 'go iawn' ar ôl blwyddyn a hanner o weithio yn y Deli. Ar ôl yr hyn oedd yn teimlo fel amser maith yn gwneud ceisiadau, cael cyfweliadau a phrynu crysau o'n i'n meddwl oedd am wneud i mi edrych yn broffesiynol, ges i swydd farchnata mewn canolfan gelfyddydau. Er mod i'n hapus mod i'n symud ymlaen i bennod newydd gyda her gyffrous, roedd gadael y Deli yn tu hwnt o chwerwfelys. Mi o'n i wedi cyfarfod ffrindiau newydd ac wedi creu cymuned glòs. Roedd ein bywydau wedi'u gwau efo'i gilydd i greu teulu *dysfunctional* – Telyn a'i chariad Tyler wrth y llyw, a'r gweddill ohonom fel y brodyr a chwiorydd poen yn din oedd yn troi fyny'n hwyr ac yn *hungover* i'w shiffts a wastad angen cyngor am ein bywydau carwriaethol. Roedd hi'n anodd meddwl am beidio treulio bob diwrnod yn chwerthin, yn cwyno am gwsmeriaid ac yn vapio yn y gegin efo Tombong, y brawd bach do'n i erioed wedi'i gael. Roedd hi'n anodd dychmygu peidio dadlau efo Tyler am wleidyddiaeth ac mai fi oedd â'r *latte art* gorau. Roedd hi'n anodd dychmygu peidio chwarae albym Plu bob bore Mawrth i nodi dechrau wythnos efo Rhyds. Ac roedd dychmygu peidio gweld Telyn bob diwrnod yn teimlo'n annaturiol.

Roedd gan Telyn a fi delepathi, roeddan ni'n medru dweud be oedd y llall isio ac yn meddwl yn union yr un ffordd wrth ddatrys problem. Roeddan ni'r *Yin Yang* perffaith i'n gilydd, rhyw rythm yn perthyn i'r ddwy ohonom. Wrth gwrs, roedd hi'n helpu ein bod hefyd yn medru yfed yn union yr un faint o win, potel am botel, ac yn eithaf *high-functioning* pan oeddan ni'n *hungover*. Awgrymodd Telyn y dylan ni gychwyn cwmni arlwyo ein hunain er mwyn cael parhau i gydweithio efo'n gilydd a chytunais, yn ysu i barhau i weithio efo hithau.

Felly dechreuom ymchwilio i ddigwyddiadau fysan ni'n medru arlwyo ar eu cyfer a'u trefnu. Gyda chymorth ein ffrindiau a'n teuluoedd, rhywsut neu'i gilydd roeddan ni nid yn unig wedi medru bwcio digwyddiadau ond wedi llwyddo i arlwyo mewn priodasau, angladdau ac ambell gêm *poker* i ddyn cyfoethog o'r Bontfaen. Roedd yr oriau'n hir ac yn lladdfa ar ein cyrff ond roeddan ni'n dwy wrth ein boddau yn trefnu, yn paratoi ac yn cael nosweithiau o gynllunio dros boteli gwin. Roeddan ni'n dwy yn cael gwefr wrth rasio o amgylch Caerdydd yn dewis nwyddau ac yn bosio pawb o'n cwmpas. Roedd 'na gamgymeriadau lu: pwdinau yn cael eu hanghofio, ceir yn torri lawr, reis argyfwng yn cael ei brynu am gant o bunnoedd o'r bwyty Indiaidd dros ffordd, brandi wedi ei ffeindio ym mherfeddion cwpwrdd congl y gegin yn cael ei sipian; roedd 'na ddweud fod ganddon ni hufen iâ i'r plant a gorfod rasio i'r siop i brynu potyn o unrhyw beth heblaw Wall's. Ac yn ei chanol hi roedd 'na jest hapusrwydd o dreulio amser efo un o fy ffrindiau gorau, yn gwybod ein bod am allu wynebu unrhyw beth efo'n gilydd, dim ots pa mor *hungover* oeddan ni.

Mae'n amhosib gwybod pam fod pethau'n digwydd y ffordd maen nhw'n digwydd a pham fod pobl yn dod fewn i'n bywydau ond roedd cyfarfod Telyn, drwy hap a damwain llwyr, a gweithio yn y Deli, wedi fy achub mewn lot o ffyrdd. Gydag amser, mi wnaeth Telyn a'r Deli fy nhynnu allan o 'mowlen a'm helpu i sefyll ar dir solat unwaith eto.

Roedd hi hefyd yn teimlo fel tasa 'na gyfnod newydd yn

gwawrio ar fywyd yn y tŷ anferthol ar Clare Road. Tua'r un pryd, mi wnaeth Gwenno orffen ei PhD ac mi gafodd Elin Parc swydd fel dylunydd. Roeddan ni wedi meddwl y byddai'r newidiadau mawr yn golygu ein bod yn callio mymryn, y bysa 'na lai o wallgofrwydd yn rhan o'n bywydau, llai o bartis yn y tŷ. Doedd pobl oedd yn gweithio mewn swyddfa ddim yn mynd allan cymaint â hynny, yn enwedig yn ystod yr wythnos, nag oeddan? Yn sydyn iawn dyma ni'n sylweddoli bod hyn ddim yn wir a wnaeth y *dawn of a new era* ddim para fwy nag un penwythnos. Os rhywbeth roeddan ni'n waeth achos bod ganddon ni fwy o bres. Am gyfnod maith doedd gan yr un ohonan ni fwy na 'chydig gannoedd yn y banc, yn sybio'n gilydd pan oeddan ni ar ein tenar olaf ond yn dal isio mynd allan, a rŵan o'r diwedd roedd ganddon ni ddiwrnod naw-tan-bump ac incwm sefydlog.

Ar fy niwrnod cyntaf yn y ganolfan gelfyddydau mi o'n i'n cael fy nhywys o amgylch yr adeilad gan Sue, y ddynas HR glên, ac yn cael fy nghyflwyno i rai o'r bobl oedd yn gweithio yno. Pan aeth â fi i fewn i'r galeri, bu bron i mi dagu wrth weld Joe yno yn ei drowsus *waterproof*, sgidiau cerdded a chôt law, yn gafael mewn ystol. Dechreuais chwysu wrth i Sue fy nhywys yn agosach ato, fy nghefn yn teimlo fel tasa 'na rywun yn tywallt potel o ddŵr o dop fy ngwddw. Do'n i'm yn hollol siŵr os o'n i jest yn ei ddychmygu, fel *mirage* yn cael ei beintio yn fy mrên niwlog, fy llygaid wedi'i glazio drosodd.

Cyflwynodd Sue Joe i mi.

'Hi,' dywedodd wrth edrych arna i ond mi o'n i wedi mynd yn rhy bell ac yn estyn fy llaw allan yn barod.

'I'm Gwen, hi,' atebais wrth ysgwyd ei law, 'really nice to meet you.'

Edrychodd arna i fel taswn i'n *idiot* ac mi o'n i'n teimlo

fel *idiot* hefyd. Fyswn i wedi gwneud unrhyw beth i fod yn gweini coffi i grachach Pontcanna yn yr eiliad honno.

Tu hwnt i wneud yn siŵr mod i ddim yn gweld Joe, roedd llywio fy ffordd drwy'r byd swyddfa newydd yn her ynddo'i hun. Mi o'n i wedi arfer bod ar fy nhraed, yn brysur o'r eiliad o'n i'n cerdded drwy'r drws tan i mi orffen fy shifft, yn trin cwsmeriaid, yn chwerthin ac yn siarad drwy'r dydd, ond rŵan roedd rhaid i mi droedio tir hollol newydd. Roedd gen i gymaint o gwestiynau a syniadau ond do'n i'm yn gwybod at bwy y dylwn i eu cyfeirio a ph'run bynnag, beth os oeddan nhw'n gwestiynau a syniadau gwirion? Sut o'n i'n gwneud ffrindiau os oedd pawb yn brysur ar eu cyfrifiadur bob diwrnod? Roedd 'na addewid efo'r dyn oedd yn eistedd wrth y ddesg wrth fy ymyl i, wastad yn cynnig ei sudd oren a'i fferins amser brecwast i mi, ond roedd o'n cael Deliveroo KFC i'w ddesg bob diwrnod ac mi fyddai oglau seimllyd y cyw iâr yn llenwi'n ffroenau, ei sŵn yn torri gwynt a chnoi yn uchel yn llenwi 'nghlustiau ac yn fy ngyrru fi o 'nghof ac yn difetha ei garedigrwydd boreol. Mi o'n i'n teimlo fel *impostor*, fel taswn i ddim i fod yno o gwbl. Doedd 'na neb wedi 'nysgu fi sut i sgwennu e-byst, sut i wisgo, sut i gynnal fy hun a do'n i'm yn siŵr os o'n i'n gwneud unrhyw beth yn iawn. Mi o'n i fod isio hyn, yr hyn oedd pawb yn ei alw'n swydd 'go iawn', ond do'n i'm yn teimlo'n ddigon da i fod yno. Ro'n i'n dal i deimlo fel methiant.

Fisoedd ar ôl i mi ddechrau'r swydd, ar ôl gwaith un noson mi o'n i'n cael glasiad o win efo un o 'nghyd-weithwyr. Cyfaddefais wrthi mod i ddim yn teimlo fatha mod i fod yno. Atebodd ei bod hithau yn teimlo'r un fath ac mai'i *motto* mewn bywyd oedd *fake it 'til you make it*. Felly dyna 'nes i ddechrau gwneud. Ac ymhen 'chydig, wrth i'r dyddiau o flaen fy sgrin fynd heibio, mi o'n i'n teimlo fwy a mwy fel mod i'n haeddu bod yna. Ac mi lwyddais i osgoi Joe hefyd, diolch byth.

*

Ymhen blwyddyn symudodd Elin Parc i fyw efo'i chariad ac roedd Gwenno wedi dechrau gweld rhywun hefyd. Roedd gan ein *housemate* newydd, Lois, gariad hefyd. Mi o'n i wedi cael fy ngadael ar ôl, unwaith eto, i ddelio efo cariadon unnos oedd ar fy silff neu ffyliaid oedd yn aros am ferched eraill. Roedd Gwenno a fi wastad wedi bod y ddwy sengl, yn bartneriaid i'n gilydd mewn digwyddiadau bywyd, yn bartneriaid i'n gilydd ar nosweithiau allan, yn mynd ar dripiau efo'n gilydd a rŵan roedd hynny am newid. Ac er mod i ddim yn mynd ati o ddifri i chwilio am gariad, ddim wir yn gwybod os o'n i isio cariad, mi o'n i'n dal i deimlo fel taswn i'n cael fy nghau allan o glwb egsgliwsif.

Mae 'na shifft yn digwydd yn dy ugeiniau a wnaeth o ddigwydd i mi pan ddechreuodd pawb o 'nghwmpas *setlo lawr*. Fesul un roedd fy ffrindiau i gyd yn cyfarfod rhywun ac yn setlo mewn perthnasau newydd. Roedd gan fy nghriw ffrindiau adra i gyd gariadon heblaw am Megan ond o leiaf roedd hi'n ymdrechu i ddêtio. Roedd gen i'r fath eiddigedd o'r ffordd roedd hi'n medru rheoli pob sefyllfa yn ymwneud â'i bywyd carwriaethol. Do'n i'n rheoli dim a jest yn aros i bethau ddigwydd i mi. Unwaith eto, mi o'n i'n mynd yn syth i ofyn be oedd yn bod arna i, pam mod i methu cael cariad, heb ofyn i mi fy hun os o'n i wir isio cariad ynte jest isio medru dweud fod gen i gariad o'n i.

'Be sy'n bod arna fi, Gwenno?' gofynnais yn hunandosturiol un noson pan ddarganfyddais fod 'na rywun o'n i'n ffansïo efo cariad erbyn hyn. 'Dwi mor embarrassed, nesh i ofyn os oedd o ffansi panad tro nesa oedd o'n gwaith.'

'Does 'na'm byd yn bod arna chdi, siŵr. A mae mynd am banad yn neis!'

Mi o'n i wedi treulio'r degawd olaf yn gwneud fy hun yn *butt of the joke*, yn defnyddio fy hiwmor i guddio fy *insecurities*, yn creu'r persona Bridget Jones-esque fel bod fy niffyg cariad yn ffordd i mi wrthryfela yn erbyn cymdeithas, heb sylwi mai'r unig beth o'n i'n gwrthryfela yn ei erbyn oedd fi fy hun.

*

Stori ddrud: Y fagina o Fenis

Mi ydw i wastad yn cael syniadau mawreddog sydd allan o 'nghyrraedd ac yn rôpio fy ffrindiau i fewn i 'mhlaniau. I ddathlu troi'n 25 oed mi o'n i isio gwneud *dinner party* i 22 o bobl yn y stafell fyw yn Clare Road, felly roedd rhaid i mi gael benthyg cadeiriau gan bron â bod pawb oedd wedi cael gwadd ac roedd rhaid i mi ofyn i Tyler wneud bwrdd i mi. Roedd rhaid i Gwenno lanhau a hwfro ac addurno'r stafell fyw efo *fairy lights*.

Roedd Gwenno a fi wedi bod ar drip i'r Eidal fis Ionawr y flwyddyn honno achos roedd ganddon ni swyddi erbyn hyn ac roeddan ni'n *chic*. Ar ôl treulio noson flwyddyn newydd yn Milan yn smocio Vogues ac yfed Aperol mewn *swing party* efo dynion busnes Milanese, teithiom i Fenis. Tra oeddan ni yn y ddinas hudolus mi brynon ni lun gan gyn-garcharor oedd wedi troi ei law at wneud peintiadau *abstract* o faginas. Ar ôl treulio cwta wythnos yno roeddan ni'n ffansïo'n hunain fel arbenigwyr celf. Roeddan ni wedi cymryd at un o'i beintiadau oedd yn hongian mewn caffi lle roeddan ni wedi bod yn yfed Aperols ers amser cinio.

Roedd yr artist digwydd bod yn y caffi a chyn i ni gael cyfle i feddwl be oedd yn digwydd, roeddan ni'n cael ein tywys gyda'n Aperols yn ein dwylo i'w stiwdio lawr y strydoedd cul, troellog. Cyrhaeddom ei stiwdio flêr, dywyll ac roedd 'na gynfasau mawr efo faginas o bob lliw a llun wedi eu peintio arnyn nhw. Roedd ganddo fo beiriant chwythu gwydr hefyd, a phenderfynodd ei fod am roi arddangosiad byw i ni wrth adrodd ei hanes yn gadael carchar ac yn ffeindio celf fel ffordd allan o droseddu. Roedd Gwenno a fi'n sefyll o amgylch y peiriant chwythu yn piffian chwerthin ac yn siarad dros ei ddemynstreshyn, yn methu credu ein bod wedi landio yma ac yn gofyn i'n gilydd os oedd hyn wir yn saff. Dechreuodd yntau ein dwrdio am beidio gwrando.

'Girls, I am showing you my best work here!'

Ymddiheuron ni gan chwerthin, yn sylweddoli yn yr eiliad honno ein bod yn mynd i orfod prynu'r fagina. Dyma glecio ein Aperols wrth dalu hanner yr un am y fagina a €50 ychwanegol iddo bostio'r llun i Gaerdydd. Tywysodd yr artist ni'n ôl i'r caffi, felly o leiaf roeddan ni dal yn fyw, ond yn llawer, llawer tlotach.

'Fysan ni rioed 'di medru gneud hyn flwyddyn dwytha!'

'Cofio sgint oddan ni! A 'wan 'dan ni'n berchen ar gelf!'

Eisteddom yn ôl yn y caffi efo Aperol ffresh a phowlen fach o greision plaen wedi'i gosod ar y bwrdd gan y weinyddes. Dyma ni'n dechrau chwerthin mwy.

'Oedd o'n iawn, doedd?'

'Oedd? Oedd!'

'Oedd?'

'Oedd.'

'O ffocin hel 'de!'

Dechreuom chwerthin yn uchel dros y lle, ein meddwdod yn ein hamddiffyn rhag y ffaith ein bod wedi cael ein herlid yn gwbl amlwg gan yr artist a'r weinyddes. Roedd y term *daylight robbery* yn tu hwnt o berthnasol.

Mi wnaethon ni ddeffro y bore wedyn a'n cegau'n sych grimp, yn methu hyd yn oed cofio sut oedd y fagina'n edrych.

'Genna i go' bo 'na binc ynddo fo,' dywedais.

'O ffocin hel 'de, Gwens, stori ddrud 'di hon 'de,' meddai Gwenno.

Roedd rhaid i ni aros mis cyfan i'r llun gyrraedd ac erbyn hynny roeddan ni wedi gallu twyllo'n hunain i feddwl bod y llun yn dda, yn *abstract* a'n bod yn eistedd ar werth miloedd o bunnoedd.

Derbyniais decst un prynhawn Mercher tra o'n i'n y gwaith.

'Mae o 'di cyrraedd.'

Cynhyrfais. 'Yaaaay! Sut mae o? Tynna lun!'

'Fedra i'm hyd yn oed sbio arna fo.'

Pan gyrhaeddais adra, fy nghyffro wedi 'nghario nôl i Clare Road ar frys, roedd Gwenno'n eistedd ar y soffa.

'Wel?' gofynnais. 'Lle mae o?'

'Mae o'n fanna. Sori, alla i jest ddim.'

Suddodd fy nghalon wrth ei dynnu allan o'r *bubblewrap*.

'Wel... Waw.'

Disgynnodd distawrwydd llethol rhwng y ddwy ohonom.

'Wel, stori ddrud,' dywedais wrth i ni ddechrau chwerthin yn uchel dros y tŷ. 'Tisho drinc?'

'Ffocin hel, oes.'

Penderfynais y byddai'r *dinner party* pen-blwydd yn esgus perffaith i ni gael dangos y fagina i'n ffrindiau ac yn gyfle gwych i fedru adrodd y stori ddrud wrth bawb, Gwenno a fi'n cymryd ein tro i or-ddweud, yn gwybod yn union sut oedd y llall am addurno'i rhan. Troais y *dinner party* i fod yn agoriad arddangosfa a thrawsnewidiais y stafell fyw yn galeri i 'ngwaith celf cyntaf fel curadur o fri. Diweddodd y noson efo disgo yn y garej a phawb yn bloeddio 'Don't Let The Sun Go Down On Me' wrth i'r haul godi a'r fagina yn hongian ar y wal.

*

Bwydlen
Prif gwrs
Tagine cig oen
Couscous harissa
Salad *aubergine* efo saws iogwrt a *duka*
Salad *cauliflower*, mintys a lemon wedi'i gadw
Hasselback butternut squash efo *bay leaves* a *chilli*

Pwdin
Cheesecake siocled a *tahini*
Crymbl gwagio'r fowlen ffrwythau
Smôc a philsen gan gyfryngi sy'n gweithio i S4C (dewisol)

*

Mi o'n i'n Sesiwn Fawr Dolgellau yn snogio Tristan pan ffoniodd Telyn. Oedais cyn ateb. Roedd hi'n gwybod mod i'n feddw, felly roedd rhaid bod 'na rwbath yn bod – fysa hi heb ffonio fel arall.

Atebais.

'Mae Tyler 'di gorffan efo fi.'

Fel ergyd gwn, sefais ar fy nhraed. Roedd y newyddion wedi dod o nunlla a do'n i'n methu prosesu be oedd hi'n ei ddweud yn iawn – fod 'na rywun arall, fod o'n anhapus, fod o ddim isio bod yn y berthynas ddim mwy.

Roedd Tyler wedi cydblethu i fy mywyd drwy Telyn; roedd o'n rhoi cyngor i mi, yn fy nysgu am y byd, yn gwneud i mi chwerthin, roedd o'n un o'n ffrindiau. Mi o'n i wedi yfed coffi efo fo, wedi dychmygu'r dyn 'ma yn fy nyfodol a rŵan gydag un alwad ffôn roedd o wedi ei ddileu yn barhaol o fy mywyd. Roedd y cariad o'n i'n deimlo tuag ato fo heb i mi hyd yn oed sylwi, fel greddf, wedi troi yn atgasedd llwyr. Beth bynnag oedd am ddod ar ôl y foment hon rhwng Telyn ac yntau, doedd pethau byth am fod yr un fath rhyngon ni oherwydd y boen roedd o wedi'i hachosi i fy ffrind.

Dychwelais o Sesiwn Fawr Dolgellau ac eistedd yn yr ardd goncrit yn Clare Road efo Gwenno.

'Mae Telyn a Tyler 'di gorffan. Ma'i ar 'i ffor yma rŵan.'

'Na, o mai god. Be? Be ffwc?'

'Nath o orffan efo'i.'

'Y bastad.'

Agorais y drws ac yno'n sefyll oedd Telyn, yn edrych mor fach, ei gwallt mewn byn a'i gwyneb yn wyn ac yn wlyb, wedi'i chwyddo gan grio.

'O Telyn, tyd yma,' dywedais wrth agor y drws a'i thynnu ataf.

Criodd i fewn i'n ysgwydd am funudau, cyn camu drwy'r adwy i'r ardd.

'Tisho drinc?'

'Na, fedra i'm stumogi dim.'

Eisteddom yno'n siarad am 'chydig, yn trio'i chysuro er fod 'na'm gobaith mewn gwirionedd. Roedd ei byd a'i bywyd a bob dim roedd hi wedi'i ddychmygu am ei dyfodol wedi'i chwalu.

'Y peth ydi, dwi meddwl 'sa hyn yn haws os 'sa fo jest 'di marw,' dywedodd. 'Mae hyn jest mor anodd, achos dwi'm yn dallt. Dwi jest ddim yn dallt. Dwi meddwl dwi angan gadael i'n hun dorri lawr yn llwyr a wedyn trio cychwyn eto.'

Do'n i erioed wedi dychmygu dyfodol efo rhywun, dim dyfodol hirdymor, dyfodol-isho-dy-blant-di efo rhywun. Do'n i erioed wedi colli rhywun o'n i'n ei garu heb wybod yn iawn pam mod i'n eu colli, do'n i erioed wedi gorfod meddwl am dorri lawr yn llwyr a chychwyn eto, dim go iawn. Ond mi o'n i'n gwybod sut i helpu yn ymarferol a sut i fod yn gefn i rywun. Symudodd Telyn i dŷ ei brawd yn Grangetown ac mi fysa hi'n dod draw bob noson i siarad am oriau, weithiau am Tyler, weithiau am y rhesymau pam a weithiau am be oddan ni'n watsiad ar Netflix.

Roedd amseru Tyler yn hollol crap oherwydd roedd ganddon ni stondin fwyd yn Eisteddfod Caerdydd yr wythnos ganlynol ac roeddan ni'n cynnig brecwast, cinio a swper. Roedd Tyler i fod i'n helpu ni ond doedd hynny'n amlwg ddim yn digwydd ddim mwy.

Unrhyw dro dwi'n cael *crisis* bywyd a dwi angen cyngor yr eiliad honno, Telyn dwi'n ffonio. Mae hi wastad *in charge* o bob sefyllfa, yn medru siarad ei hun allan o unrhyw sefyllfa – mae hi wedi dysgu cymaint i mi, wedi gwneud i mi gymryd risgiau. Ond rŵan roedd rhaid i mi fod yr un oedd *in charge*.

Yn ystod deg diwrnod hir yr Eisteddfod roeddan ni'n codi am chwech y bore ac yn gweithio drwy'r dydd tan hanner nos. Roeddan ni wedi tynnu'n teuluoedd a'n ffrindiau i'n helpu i weini coffi a *bacon baps* i grach dosbarth canol Cymru. Ac yna ein defod ddiwedd noson oedd mynd yn ôl i'r ardd goncrit i smocio paced o Malboro Golds ac yfed potel o win gwyn wrth i sŵn Eisteddfod y Bae atseinio yn y pellter. Mi fysan ni'n trafod be oeddan ni angen ei wneud y diwrnod wedyn ac yn dychmygu sut Eisteddfod fysan ni'n ei chael tasan ni ddim yn gwneud hyn.

Un bore, camais i fewn i gar Telyn am chwech o'r gloch, fy nhraed yn powndian yn barod.

'Ti 'di gweld Instagram Tyler?' gofynnodd.

'Naddo, pam?'

Yn y llun roedd o'n gwenu i'r camera mewn selffi efo'i ffrind, ei wên lydan yn ymestyn hyd ei wyneb, ei lygaid wedi'u crinclo gyda hapusrwydd a lliw haul ffresh.

Trodd Telyn ata i yn ddagreuol. 'Sut mae o'n medru bod mor hapus, pan dwi'n teimlo fel bod 'y mywyd i ar ben?'

Do'n i methu ateb, dim ond gafael yn ei llaw a chytuno'i fod o'n hen fastad ansensitif. Ar adeg fel'ma, y diafol oedd pob un platfform cyfrwng cymdeithasol.

'Ma hyn yn torture,' dywedodd ac mi o'n i'n gwybod ei bod hi'n cyfeirio at fwy na jest y stondin.

'Fuck it, Telyn, 'dan ni'n mynd allan heno. 'Dan ni'n cau'r ffocin stondin 'na a 'dan ni'n mynd lawr i'r Bae a 'dan ni am gael hwyl. 'Dan ni ddim yn gadael i'r absolute bellend yna neud chdi deimlo fel'ma. A 'dan ni jest angan brêc achos mae hyn yn torture fel arall. 'Tha actual torture.'

Gorffennom y shifft cinio, newid o'n dillad seimllyd ac anelu am y Bar Gwyrdd yn y Bae. Roedd hi'n teimlo fel tasan ni'n ailymuno efo'r byd ar ôl cyfnod hir o fyw o dan y ddaear, heb syniad be oedd wedi bod yn digwydd yn yr Eisteddfod. Roedd hi bron fel tasan ni wedi anghofio sut i fod o gwmpas pobl heblaw ein gilydd. Oriau wedyn ar ôl paredio o amgylch y Maes, rhywsut neu'i gilydd, nesh i ffeindio fy hun mewn *house party* yn fy nhŷ fy hun, yn snogio Tristan yn yr ardd goncrit, wedi gwthio'r ffaith mod i angen bod yn effro mewn dwy awr i gefn fy meddwl.

Does 'na ddim geiriau ar gael yn y byd fysa'n medru gwneud cyfiawnder â'n hangofyrs hunllefus bore wedyn. Roedd rhaid i mi ddringo dros *sleeping bags* a chyrff i'w gwneud hi allan o'r tŷ. Roedd y ddwy ohonom wedi ymlâdd yn llwyr, y straen ar ein traed, y blinder yn ein cyrff a'n hemosiynau yn ddirdynnol. Wedi gorffen clirio aeth Telyn i Ynys Môn i ddadflino 'chydig, ac mi es innau yn ôl i Clare Road i watsiad *Twilight* a bwyta Dominos efo Tristan, Elin fy chwaer a'n ffrind Lora.

Roedd rhaid i mi ddadflino yn sydyn achos mi o'n i'n mynd i Ŵyl y Dyn Gwyrdd ddiwedd yr wythnos. Am unwaith roedd y tywydd yn braf ac roedd bod yno fel bod yn rhan o gocŵn clyd, yn cael fy amddiffyn rhag holl orthrymderau a phoendodau'r byd. Treuliais y dyddiau yn yfed, smocio, dawnsio ac yn chwerthin efo'n ffrindiau, yn falch o gael bod yno efo nhw.

Deffrais rhwng Tom a Tombong ar fore Sul mewn cyfuniad perffaith o fod dal yn feddw ac yn *giddy*, yn snyg ac yn gynnes efo'n *sleeping bag* wedi'i lapio amdana i. Roedd y ddau yn dal i gysgu bob ochr i mi ac roedd y sŵn sgweltsian traed a mân siarad tu allan i'r dent yn awgrymu ei bod hi'n tua chanol y bore; y diwrnod heb gychwyn yn iawn eto, heblaw i'r bobl oedd â phlant bach oedd wedi deffro efo'r wawr. Gorweddais yno rhwng fy nau hoff Tom yn gwbl fodlon, yn edrych ymlaen at ddiwrnod arall yn un o'r llefydd mwyaf dedwydd yn y byd i gyd.

Dechreuodd y ddau Tom symud.

'A sut mae *hi* bore 'ma?' gofynnodd Tombong yn ddistaw wrth roi ei fraich amdana i. 'O tyd yma, chwcs.'

'Dwi'n rhyfeddol. Sut wyt titha?'

'Dim rhy ddrwg chwaith.'

'Faint o gloch yw hi?' sibrydodd y Tom arall wrth droi yn ei *sleeping bag.*

'Dim syniad, gad mi sbio.'

Edrychais ar fy ffôn. Roedd hi'n hanner awr wedi deg.

'Www, sgwn i pa lunia hileriys dwi 'di dynnu neithiwr?'

Wrth i mi fynd drwy fy ffôn yn chwerthin ar luniau ohonom ar yr olwyn fawr, dyma fy nhad yn ffonio.

'Iesu mawr! Be mae hwn isio rŵan?'

Atebais y ffôn.

'This is Gwen inbetween two Toms, speaking,' dywedais yn *giddy*.

Roedd y lein yn ddistaw ac mi o'n i'n gallu dweud yn syth fod 'na rywbeth o'i le achos ei fod o heb roi row i mi am fod mor fras, mor gynnar ar y sabath.

'Gwens.' Saib. 'Mae dy nain 'di mynd.'

'Be 'dach chi'n feddwl "di mynd"?'

Anadlodd yn drwm.

'Mae hi 'di marw neithiwr.'

Codais ar fy eistedd yn sydyn. Do'n i ddim yn gwybod be i'w ddweud na'i wneud. Tan hynny mi o'n i wedi bod yn ofnadwy o ffodus mewn bywyd – do'n i erioed wedi colli aelod o 'nheulu agos ond rŵan roedd o'n digwydd.

Y peth cyntaf feddyliais amdano oedd Elin fy chwaer.

''Dach chi 'di dweud wrth Elin?'

'Naddo, dim eto.'

Ar ôl siarad ar y ffôn efo 'nhad am 'chydig eto, daeth yr alwad i ben er mwyn iddo gael ffonio'i ail ferch i ddweud wrthi bod ei nain wedi marw.

Roedd y ddau Tom wedi codi ar eu heistedd bellach ac yn gafael yn fy nwylo.

'Wow, sori, mae hyn yn rili intense,' dywedais. 'Mae nain fi 'di marw. Dwi'm rili'n gwybod be dwi'n deimlo na be i neud.'

Dechreuais grio ond nid udo fel o'n i wastad wedi dychmygu fyswn i'n ei wneud wrth ffeindio allan fod Nain wedi marw, ond crio mewn ffordd oedd yn teimlo fymryn fel mod i'n smalio, yn dod mewn hyrddiau comig, fel taswn i'n trio'i gadw i fewn ond yn methu. Mi o'n i wedi dychryn.

Dim ond tri diwrnod ynghynt ar y ffordd i Green Man, mi o'n i wedi siarad efo hi i ddiolch am y *cheque* hanner canpunt oedd hi wedi'i yrru ata i am gael llwyddiant mewn cystadleuaeth sgwennu yn yr Eisteddfod. Roedd hi wastad yn sgwennu *cheques* a chardiau.

Mi wnaethon ni siarad amdana i ac amdani hi ac am y ffaith fod Aretha Franklin wedi marw'r bore hwnnw. Roedd hi wedi dweud ei bod hi'n braf arni'n cael marw. A rŵan roedd hithau wedi marw. Roedd 'na derfyn mor bendant i'w marwolaeth, tu hwnt i unrhyw fargeinio neu ymgynghori – do'n i ddim am gael yr un sgwrs ffôn arall efo hi, byth am fedru piciad i'w thŷ am banad, byth am fedru ffraeo efo hi am stad y byd dros *gin* a *bitter lemon*, byth eto am wrando arni'n dweud pa mor neis ydi *crab and prawn cocktail* Whitehall. Roedd hi jest wedi mynd. Am byth.

Saff dweud fod hynny wedi rhoi damper ar ddiwrnod braf cyn iddo gychwyn yn iawn. Edrychais ar y ddau Tom.

'Fedra i jest ddim dychmygu bod yma yn yfed ac yn mwynhau pan ma'n chwaer i a'n rhieni fi yn delio efo hyn.'

Gadawais y noson honno a mynd yn syth i dŷ brawd Telyn lle roedd hi'n dal i aros. Agorodd y drws.

'Mae nain fi 'di marw.'

'Oh god, na, tyd i fewn.'

Eisteddom ar y soffa yn nhŷ ei brawd yn bwyta Wagamamas ac yn dweud straeon am ein neiniau, eu cotiau ffwr, yn trafod Tyler, yn trafod Tristan; yn chwerthin ac yn crio am yn ail.

Cyrhaeddodd brawd Telyn yn ei ôl, wedi dychryn yn fy ngweld i'n eistedd ar ei soffa yn bwyta *noodles*.

'Iawn, Gwen?'

Trodd Telyn ato. 'Mae nain Gwen 'di marw. A dwi dal yn depressed.'

'Wel Iesu mawr,' dywedodd, 'ma'i 'tha Heartbreak Hotel yma, myn dian i.'

Dechreuom grio a chwerthin dros y lle, y dagrau'n llifo fewn i'n *tempura prawns*. Mi oeddan ni'n saff yn y ffaith fod ganddon ni'n gilydd er fod y byd o'n cwmpas yn teimlo fel ei fod wedi ei daflu oddi ar ei echel yn llwyr.

Roedd y cyfnod adra dros yr wythnos ar ôl iddi farw yn brysur, yn drist ac yn rhyfedd ond yn llawn pocedi o oleuni a llawenydd, fel yr amser wnaeth Mam ddweud wrth yr *undertaker* y byddai Nain yn hoffi cael ei chladdu mewn *catsuit* PVC. Dechreuodd pawb floeddio chwerthin, te bron â hedfan o'n cegau, yr *undertaker* druan ddim cweit wedi dallt y jôc. Roedd Nain wedi sgwennu yn ei dymuniadau olaf yr hoffai i Cerys Matthews ganu yn ei hangladd, yn amlwg ddim yn dallt fod hynny bron â bod yn amhosib, felly roedd rhaid i ni setlo am y fersiwn CD o 'Calon Lân'. Byddai pobl yn dod draw i gydymdeimlo ac mi fysan ni'n clywed hanesion newydd, yn rhyfeddu wrth glywed y straeon amdani'n byw yn Llundain neu'n chwarae *bridge* neu'n gweiddi ar *visitors* i ddiffodd golau yn eu bwthyn. Roedd y straeon a'r chwerthin yng nghanol y galar yn gwneud i mi deimlo'n tu hwnt o lwcus mod i wedi cael Nain mor arbennig. Roedd y straeon a'r chwerthin yn dangos fod 'na obaith byw mewn byd lle doedd hi ddim yn bodoli.

Cafodd angladd fach, ddi-ffŷs, efo dim ond teulu a'i ffrindiau agos oedd dal yn fyw. Roeddan ni'n eistedd rownd y bwrdd yn nhŷ Anti Mariel ar noson yr angladd, yn canu nerth ein pennau, a do'n i methu peidio â meddwl faint fysa Nain wedi mwynhau bod yna efo pawb hyd yn oed os oeddan ni'n *pissed* ar noson ei hangladd.

*

Pwy ydi dy Green Man delfrydol?

Yr hipi

Mi fydd ganddo *glitter* dyddiau oed ar hyd ei wyneb ac mi fydd o'n *high* ar LSD drwy gydol yr amser fyddwch chi efo'ch gilydd, yn disgrifio'r pethau 'hollol ffycing nyts!' mae o'n weld. Mi fydd o'n dy ddiflasu di efo hanes ei fywyd a pham ei fod o'n figan, yn trio dy berswadio di i ddefnyddio *coconut oil* i frwsio dy ddannedd yn lle *toothpaste*. Paid â disgwyl gei di hyd yn oed gusan pan wyt ti'n ei dent o ddiwedd y noson, mi fydd o'n bell i ffwrdd efo'r tylwyth teg.

Ariannwr o Lundain

Yn ystod yr wythnos mi fydd yn gwisgo siwt las Hugo Boss a sgidiau brown Russel & Bromley, yn *working for the man* yn ei swydd cyllid yn J.P. Morgan. Ond yn fama mae o'n cogio bod o'n asgell chwith ac mae'n mynd i wylio comedi, bandiau *indy* a chelf fyw yn ystod y dydd cyn mynd i gymryd *coke* drwy'i din yn y *portaloos* gyda'r nos (achos 'mae'n cyrraedd dy system di'n gynt felly'). Defnyddia fo i gael y cyffuriau gorau sy'n mynd, ond paid â thrafferth fel arall achos mi fydd o'n ôl yn ei siwt las ben bore Mawrth.

Boi mewn band *up-and-coming*

Fydd y boi yma yn chwarae tamborîn mewn gwisg ffansi ar y Rising Stage un prynhawn gwlyb, ac mi fyddi di wedi dal ei lygad wrth i ti eistedd o dan y babell. Mi wneith o dy ffeindio di ar ôl y gìg er mwyn rhoi'r cyfle i chdi ganmol ei fand a'i sgiliau ar y tamborîn. Dwi'n siŵr gei di hwyl, ond mi fyddi di'n treulio dy benwythnos efo fo a'i *ego*. *Three's a crowd.*

Meilyr Jones

Mi fydd o'n canu ei set brynhawn ar y prif lwyfan, ei lais anghyfarwydd, gwyllt, gwych yn rhoi *fanny flutters* i chdi a pilipalas yn dy fol. Drwy hap a damwain hudolus mi gei di dy gyflwyno iddo drwy dy ffrind ac mi fydd ei wyneb perffaith yn rhoi tro yn dy fol a sglein yn dy lygaid. Ond cofia mai cerddor ydi o a beryg fydd o wedi anghofio amdana chdi erbyn prynhawn fory.

Raveiwr

Mi fydd o off ei ben ar *ket* drwy'r dydd, yn ysu i Chai Wallahs ailddechrau. Ond os wyt ti'n llwyddo i'w ddal o cyn iddo ddisgyn i'r *k-hole*, mi gei di sgwrs ddyfn sydd am imprintio ar dy galon am byth. Dawnsia efo fo, yfa *chai* cynnes efo fo a chwala'i ben, ond rhamant gŵyl yn unig fydd o.

Boi ti wedi bod yn weld on ac off ers blwyddyn

Dyma'ch stad fwyaf pur, fwyaf dwyfol: mi fyddwch chi'n dilyn eich gilydd drwy'r maes yn y glaw, yn cusanu *glitter* oddi ar wynebau eich gilydd, yn gwasgu eich gilydd yn y bore i gadw'n gynnes, ac mi fyddi di'n dal ar y cyfle i drio nabod y person oeddan nhw'n 17 oed. Ond byrhoedlog fydd y stad bur, ddwyfol 'ma: mi fyddi di'n ôl yn amau ei deimladau a'i fwriadau pan mae realiti yn hitio bore Mawrth.

*

Ail ddymp Stryd Womanby: Y dylunydd graffeg

Roedd Chad wedi bod ar fy mheriffferi erstalwm. Ar y sliff, fel petai. Roedd Gwenno a fi yn meddwl ei fod o'n hileriys ac mi fysan ni wrth ein boddau yn mynd drwy'i Instagram yn lladd ein hunain yn chwerthin ar ei luniau a'i gapsiynau ffraeth. Roedd o'n un o'r bobl 'na oedd wastad allan yn yr un lle â ni, yn ffrindiau efo rhai o'n ffrindiau ac roedd o'n wahanol, roedd o'n lletchwith ac od.

Y tro cyntaf i mi fachu Chad oedd ar y soffa yn y stafell *lime green* yn Clare Road. Ar ôl snogio ar y soffa, daeth dry-humpio yn fy ngwely, heb sôn am y fflyrtio di-ri a gyrru tecsts i ni gael dangos pa mor ffyni oeddan ni'n meddwl oeddan ni. Un noson ym mis Hydref 2018, roeddan ni'n fflyrtio fel diawl drwy'r nos, ac roedd fy ffrind Ffraid yn fy annog i achos go brin fod rhywun yn fflyrtio mor agored, mor eofn os nad oedd ganddyn nhw ddiddordeb mewn mynd â phethau'n bellach? Ac wrth gwrs, roedd ganddon ni hanes! Roeddan ni wedi dry-humpio, wedi snogio a chysgu yn yr un gwely o leiaf dwywaith o'r blaen. Roeddan ni wedi disectio pry efo'n gilydd *for god's sake*! A heno roedd 'na *vibes*.

Roeddan ni'n Tap House efo'n gilydd yn cydchwerthin ac ar ôl iddo orffen ei beint dywedodd ei fod o'n mynd, a gofynnodd os o'n i isio mynd efo fo. Roedd hyn yn sicr o fod yn arwydd da. Ac yna roeddan ni'n sefyll ar Stryd Womanby efo goleuadau bach yn serennu uwch ein pennau, yn trio penderfynu lle i fynd a be i'w wneud.

'Be tisho gwneud?' gofynnodd.

'Dwi'm yn meindio, be tisho gneud?' atebais.

'Dwi'm yn meindio, be tisho gwneud?'

Dyma oedd fy nghyfle.

'Dwi isio mynd efo chdi,' dywedais gan gochi ac edrych arno.

Heb oedi o gwbl, atebodd, 'Dwi isio Subway. Dwi'n mynd am Subway.'

Edrychais arno wedi fy syfrdanu'n llwyr. Roedd bod yn agored efo fy nheimladau yn ddisastyr llwyr ar y stryd yma. Cyn i mi gael cyfle i feddwl am ffordd i'w ateb, roedd o'n ffarwelio'n ymddiheurgar ac yn ei heglu hi lawr y stryd am Meatball Marinara. Sefais yno mewn anghrediniaeth llwyr. Do'n i methu penderfynu os oedd cael fy ngwrthod am Subway yn well neu'n waeth na chael fy ngwrthod am y rhesymau niferus o'n i wedi cael fy ngwrthod o'r blaen. O leiaf mi o'n i'n medru chwerthin am hyn, er cymaint oedd fy siom.

Doedd Ffraid methu credu'r peth pan gerddais yn ôl i Tap House ac egluro be oedd wedi digwydd.

Roedd rhaid i mi ail-fyw yr holl drasedi'r bore wedyn pan decstiodd i ofyn os oeddan ni 'dal yn ffrindie?'

Suddodd fy nghalon achos roedd hynny'n golygu ei fod o'n cofio'r holl ddigwyddiad. Mi o'n i'n crinjan ac yn sgrechian mewn embaras. Ddylwn i jest fod wedi dileu ei neges neu ateb i ddweud mod i ddim isio bod yn ffrindiau efo fo ddim mwy. Ond fel merch gwrtais atebais gan ddweud, 'yndan siŵr, jest bod fy *ego* i wedi ei gleisio fymryn'.

'Good stuff,' atebodd.

Good stuff! Fawr o syndod felly mod i ddim yn teimlo'n dda am y peth. Ar y pryd do'n i ddim yn dallt sut o'n i wedi medru cael pethau mor anghywir. Roedd hi'n rhy hawdd ffeindio ystyr yn y fflyrtio a'r dry-humpio pan ddyla mod i wedi cymryd mwy o sylw o'r hyn oedd *ddim* yn cael ei ddweud. Roedd y Meatball Marinara wedi codi'r niwl o leiaf, a rŵan doedd 'na ddim amheuaeth am ei wir deimladau. O leiaf roedd y gwrthodiad wedi fy achub rhag treulio mwy o amser yn pendroni.

*

Brecwast bore wedyn
Coffi du, cryf
Smôc (rollie neu joint)

Smocia yn araf, tria beidio tagu ac ymddangosa'n cŵl.

*

Mi o'n i wedi bod yn chwarae efo'r syniad y byswn i'n licio symud o fy swydd yng Nghaerdydd ac roedd fy chwaer, rhai o genod Shrewsbury a Megan a Mirain yn trio fy hudo i Lundain. Roedd trio am swyddi yno'n teimlo fel 'chydig o freuddwyd ffŵl, ond derbyniais alwad gan lais anghyfarwydd yn fuan ar ôl cinio un prynhawn mwyn ym mis Tachwedd yn dweud ei fod isio cynnig swydd i mi. Do'n i methu credu'r peth ac mi o'n i'n neidio mewn llawenydd, yn gwneud stumiau efo 'ngwyneb ac yn chwifio 'mreichiau mewn anghrediniaeth. Ffoniais Gwenno yn syth i ddweud wrthi ac erbyn chwech y noson honno roeddan ni'n dwy yn eistedd yn Nos Da yn yfed peintiau o IPA, yn dathlu, yn hel atgofion ac yn gwneud cynlluniau *logistic* am bwy oedd am gael fy stafell i a phwy oedd am gael y fagina. Yna daeth Telyn aton ni a gweddill y criw. Yng nghanol y miri a'r cyffro, mi o'n i'n teimlo mor ddiolchgar am y bobl 'ma. Mi o'n i'n eu caru nhw mor ddyfn ac mor gynddeiriog. Roedd gan Gwenno ei bywyd yma, fel roedd gan Elin Parc. Roedd Telyn wedi dechrau gweld rhywun oedd yn ymddwyn fel oedolyn, yn ei thrin hi'n dda ac yn mynd â hi am *sushi*. Roedd pethau'n *iawn*.

Mi o'n i wedi mynd yn ddibynnol ar Gwenno a hithau arna i. Yn y bôn, mi o'n i'n gwybod ein bod ni ddim am fedru byw fel'ma am byth, er mor braf fysa hynny. Mi fysan ni wastad yn jocian am greu comiwn a byw efo'n gilydd efo merched eraill heb unrhyw ddyn yno i'n styrbio. Ond pan o'n i'n gadael Caerdydd am Lundain roedd y tristwch o'n i'n ei deimlo bron yn ddigon i wneud i mi ailfeddwl os o'n i wir isho'r swydd ac isio gadael. Criais am awr pan o'n i'n dreifio adra, y bŵt yn orlawn o stwff oedd wedi casglu yn ein tai teras yn Grangetown ar hyd y blynyddoedd.

Doedd 'na ddim un diwrnod wedi mynd heibio yn y bedair blynedd ddwythaf lle do'n i heb siarad efo Gwenno.

Mi o'n i'n medru dweud yn union sut oedd hi'n teimlo, a hithau finnau. Mi o'n i'n gwybod pryd i ddweud rhywbeth a phryd i adael llonydd iddi, a hithau finnau. Roedd 'na rywbeth tu hwnt o braf a hawdd am gael byw efo ffrind oedd yn fy nabod tu chwith allan, yn gwybod pob manylyn bach personol amdana i – o'r ffordd o'n i'n torri nionod i'r blew du oedd yn tyfu ar fy mrestiau. Roedd y syniad o fyw hebddi, o fyw mewn dinas wahanol, yn teimlo'n hollol chwithig, fel trio anadlu heb ffroenau neu ddreifio car efo olwynion triongl.

Ac roedd meddwl am adael y criw, Elin Parc, Telyn a Tristan yn ennyn tristwch. Ond mi o'n i isio mynd, mi o'n i isio blas ar Lundain, mi o'n i isho'r swydd newydd. Doedd y ffaith ein bod ni'n mynd i fyw ar wahân ddim yn golygu fod y cyfeillgarwch yn dod i ben, roedd o'n golygu ei fod o'n cyrraedd pennod newydd ac mi fysan ni'n gorfod ymdopi efo'r heriau oedd ynghlwm â hynny pan fyddan nhw'n dod.

Caerdydd oedd y ddinas lle o'n i wedi ailddarganfod fy awch am fywyd, y lle oedd wedi aildanio fy nghariad tuag at Gymru ac at y byd. Mi fyswn i'n colli ei olau tragwyddol; Clare Road, Canna Deli, Clwb Ifor. Mi fyswn i'n colli cerdded ar hyd yr afon i bob man. Mi fyswn i'n colli y teimlad cyfarwydd o nabod pawb a neb ar yr un pryd. Mi fyswn i'n colli'r teimlad 'na o fod yn rhan o rywbeth mwy na jest fi fy hun a theimlo fel mod i'n rhan o hanes. Mi fyswn i'n colli siarad ar lawr gegin yn gwrando ar Cowbois Rhos Botwnnog, Carole King ac All Saints; y nosweithiau hwyr oedd yn troi'n foreau cynnar; y boreau cynnar oedd yn troi'n gerdded i nôl coffi. Weithiau dwi'n meddwl fyswn i wedi licio rhewi amser a jest byw fel yna am byth.

13. Dechrau, diwedd

Pethau sy'n bwysig i mi yn 26 oed

- Llwyddo yn fy swydd newydd. *Fake it 'til you make it*
- Cael dêts a chael llwyth o secs efo dynion Llundeinig
- Colli pwysau i mi gael bod yn denau yn Llundain
- Bod yn cŵl yn Llundain
- Cael nosweithiau allan *amazing* yn Llundain

House party yn Tooting, Chwefror 2019

Roedd fy noson gyntaf allan yn Llundain, fel person oedd yn swyddogol yn medru galw'i hun yn *Londoner*, mewn *house party* yn Tooting, yn nhŷ merch o Lanelli, Sioned. Roedd Megan, Mirain a gweddill y Clwb Cyri, eu criw Cymraeg, wedi bod yn ei brolio, yn dweud mai hi oedd yr hwntw gorau iddyn nhw ei gyfarfod erioed, a'i bod hi'n *party gal*. Mi o'n i wedi clywed a darllen fod *house parties* Llundain yn chwedlonol – yn llawer mwy chwedlonol na *house parties* Caerdydd beth bynnag. Ond pan gerddais i fewn i'r fflat, doedd 'na ddim sŵn *drum 'n base* yn chwarae'n uchel dros y lle, dim torfeydd o bobl cŵl a selébs o'n i angen dringo drostyn nhw i gyrraedd y ffrij, dim pentyrrau o gocên ar y bwrdd gegin. Yn hytrach, roedd 'na griw o bobl yn sefyll mewn cylch yn y stafell fyw, yn canu 'O Gymru, O Gymru, Rhof i ti fy mywyd'.

Roedd hi'n teimlo fel mod i wedi cerdded i mewn i *cult* Cymraeg, neu'n waeth na hynny, ymarfer côr. Do'n i ddim yn gwybod geiriau'r gân, heb sôn am fedru canu mewn tiwn, felly es i'n syth i'r gegin i wneud diod cryf i mi fy hun.

'Mir, tisho shot?'

'Ffoc me, oes.'

'Arthur, Gruff, 'dach chisho shot?'

'Aye.'

Ac yna roedd y pedwar ohonom yn gwneud *shots* o *vodka* yn y gegin fach yn Tooting. Brysiodd Sioned i mewn i'r gegin i ddweud 'helô' a gaddo fod *house parties* ddim fel'ma fel arfer. Mi wnaethon ni jest cario mlaen i yfed *shots* yn meddwl am ba hyd oeddan ni'n gorfod aros yno a phryd oedd y cynharaf fysan ni'n medru gadael heb ymddangos yn ddigywilydd. Ar ôl mopio chwd Mirain a'i chodi o KO mawr yn y bath, mi es adra y noson honno yn teimlo tristwch trwm mod i ddim mewn *house party* yng Nghaerdydd efo fy nghriw yn gwrando ar 'Pure Shores'.

*

Fel Caerdydd, cychwynnodd fy *love affair* efo Llundain fisoedd cyn i mi symud yno. Mi fyswn i'n mynd am benwythnosau at Elin fy chwaer, Megan a Mirain gan fynd o amgylch galerïau, am *brunches* i gaffis hipsteraidd ac am nosweithiau allan i glybiau enfawr efo waliau melfedaidd coch. Er bod 'na rywbeth cysurus am nabod pobl ar noson allan fel o'n i'n Gaerdydd, roedd bod yn ddienw, yn uffar o neb yn y ddinas enfawr yma'n braf – doedd 'na neb am fy mhlagio i os o'n i'n snogio dieithryn neu'n chwydu ar y *dancefloor*. Roedd o'n fy ngwneud i'n fwy ysgeler ac ynfyd ac mi o'n i'n mynd yn wirion ar y teimlad.

Sylwais yn sydyn iawn ar ôl symud ei bod hi'n ddinas wahanol iawn unwaith roedd rhywun yn byw yno. Dyma ddinas o ormodedd: gormod o bobl, gormod o ddewis, gormod o gostau, gormod o lygredd, gormod o siopau, gormod o fysus. Mi o'n i'n hollol *overwhelmed* efo dewis yma. Roedd hynny'n golygu mod i'n gwneud llwyth o benderfyniadau gwirion ac yn gwneud dewisiadau annoeth; mi o'n i'n mynd ar goll bob diwrnod, yn gwario bob ceiniog oedd i'm henw ar nosweithiau allan, *baguettes* Pret, Ubers a *takeaways* (ar fy noson gyntaf mi wnes i chwydu mewn Uber a gorfod talu £180 o ffein i'w lanhau). Roedd hi hefyd yn teimlo fel bod fy mywyd i'n fwy anrhagweladwy, achos hyd yn oed wrth i mi gerdded i 'ngwaith, doedd gen i ddim syniad, dim go iawn, i le oedd y diwrnod 'ma a'i holl oriau am fynd â fi na phwy o'n i am ei weld. Ella ei bod hi'n ddinas o ormodedd, ond mae hi hefyd yn ddinas sy'n llawn posibiliadau.

Gyda'r holl ddewisiadau oedd angen eu gwneud, roedd hi'n fendith fod Megan a Mirain wedi penodi eu hunain fel fy ysgrifenyddion cymdeithasol personol ac roeddan nhw wedi llenwi fy nyddiadur am y tri mis cyntaf achos roedd rhaid i chi wastad wneud planiau yn Llundain. Ar ôl degawd o fod yn ffrindiau, roeddan ni o'r diwedd yn cael byw yn yr un ddinas. Roedd cael Megan *in charge* yn golygu mod i wedi treulio lot fawr o fy nosweithiau cyntaf yn mynd allan i Clapham. Mae Clapham yn ardal efo crynodiad uchel o *lads* rygbi a ffans England, dynion efo 'sgwyddau mawr sy'n gwisgo crysau *pinstripe* a *deck shoes*, y rhan fwyaf ohonyn nhw'n filionêrs, ond roedd Megan wrth ei bodd yn ein dragio ni i gyd yno i ffeindio cariad iddi'i hun. Roedd Megan hefyd yn licio'n llusgo ar draws Llundain i Glwb

Cymry Llundain, i watsiad gemau rygbi a bloeddio 'Cym on CYMRAAAAU' dros y lle i gyd, y bobl o'n cwmpas methu credu ein hangerdd.

Mi o'n i wedi symud i fewn i fflat hen ddynas yn Herne Hill, ardal ddeiliog, *quaint* efo siop lyfrau *first editions* a marchnad yno bob dydd Sul. Dyma'r teip o ardal mae pobl yn symud iddi pan mae ganddyn nhw deulu, nid pan maen nhw'n 26 oed. Roedd y fflat yn teimlo mor *clinical* o'i gymharu â Clare Road, jest rhywle o'n i'n byw ac yn cysgu ynddo, yn hytrach na chartref. Roedd gen i *housemates* newydd, ac mi oeddan nhw'n groesawgar ond doeddan nhw ddim yn fy nabod i a'n ffyrdd ac roeddan nhwythau mor brysur, doeddan ni prin yn gweld ein gilydd. Roedd 'na haid o lygod yn y fflat ac weithiau mi fyswn i'n gorwedd yn fy ngwely yn eu clywed yn cylchu, a finnau'n teimlo fel carcharor yn fy stafell fy hun. Doedd 'na ddim hyd yn oed teledu yn y fflat, felly mi o'n i'n goro gwatsiad *Good Morning Britain* ar fy laptop bob bore. Mi fyswn i'n bwyta *egg mayo* i swper bron bob noson (3 wy a *mayonnaise*, dim torth tro 'ma er mwyn arbed £1.25). Roedd gas gen i'r slafdod o benderfynu be o'n i am ei gael i fwyta'r noson honno pan mai jest fi oedd am fod yn ei fwyta.

Ar ôl chwe mis, bu farw'r hen ddynas ac roedd rhaid i mi symud o'r fflat yn Herne Hill. Symudais i fflat newydd yn Kilburn efo Mirain ac Arthur ac roedd hi'n wanwyn cyfnod newydd i ni'n tri – ro'n i'n dod nôl at bobl oedd am sylwi os o'n i ddim adra ac mi fysan ni'n eistedd efo'n gilydd bob noson i gael swper rownd y bwrdd mawr pin. Mi lenwon ni'r lle efo bargeinion Gumtree, ac roedd Arthur wrth ei fodd yn cario hen gadeiriau neu gabinets oedd wedi cael eu gadael ar y strydoedd cyfagos i'r fflat.

Cawsom rythm i'n bywydau ac mi o'n i o'r diwedd yn teimlo fel mod i'n byw yn Llundain, bod gen i gymuned yn ffurfio, a'i fod o'n rhywle fyswn i'n medru rhoi cymaint o fri arno â Chaerdydd. Yn y fflat, cyrhaeddom lefel ddyfnach o ddealltwriaeth ac mi o'n i wrth fy modd yn darganfod pethau newydd amdanyn nhw; roedd 'na rai pethau do'n i ddim yn wybod am Mirain er mod i'n ei nabod hi ers cyn hired, ac roedd 'na foddhad mewn dod i nabod Arthur fel ffrind yn hytrach na chariad fy ffrind. Dyma pryd wnaeth Mirain sylwi mod i ac Arthur yn ofnadwy o debyg, wastad yn meddwi'n fuan ac yn wirion a wastad y ddau olaf i'w gwely, yn gwrando ar gerddoriaeth neu'n siarad yn ddwys am fywyd wrth smocio allan drwy'r ffenest. Mi fysan ni'n ffraeo'n ysgafn am oriau, Arthur yn cael mwynhad o dynnu'n groes, finnau'n cael boddhad o drio'i roi yn ei le a Mirain yn cael boddhad o eistedd yn ein gwylio efo gwên ar ei gwyneb.

Ces sêt flaen i'w perthynas gariadus a pharchus. Ro'n i'n gwirioni faint o ramant oedd yn eu bywyd o ddydd i ddydd ac yn rhyfeddu ar y caredigrwydd a'r tynerwch. Roedd 'na ddedwyddwch yn gorlifo o'u perthynas ac yn ein hamgylchynu yn y fflat.

Cefais hefyd groeso i'r Clwb Cyri, y criw brith oedd yn mynd ar nosweithiau allan, y rhan fwyaf o'r amser i fwytai Indiaidd i gael cyris. Mi fysan ni'n cyfarfod ar nosweithiau Iau ar ôl gwaith mewn tafarn rad ac yna'n mynd i fwyta cyris mewn bwyty rhad. Roedd yr hogia wastad mewn cystadleuaeth yn erbyn ei gilydd i fwyta'r cyri poetha, eu gwynebau'n troi'n goch ac yn chwyslyd efo pob llwyad. Weithiau mi fysan ni'n cynnal *dinner parties* oedd yn troi'n ddawnsio ar y soffa ac yn floeddio canu. Roedd hi'n teimlo fel mod i'n cychwyn ffeindio fy mhobl newydd a mod i'n hiraethu llai am y bywyd o'n i wedi'i adael ar ôl yng Nghaerdydd.

*

211

Llundain: un o ddinasoedd mwya'r byd. Metropolis amlddiwylliannol. Dinas ag 8 miliwn o bobl yn byw ynddi, ond eto'r lle anoddaf i mi ffeindio dyn yr o'n i isho'i ffwcio. Roedd llenwi fy silff mewn dinas newydd wedi profi'n llawer, llawer anoddach na'r disgwyl. Roedd ffeindio unrhyw ddyn mewn bar neu gaffi yn hollol amhosib. Mi o'n i'n disgwyl i 'mywyd droi'n *rom-com* yr eiliad o'n i'n symud yno; roedd gen i syniadau aruchel am fy *meet-cute* i a 'nghariad Llundeinig. Roedd 'na ddyn am fy achub rhag bws *double decker*, mi o'n i am droi diod ar rywun mewn bar yn y ffordd ciwt-ond-secsi 'na mae merched yn gwneud, neu mi o'n i am gyfarfod rhywun wrth gerdded ar hyd y South Bank neu ar Hampstead Heath (dwi ddim yn gwybod pam o'n i'n meddwl fyswn i'n cyfarfod rhywun ar Hampstead Heath achos wnaeth hi gymryd dwy flynedd i mi fynd yno ar ôl symud i Lundain).

Roedd Megan a Sioned o Lanelli yn sengl ac mi fysan ni wastad yn cadw llygad wyliadwrus ar noson allan. Un noson mi wnaethon ni gael llwyddiant efo tri ffrind a mynd yn ein holau i *after-party* yn nhŷ Sioned gan ddiweddu'n canu *karaoke* mor ofnadwy nes gyrru'r tri o'r tŷ. Roedd dylanwad Megan wedi cael effaith arna i achos mi wnes i ddechrau mynd efo hogia Clapham ac roeddan nhw'n *predictably shit* yn y gwely a doedd 'na ddim owns o hud yn y ffordd oeddan ni'n cyfarfod. Mewn bars, wedi meddwi; mewn clybiau, wedi meddwi. Mi wnaeth un boi fy ffingro bron i farwolaeth ar ôl dychwelyd yn ôl i'r fflat; doedd y ffin rhwng poen a phleser ddim yn *blur* yn yr achos yma. Roedd 'na eraill nad oedd hyd yn oed gwerth mewn cofio'u henwau. Doedd mynd i Lundain ddim wedi bod yn ddechrau cyfnod newydd o ddêtio a dynion i mi achos do'n i heb newid y ffordd o'n i'n ymddwyn nac yn meddwl.

Un noson pan oeddan ni allan yn Dalston, ardal *hip* a cŵl

yng ngorllewin Llundain, mi o'n i'n sefyll wrth ochr *hipster* blewog ger y bar yn ciwio am ddiod.

'Cal gin i fi plis!' gwaeddodd Mirain ar draws y dorf.

Cyn i mi gael cyfle i ddweud 'dim problam', roedd y dyn wrth fy ochr i wedi troi ata i.

'Wow, ti'n siarad Cymraeg?'

'Ym, yndw,' atebais innau, yn licio'i olwg ond ddim isio colli fy *eye contact* efo'r ddynas tu ôl i'r bar.

'O le ti'n dod?'

'Ym, Pwllheli,' dywedais gan droi i gymryd golwg iawn arno am y tro cyntaf. Roedd o'n tu hwnt o olygus, ei *stubble* yn gweddu i'w wyneb a'i lygaid glas yn disgleirio drwy dywyllwch y bar. Roedd o'n dod o Ddyffryn Conwy, ac roedd ganddon ni hyd yn oed ffrindiau'n gyffredin. Do'n i heb gysidro bod y ffaith ein bod yn Gymry yn creu agosatrwydd yn syth bìn. Roedd ganddon ni bethau sylfaenol yn gyffredin, roeddan ni'n medru creu cyd-destun i'n gilydd ac roedd hynny'n gwneud i mi deimlo fel mod i wedi darganfod fy *soul mate*. Eisteddom yn trafod drwy'r nos, yn prynu diodydd am yn ail i'n gilydd, ac yna'n siarad tu allan i'r dafarn am oriau cyn i ni orfod dal Uber adra. Ac mi o'n i'n meddwl mai hwn oedd *the one*, ond mi wnaeth o ddiflannu i'r Uber a 'nes i'm clywed gair ganddo fyth eto.

Mi o'n i'n cwyno wrth Mirain un prynhawn am ba mor amhosib oedd ffeindio rhywun oedd yn licio fi.

'Ti'n dweud bo chdi'n chwilio am rywun, ond wt ti? Ti'm rili'n rhoi ymdrech i fewn, nag wyt?'

'Ia, dwi'm isio jest cyfarfod pobl ar apps, nadw, dwisho cyfarfod rywun in real life!'

'Ond ti jest yn disgwyl iddo fo ddigwydd i chdi, ond dydi magic rom-coms ddim yn digwydd yn y byd go iawn. Does 'na ddim ryw good-looking Brad Pitt lookalike am ddod i fyny ata chdi a gofyn chdi allan ar ddêt. 'Sa chdi meddwl bo hynna'n ffwc o creepy eniwe.'

Roedd hi'n ddigon hawdd iddi hi, roedd hi ac Arthur wedi bod efo'i gilydd ers blynyddoedd. Doedd hi heb orfod sweipio tan iddi gael *carpal tunnel syndrome*. Ond roedd hi'n iawn wrth gwrs: do'n i erioed wedi bod yn *active participant*, erioed wedi ymdrechu i chwilio am ddêt heb sôn am yr ymdrech sydd ei angen i gynnal perthynas. Ond do'n i erioed wedi ystyried be'n union o'n i isio mewn partner rhamantus chwaith – os o'n i hyd yn oed isio un go iawn.

'Ond dwi isio magic.'

'Os tisho dêt, dwi'n siŵr 'sa chdi'n medru cael un. Ond ti erioed wedi... trio. Mi gei di magic mewn ffyrdd erill unwaith ti 'di ffeindio rywun.'

Sut oedd yr hogan 14 oed, oedd yn desbret am *validation* gan ddyn ond yn ofni cael ei gwrthod a'i brifo, yn dal i fodoli ym mhen a chorff yr hogan 26 oed?

'Ti angan rhoi dy hun allan 'na! Tria'i.'

Dwi'm yn meddwl ei bod hi'n golygu Tristan, ond roeddan ni'n dal i decstio ac yn cael galwadau hwyrol lle roeddan ni'n dau'n awgrymu bod 'na ddiddordeb tu hwnt i'n bachiadau yng Nghaerdydd. Erbyn fy misoedd olaf yng Nghaerdydd, roedd pethau wedi troi'n *hot and heavy* fel tasan ni'n awchu mwy am ein gilydd pan oedd 'na derfyn pendant i'r amser oeddan ni'n dreulio efo'n gilydd. Felly mi 'nes ei wahodd draw am benwythnos.

Yr eiliad wnaeth o gytuno ar ddyddiad a bwcio'i docyn, mi o'n i'n difaru. Mi o'n i'n swp sâl efo *anxiety* – sut o'n i fod i'w gyfarch o? Sut o'n i fod i ymddwyn pan oedd o'n fy fflat? Be oeddan ni am wneud efo'n gilydd? Hyd yma, roedd ein perthynas wastad wedi bodoli ar nosweithiau allan efo'r criw ac yn fy stafell wely i. Rŵan roedd rhaid i mi feddwl am sut i fod efo fo yn y byd go iawn.

Pan gyrhaeddodd o, mi aeth y *shutters* i fyny'n syth ac mi o'n i wedi troi'n fersiwn anghynnes, didostur ohonaf i fy hun. Yn lle siarad a gofyn sut oedd o'n teimlo a be oedd o'n ddisgwyl neu ddim yn ddisgwyl o'r penwythnos – achos mae'n siŵr ei fod yntau'n conffiwsd am be oedd hyn – 'nes i gau fy hun lawr yn llwyr.

Roedd Tristan yn rhywun oedd yn dangos diddordeb yndda i ond mi o'n i'n ei wthio i ffwrdd, yn bod yn *elusive* ac yn oeraidd – do'n i ddim yn bod yn agored ynglŷn â be o'n i isio ganddo fo neu efo fo. O'n i mor ddrwg â'r holl hogia oedd wedi gwneud yr un fath i fi dros y blynyddoedd? Roedd o yna, wrth fy ochr i yn y gwely yn Llundain, wedi gwneud yr ymdrech i ddod i 'ngweld i, ond do'n i ddim isio fo yno. Ac os do'n i ddim isio fo yna, mi fysa wedi bod yn well i mi ddwued hynny. Ond do'n i ddim yn gwybod sut i agor fy hun allan i neb. Roeddan ni'n ffrindiau, mi oedd o'n haeddu mwy o barch, mi oedd o'n haeddu gwybod lle oedd o'n sefyll, mi oedd o'n haeddu teimlo fel mod i'n falch o'i gael o yno.

Ar y trên i 'ngwaith fore Llun, roeddan ni'n eistedd mewn tawelwch, yn ofalus wrth atal yr un cyffyrddiad. Trodd ata i.

'Ti'n berson eithaf oeraidd, yn dwyt? A mae hi'n anodd iawn darllen ti.'

Seiniodd ei eiriau fel cân flinderus yn fy mhen.

'Dwi'm yn oeraidd,' atebais yn oeraidd mewn llais undonog.

Ac yna eisteddom weddill y siwrne mewn distawrwydd er fod 'na gymaint oedd angen ei ddweud. Er mod i wedi bod yn annheg ac er mod i ddim yn gwybod os mai dyna ddylai fod wedi digwydd, mi o'n i gwybod fod 'na llinell o dan be bynnag oedd rhwng Tristan a fi rŵan. Roedd pethau o'r diwedd wedi darfod. Roedd y siom a'r rhyddhad yn gymysg yndda i.

*

House party yn Kilburn, Chwefror 2020

'You're turning 27 on the 27th, Gwen! It's your Golden Year!' ochneidiodd fy ffrind pan oeddan ni'n trafod fy nathliadau pen-blwydd. 'This is a magical year for you. It's your Golden! Year!'

Roedd hi'n ynganu *golden* mor dros ben llestri, roedd rhaid i mi gymryd sylw. Do'n i heb glywed y term o'r blaen, ond mi ydw i'n *sucker* am 'chydig o hud a lledrith a thema ac mi oedd fy mrên i'n carlamu'n barod efo syniadau am sut i ddathlu: roedd o'n esgus perffaith i gael parti. Yn lwcus i mi, roedd Mirain ac Arthur yn gymaint o *good sports* ac mi oeddan nhw'n hapus i'n helpu fi drefnu'r *Golden Party*.

Dyma ni'n trawsnewid y fflat drwy symud pob un darn o ddodrefn i greu *dancefloor* yng nghanol y llawr, gan orchuddio pob un wal efo cyrtans ffoil aur a hongian *fairy lights*. Mi wnaeth Mirain a fi gael pedwar *cardboard cut-out* o Timothée Chalamet, Ryan Gosling, Meryl Streep a Brad Pitt a'u cario ar hyd Llundain yn chwysu. Aethom i Lidl a llenwi'r troli efo *booze* a chreision i sicrhau na fysa neb yn mynd heb ddiod drwy'r nos. Mi wnaeth Tom greu *playlist* – mi gafodd 'Gold' gan Spandau Ballet ei chwarae am yn ail â phob cân. Dawnsiom drwy'r nos yn ein gwisgoedd aur tan i'r cymdogion yrru tecst am hanner awr wedi chwech i ddweud fod 'Dancing Queen' am 6:30yb 'a bit much'. Roed hi wedi cymryd blwyddyn, ond mi o'n i o'r diwedd wedi medru hostio *house party* yn Llundain. Ac mi oedd o mor epic ag o'n i wedi'i obeithio; roedd 'na selébs yno hyd yn oed.

Ac yna newidiodd y byd am byth.

14. Y flwyddyn aur

Pethau sy'n bwysig i mi yn 27 oed

- Cael y flwyddyn aur orau erioed yn Llundain
- Cael swydd newydd
- Colli pwysau
- Bod yn cŵl
- Cael cariad o'r diwedd

Tachwedd 1996

Dwi'n gadael yr ysgol feithrin amser cinio ac mae Nain yno yn aros amdana i. Dwi'n medru dweud bod 'na rywbeth o'i le. Mae hi'n fy nhywys i'w Thoyota bach *turquoise* a dwi'n gofyn:

'Lle mae Mam?'

Mam oedd yn dod i fy nôl o'r ysgol feithrin fel arfer, nid Nain. Doedd 'na'm byd yn bod ar Nain wrth gwrs, ond mi oedd well gen i pan oedd Mam yn dod i'n nôl i. Weithiau roedd hi hyd yn oed yn gadael i mi eistedd yn ffrynt y car neu mi oedd hi'n mynd â fi i Spar i nôl *sweets*.

'Mae dy fam 'di mynd i nôl presant i chdi. Fydd hi'n ôl toc. Tyd 'wan, llai o'r lol 'ma.'

Doedd 'na ddim pwynt cael sterics efo Nain ond eisteddais yn y car efo gwyneb tin yr holl ffordd adra. Mi

o'n i'n gorfod cael *sleepover* yn llofft sbâr oer Nain a Taid
y noson honno hefyd. Pan godais y bore wedyn, roedd fy
rhieni yn eu holau efo fy mhresant: fy chwaer fach, Elin,
yn lwmpyn bach o gnawd pinc yn udo ac yn dwyn sylw
fy rhieni. Dyna'r diwrnod newidiodd fy mywyd am byth:
dyna'r diwrnod ddesh i'n chwaer fawr.

*

Dwi'n siŵr fod yna ddigon o gyfleoedd wedi bod o'r blaen,
ond y tro cyntaf i mi gofio teimlo atgasedd llwyr at fy
chwaer fach oedd pan o'n i'n 5 oed ac ar fy ngwyliau yn Gran
Canaria. Mi oedd hi wedi cael ei *asthma attack* cyntaf ar yr
awyren yno, ac wedi treulio'r rhan fwyaf o'r bythefnos yn
y clinic efo'n rhieni ar *nebuliser*, yn gwneud yn siŵr ei bod
hi'n medru anadlu. Roedd hynny'n golygu mod i'm yn cael
dim sylw gan fy rhieni ac yn gorfod treulio'r wythnos efo
Yncl Alan ac Anti Siân, yn ffarwelio efo fy rhieni hunanol
bob bore pan oeddan nhw'n mynd â fy chwaer fach hunanol
i'r clinic. Doedd o ddim yn ddrwg i gyd achos o leiaf mi
o'n i'n cael sylw calonogol un pâr o oedolion i mi fy hun.
Mi wnaeth fy Yncl Alan hyd yn oed fy nysgu sut i nofio ym
mhwll y gwesty.

Roedd 'na lot o adegau fel hyn drwy 'mhlentyndod wedyn
– fy chwaer fach *annoying*, *asthmatic*, hunanol yn dwyn
sylw Mam a Dad. Mi wnaeth hi hyd yn oed ddisgyn lawr
y grisiau carreg i'r selar yn ei *baby-roller* un adeg, ac roedd
rhaid i'n rhieni ei gwibio hi i Ysbyty Gwynedd rhag ofn fod
ganddi *concussion*. Roedd rhaid i mi aros yn y stafell sbâr
oer unwaith eto yn gofyn i Nain pryd oedd Mam a Dad yn
dod adra. Do'n i ddim yn hapus.

Mae hi wastad wedi bod yn ddrama cwîn – wastad wedi
bod yr un oedd yn serennu ar y llwyfan yn adrodd ac yn

actio, a finnau wastad yr un oedd yn creu ac yn cyfarwyddo. Doedd y ffaith fod ganddi asthma ond yn ei galluogi hi i fod yn fwy o ddrama cwîn.

Ond roedd 'na hefyd adegau o wynfyd pur, yn enwedig pan doedd hi'm yn fabi ddim mwy. Un o'n hoff bethau i wneud wrth i ni dyfu fyny oedd chwarae siop. Mi fysan ni'n treulio oriau'n trawsnewid ein stafelloedd gwely i fod yn siopau, yn prisio'r *knick-knacks* oedd wedi'u sbydu hyd y silffoedd a'r cypyrddau ac yn creu stafell wisgo tu ôl i'r ddrws y wardrob, a hongian ein dillad i gyd ar y polyn cyrtans. Yna mi fysan ni'n dwyn sgarffiau sidan Mam a'u clymu o amgylch ein gyddfau, yn gwisgo'i *heels* mawr ac yn trotio fewn i siopau'n gilydd yn ein tro.

Mi fysan ni'n treulio oriau'n chwarae ysgol hefyd – fi oedd yr athrawes bob tro ac Elin oedd fy nisgybl. Roedd gen i gofrestr ac mi fyswn i'n mynd drwy ddegau o enwau ffug, wrth fy modd yn rhoi tic wrth ochr pob enw. Ro'n i'n cymryd fy rôl fel athrawes o ddifri ac Elin yn cymryd ei rôl fel y disgybl o ddifri. Roedd Elin wastad yn ddrwg, yn gwneud lol ac yn tarfu ar fy ngwers ac mi o'n i, yn naturiol, wrth fy modd yn ei disgyblu, yn bygwth *detention* neu'n gwneud iddi sgwennu leins. Fyswn i wedi medru chwarae fel'na am oriau, yn gwirioni efo'r ffantasi o'n i'n ei chreu yn fy mhen am bwy o'n i – roedd gen i wastad stori gefndirol a phob math o ffeithiau am y bobl ro'n i'n eu creu.

Mi oeddan ni hefyd yn licio chwarae 'Pobl Posh' lle oeddan ni'n gwisgo ffrogiau hir Mam ac yn plastro'i *lipstick* ar ein gwefusau. Yna mi fysan ni'n cerdded ac yn baglu o gwmpas y tŷ yn ei *heels* pigog, gan siarad Saesneg posh, yn gwneud be oedd pobl posh yn gwneud, sef bwyta pethau mini a sipian *squash* allan o wydrau siampên. Un noson, flynyddoedd yn ddiweddarach (pan oeddan ni'n dwy yn lot rhy hen i wneud, mae'n debyg), mi benderfynon ni y bysan ni'n ailgydio yn y gêm 'Pobl Posh' a gwisgo ffrogiau Mam i watsiad seremoni'r Oscars. Mi arhoson ni i fyny drwy'r nos yn yfed prosecco, yn obsesio dros y ffrogiau a'r areithiau. Roeddan ni'n ymarfer ein *speeches* ein hunain (Elin yn ennill am actio, finnau am sgwennu) wrth afael mewn rhyw fas oedd ar y lle tân. Fysan ni'n smalio crio, yn smalio gwirioni a diolch i'n teuluoedd a'n cariadon ffug, ac mi fysa Mam yn dod i lawr grisiau yn ei *dressing gown* i ddweud wrthan ni fod yn ddistaw. Ond doeddan ni ddim yn gallu bod yn ddistaw achos roedd 'na wastad ormod i'w ddweud a gormod o bethau oedd yn gwneud i ni chwerthin.

Yr unig amser oeddan ni'n medru bod yn ddistaw oedd wrth watsiad ffilm. Hyd heddiw tydan ni ddim yn licio pobl yn siarad dros be bynnag sydd ar y teledu ac mi wnawn ni y peth 'na sy'n ofnadwy o *passive aggressive*: pwyso'r botwm *pause* ar be bynnag 'dan ni'n watsiad a throi at y person sy'n siarad i wrando. (Roedd Gwenno'n casáu pan o'n i'n gwneud hynny ac mae o'n gwylltio Mirain hefyd.) Ein hoff *genre* o ffilmiau ydi *rom-com* neu *coming of age*. Am flynyddoedd, ein hoff ffilm oedd *Angus, Thongs and Perfect Snogging*. Ar ôl ei gael yn bresant un Dolig, dyma ni'n ei watsiad o bob diwrnod – weithiau mi fysan ni'n ei watsiad o ddwy neu dair gwaith y dydd. Ar ddiwedd y ffilm mi fysan ni'n troi at ein gilydd, yn rhoi winc oedd yn dweud *go on 'ta!* ac yna mi fysan ni'n swatio nôl ar y soffa ac yn ailwylio'r ffilm.

Roedd ganddon ni leins oeddan ni'n licio'u hadrodd ac mi oeddan ni wrth ein boddau'n eu dweud yn uchel yn ein tro ac yna'n gwirioni'n bod ni'n dwy wedi cael ein darnau ni'n iawn. Roedd hi'n ffilm oedd yn llawn clincars ond ein hoff glincar oedd 'But boys don't like girls for funniness'. Roedd hyn yn ofnadwy o anodd i'w glywed, yn enwedig i ddwy hogan oedd â'u personoliaethau yn dibynnu ar fod yn ffyni. Ond o leiaf roedd hi'n braf gwylio ffilm oedd efo lleoliad ysgol cyfarwydd a phroblemau cyfarwydd, er fod 'na ddim clybiau na sêr roc yn chwarae gigs ym Mhwllheli chwaith. Ond roedd o'n fwy agos at ein realiti ni o'i gymharu â'r holl ffilmiau oedd wedi eu gosod yn Efrog Newydd neu Malibu Beach.

*

Yr hyn sy'n ddoniol ydi mod i heb sylwi'n iawn fod gen i chwaer tan i mi symud i'r Amwythig. Roedd hi'n rhywun o'n i wedi ei gymryd yn gwbl ganiataol, rhywun oedd jest *yna*. Pan es i i'r ysgol uwchradd, doedd gen i fawr o ddiddordeb ynddi, mi o'n i'n malio mwy am fy ffrindiau. Do'n i ddim isio fy chwaer fach *annoying* o gwmpas, yn enwedig os oedd fy ffrindiau draw. Bryd hynny, roedd hi'n *mynnu* dod i ddweud helô ac yn dod i wrando ar ein sgyrsiau ac mi fyswn i'n ei gweiddi hi allan o'r stafell:

'Ti mor annoying! Jest dos! 'Di nhw heb ddod yma i weld chdi!'

Wrth gwrs, pan oedd ei ffrindiau hi'n dod draw, mi o'n i'n fwy na hapus i darfu, yn desbret iddyn nhw feddwl mod i'r chwaer fawr ffyni, cŵl. Yna mewn *role reversal* llwyr, mi fysa hi'n fy ngweiddi innau allan o'r stafell. Roedd y pŵer wastad yn newid o un i'r llall.

Ond pan symudais i'r Amwythig, dyna'r tro cyntaf i mi gysidro faint o'n i'n ei charu hi, faint o'n i'n methu ei bod hi jest *yna*. Dwi ddim yn medru pin-pointio'n union pryd wnaeth pethau newid, ond roedd 'na shift enfawr yn ein deinamig. Mi aeth Elin o fod yn chwaer fach *annoying* i fod y person pwysicaf yn fy mywyd i. Mi fysan ni'n siarad ar Facebook am oriau, yn siarad ar y ffôn am oes pan o'n i yn coleg, ac mi fysa hi'n dod i Fanceinion am benwythnosau.

Mi o'n i wrth fy modd yn dod adra yn ystod gwyliau'r

221

ysgol ac mi fysan ni'n gwatsiad ffilmiau a pherfformio i'n gilydd. Mi fysa hi'n dringo i 'ngwely i wrando ar fy straeon, yn enwedig ar ôl noson allan. Am y cyfnod byr pan oedd hi'n rhy ifanc i fynd allan, roedd hi wrth ei bodd yn gwrando ar fy helyntion a helyntion fy ffrindiau, yn gegagored yn clywed amdanon ni'n bachu dynion neu'n gwenu'n llydan wrth glywed amdanon ni'n chwydu, neu waeth, mewn congl dywyll.

Hynny yw, tan iddi hi gychwyn mynd allan ei hun. Roedd o'n haws iddi hi achos mi o'n i wedi paratoi fy rhieni at sut beth oedd cael merch oedd yn *liability* unwaith roedd hi'n blasu alcohol. Ac roedd hi'n haws iddi hi hefyd achos roedd ganddi hi fy ID i. Doedd hi ddim wedi gorfod talu £40 i gael *fake ID* gafodd ei ddwyn yr eiliad wnaeth bownsars tu allan i'r Angel yn Aberystwyth ei weld. Doedd hi ddim wedi gorfod cuddio yng nghefn tafarn, ddim wedi gorfod erfyn ar ffrindiau ein rhieni i addo peidio dweud bo nhw wedi'i gweld hi allan.

Pan ddechreuon ni fynd allan efo'n gilydd, roedd hi fel petaen ni'n cymryd cam ymhellach i fewn i'r berthynas, ein ffrindiau bellach ddim yn ffrindiau iddi hi neu i mi, roeddan ni i gyd yn ffrindiau efo'n gilydd, yn un garfan fawr.

Dyma tua'r adeg 'nes i sylwi bod gen i egni chwaer fawr. Yn yr un modd ag egni unig blentyn ac egni bach y nyth, mae 'na nodweddion tu hwnt o sbesiffig yn perthyn i'r egni chwaer fawr. Mae egni chwaer fawr yn fy ngwneud i y *boss*, yn fy ngwneud i'n iawn bob amser, yn fy ngwneud i'n tu hwnt o warcheidiol o fy chwaer fach. Mae'r ffordd dwi'n ei charu hi mor reddfol, tu hwnt i unrhyw resymeg. Mi fyswn i'n lluchio fy hun o flaen bws i'w hamddiffyn; yn martsio at unrhyw hogyn fysa'n ei cham-drin.

Doedd y gynddaredd o'n i'n deimlo os oedd 'na unrhyw hogyn yn ei cham-drin ddim fel yr un gwylltineb arall.

Fedra i ddychmygu mod i'n ymddangos fel llewes yn achub ei chena, fyswn i'n stopio ar ddim i'w hamddiffyn neu i'w hachub. Weithiau roedd gas gan Elin fy ymddygiad gwarcheidiol, ac mi fysa hi'n erfyn arna i i beidio dweud dim wrth yr un hogyn a gadael iddi hi ddelio efo'r broblem ei hun. Ond do'n i methu peidio, boed yn sylw nawddoglyd o dan fy ngwynt neu'n giledrychiad, roedd rhaid i mi wneud yn siŵr fod yr hogia 'ma'n gwybod. Ac roedd rhaid i mi wneud yn siŵr fod ganddyn nhw fy ofn i rhyw fymryn.

Mae rhai pobl yn meddwl bo ni'n rhyfedd achos mi ydan ni'n dal i rannu gwely o bryd i'w gilydd. Ac mae rhai o'n sgyrsiau pwysicaf wedi digwydd tra mae un ohonom yn y bath a'r llall yn eistedd ar y llawr neu ar y toilet:

'Ti meddwl ddylwn i decstio fo?'

'Ti meddwl ddylwn i siafio pubes fi?'

'Ti meddwl ddylwn i brynu hwn?'

'Ti meddwl bod y lliw yma'n iawn?'

'Ti meddwl bo twll tin fi'n normal?'

''Di fagina fi'n ogleuo fatha fish?'

Tydan ni ddim yn *squeamish* pan ddaw at noethni a 'dan ni wrth ein bodda'n siarad a malu cachu am oriau yn y stafell folchi tan i'r dŵr droi'n llugoer. Yn ddi-os mi fydd y foment yn cael ei chwalu wrth i un ohonom biso yn y bath, gyda'r llall yn stormio allan yn gweiddi 'ti'n ffocin hwch'.

Weithiau rydan ni'n gorwedd mewn tywyllwch yng ngwely llofft un ohonom ac yn gofyn i'n gilydd os 'ydan ni'n normal?' Wedyn mi fyddan ni'n dechrau chwerthin achos faint o'n ffrindiau sy'n rhannu gwely efo'u chwiorydd, tybed? Ond tydan ni'n malio dim, dyma'n normal ni. Ac yna mi fydda i'n rhoi fy mraich rownd ei chanol a'i spoonio tan i ni fynd yn rhy boeth neu tan i mi risgio rhoi fy nhroed oer ar ei choesau cynnes (dyna pryd mae hi'n gweiddi arna i i fihafio neu mae hi'n mynd i gysgu ar ei phen ei hun).

*

Dillad. Mae dillad yn un o'r ychydig bethau sy'n *dal* i achosi anghydfod yn ein perthynas. Does yna yr un peth yn medru achosi mwy o densiwn a gwylltineb pur rhyngom. Fel arfer mae'n Elin a fi'n erbyn y byd, ond unrhyw beth i'w wneud efo dillad ac mae'n bawb drosto'i hun. Roedd o jest 'run fath pan oeddan ni'n fengach. Mi fysa hi'n llygadu eitem yn fy wardrob i ac yn aros i mi adael y tŷ a'r tro nesaf fyswn i'n ei gweld hi, mi fysa hi'n ei wisgo neu mi fysa hi wedi ei ddwyn a'i guddio fo. Wrth gwrs, mi o'n i'n gwneud yn union yr un peth iddi hi. Y peth gwaethaf rŵan ydi pan mae hi'n prynu rhywbeth sydd gen i'n barod a 'dan ni'n newid am noson allan ac yn ffeindio ein bod yn gwisgo yr un peth. Mi wneith 'na ffrae a bargeinio am bwy sy'n cael gwisgo'r dilledyn ddilyn, yr un 'sydd isio llun i Instagram' fel arfer yn curo.

Erbyn heddiw, o ran edrychiad, mi ydan ni'n weddol debyg, ac mae ein steil yn weddol debyg hefyd, yn amlwg yn cael ei ysbrydoli gan y llall. Mi ydw i wrth fy modd pan mae pobl yn meddwl bo ni'n efeilliaid achos mae hi bedair blynedd yn iau na fi. Mi ydan ni'n dwy yn dueddol o fyw yn ein pennau – ella mai dyna pam 'dan ni'n mwynhau dianc i fyd ffilmiau. Weithiau, os 'dan ni'n ddistaw yng nghwmni'n gilydd am amser estynedig, mi wnawn ni droi at ein gilydd a gofyn, 'Be ti feddwl am?' Wrth ateb, mi awn i lefel gwbl ddiangen o fanylder.

'O'n i'n cogio bo fi mewn ffilm a bo cariad fi newydd ddympio fi a bo chdi'n fforsho fi ddod am walk.'

'O'n i'n dychmygu'r bywyd fyswn i wedi'i gael os fysa pethau wedi gweithio allan efo fi a JD. Oedd o newydd ofyn i mi brodi fo a do'n i ddim yn gwybod be i'w ddweud achos dwi'n teimlo'n trapped a ti'n fforsho fi wynebu realiti.'

'O'n i jest yn meddwl am pa mor drist fydda'i tasa Archie y gath yn marw a 'sa rhaid i fi acshli cymryd day off gwaith.'

'O'n i jest yn meddwl am y dyfodol. Dwi'n poeni am Mam a Dad yn marw.'

Ond mae 'na wahaniaethau rhyngom ni hefyd. Mae hi'n casáu darllen, dwi'n *bookish*. Mae hi'n ddrama cwîn, dwi'n llai o ddrama cwîn. Mae hi angen o leiaf naw awr o gwsg i fedru gweithredu, dwi'n medru handlo diwrnod ar gwta bedair awr. Mae hi'n ofnadwy o drugarog, yn teimlo pob dim, dwi'n fwy duraidd a chaled, yn teimlo pob dim yn fewnol. Mae hi'n poeni'n uchel a dwi'n poeni'n ddistawach i mi fy hun. Mae hi'n naturiol ffit ac *athletic*, dwi ddim. Tydi hi'm yn meindio rhedeg am drên, dwi'n goro bod o leiaf hanner awr yn fuan. Y gwahaniaeth mwyaf yn ein personoliaethau ydi ei bod hi'n wyllt fel cacwn, a finnau'n cŵl fel ciwcymbr, anaml yn gwylltio. Mi ydan ni'n jocian ei bod hi angen dulliau i gopio efo'i *anger management* oherwydd mae hi'n colli ei phen yn aml, mewn *blind rage*. Mi weith hi weiddi a strancio yn uchel, ei gwyneb yn crychu mewn gwylltineb, ei chorff yn mynd yn hollol stiff ac mi fydd yn cau ei hun yn ei llofft am oriau. Y peth dwythaf ddyla rhywun ei wneud ydi rhesymu efo hi, gwaeth fyth fysa chwerthin am ei phen. Ond ymhen ychydig oriau, mi weith hi ddod at ei choed ac ymlusgo allan o'i ffau yn ymddiheurgar. Tydw i byth yn medru aros yn flin efo hi am hir. Mae bywyd yn rhy fyr i fod yn flin efo dy chwaer fach.

*

Roedd ein hamseru ni wastad off pan oedd hi'n dod at fyw efo'n gilydd, yn enwedig oherwydd mod i wedi symud o adra yn 16 oed. Wrth gwrs, roeddan ni'n cael gwyliau haf a Dolig efo'n gilydd, ond fyth wir yn cael cyfnod estynedig i fynd ar nerfau'n gilydd. Roedd hi fel tasan ni mewn *perpetual honeymoon stage*, byth yn blino ar gwmni'r llall.

Aeth Elin i coleg am wythnos, roedd hi'n ei gasáu. Symudodd yn ei hôl adra, ond mi o'n i wedi symud i Gaerdydd erbyn hynny. Roedd hi wastad yn teithio drwy'r haf ac yna symudodd i Lundain. Yna symudais innau i Lundain, a symudodd hi'n ei hôl adra. Felly pan symudais yn ôl adra am 'chydig fisoedd yn ystod y pandemig, o'r diwedd roedd gen i gyfnod i fyw efo'n chwaer tra o'n i'n oedolyn. Y tro olaf i ni fyw yn yr un lle am amser estynedig oedd pan oeddan ni'n blant a phan oeddan ni'n blant, roedd hi'n fi yn erbyn Elin, ond rŵan roeddan ni'n dîm yn erbyn ein rhieni.

Pythefnos i fewn i *lockdown*, mi wnes i a Mirain symud yn ôl adra i Ben Llŷn, ddim wir yn sylweddoli ein bod am fod yno am fisoedd. Dyma'n *Golden Year* i! Wrth gwrs, doedd Cofid ddim yn mynd i sgrapio 'mhlaniau fi i gyd.

Am y tro cyntaf erioed, doedd 'na neb yn aros yn Gwynfryn, dim un bwthyn angen ei lanhau, dim stof neu gawod angen eu trwsio, dim cwsmer angen cyfarwyddiadau ar sut i gyrraedd y siop agosaf. Am y tro cyntaf roedd ein cartref yn gartref i ni yn unig. Cadwodd Dad ei hun yn brysur drwy benderfynu adeiladu bwthyn newydd. Lluchiodd Mam ei hun i fewn i gynllunio prydau bwyd a gwneud yn siŵr ei bod hi'n cael *delivery slots* Asda. Dechreuodd brynu bob dim mewn *bulk* 'jest rhag ofn' – cratiau o duniau hufen cnau coco, poteli gwin pinc fesul 12, bocsys o Diet Coke, olwynion o gaws. Roedd hi'n trafod swper nos fory cyn i ni hyd yn oed fwyta pryd y noson honno. Doedd gan Elin ddim byd i'w wneud; roedd ei *ski season* wedi dod i ben ddeufis ynghynt oherwydd Cofid, felly roedd hi'n ei hôl adra, yn teimlo'n *depressed* ac yn *hard-done-by* (fel pawb arall yn y byd). Roedd hi'n ddigysur am gyfnod, yn methu gweld be oedd hi am ei wneud efo'i bywyd. Os oedd 'na rywun am fedru cydymdeimlo, fi oedd honno.

Mi wnaeth Mirain a fi ynysu yn un o'r bythynnod ar y ffarm; bywyd distaw, araf oedd y bwriad. Cyfnod i golli pwysau, i redeg, i gerdded, i arafu'r yfed ac ymddangos ar ddiwedd y cyfnod clo wedi'n haileni, yn edrych fel Charlie's Angels. Ond buan wnaeth Mirain, Elin a fi benderfynu y bysan ni'n cadw'n hunain yn brysur yn tanio ac yn gwneud yn siŵr fod y cyfnod clo yn un parti mawr. Yn lwcus i ni ac i weddill y wlad, roedd hi'n gyfnod tu hwnt o braf a'r haul yn tywynnu bob diwrnod, felly roedd ein hymgyrch i fod yn frown ac yn frycheulyd yn llwyddiant. Roedd ein hymgyrch i wneud yn siŵr fod y cyfnod clo yn un parti mawr yn llwyddiant hefyd. Mi fysa Elin yn troi'r ardd yn Ocean Beach Club a gwneud i mi a Mirain wisgo fyny yn ein *bikinis* a throtio rownd yr ardd yn sodlau Mam, fel tasan ni'n blant unwaith eto, ond y tro hwn roedd 'na brosecco neu pina colada yn ein gwydrau.

Roedd hi'n rhyfedd meddwl fod 'na gymaint o hunllef yn digwydd yn y byd, ond roeddan ni rywsut, ynghlwm â'r ofn, wedi gallu creu ynys afallon i ni'n hunain. Roedd hi bron iawn fel petai gweddill y byd ddim yn bodoli tu hwnt i gaeau'r ffarm, ac roedd hi'n teimlo fel fod amser wedi rhewi, fel bod y byd wedi penderfynu cael toriad bychan a stopio troelli o amgylch yr haul am foment. Ac er i'r pandemig gymryd amser, cyfleoedd, nosweithiau allan, swyddi newydd a dynion dychmygol oddi wrtha i, mi wnaeth o roi lot i mi hefyd: amser, cyfleoedd a nosweithiau euraidd dan yr haul efo 'nheulu a'n ffrind gorau a dwi'n teimlo'n lwcus o hynny.

Mi o'n i wedi pacio ar frys wrth adael Llundain, yn

meddwl mai am ddim ond pythefnos fyswn i adra, nid pedwar mis. Do'n i heb ddod â'r un ffrog haf efo fi, heb sôn am wisg nofio, felly roedd rhaid i mi fenthyg un gan Elin. Do'n i erioed wedi gwisgo *bikini* o'r blaen, wastad yn poeni mod i'n rhy dew, fy nghorff fy hun yn codi'r fath gywilydd arna i. Do'n i erioed wedi cael bol digon fflat i wisgo *bikini* – roedd gen i *rolls* brasterog a fflab oedd yn sticio allan lot mwy na ddyla fo. Nid fy mol i o'n i wedi ei weld mewn cylchgronau neu ar Instagram. Pan o'n i'n sbio ar y mol, roedd o'n ennyn cywilydd a siom, gwaeth fyth os oedd 'na ddyn yn cyffwrdd yn fy mol achos mi fyswn i'n crinjan, yn casáu meddwl be oeddan nhw'n deimlo. Roedd gwisgo *bikini* felly yn rhywbeth tu hwnt o anarferol a *nerve-racking*, er mai dim ond Elin a Mirain oedd am fy ngweld i a mod i'n gwybod na fysan nhw yn fy meirniadu na meddwl llai ohonaf i. Y farn fewnol, gen i fy hun, oedd y peth gwaethaf erioed.

Mi o'n i'n union 'run fath efo colur. Cyn y pandemig fyswn i byth wedi gadael y tŷ heb wisgo colur – ddim hyd yn oed i'r Tesco sydd ar waelod fy lôn; fyswn i ddim wedi dychmygu gadael i un o fy ngyd-weithwyr neu fy ffrindiau 'ngweld i heb golur. Fyswn i ddim yn medru gadael y tŷ heb ryw fath o *concealer* o dan fy llygaid neu *foundation* i orchuddio unrhyw amherffeithrwydd ar fy ngwyneb. Do'n i methu cymryd rhan mewn sialensau digolur ar Facebook achos do'n i methu dioddef fy ngwyneb fy hun, heb sôn am allu gadael i bobl eraill ei weld. Roedd y syniad bod unrhyw un yn fy ngweld heb golur yn ddigon i godi rash ar fy nghroen. Roedd eistedd o flaen fy nghyfrifiadur am oriau bob diwrnod a gweld fy hun yn y sgwâr bach yng nghongl y sgrin yn hunllef llwyr, ond mewn amser llwyddais i dynnu fy llygaid oddi ar fy ngwyneb a chanolbwyntio mwy ar bethau oedd yn digwydd yn y cyfarfod.

Un peth wnaeth y pandemig ei roi i mi oedd lefel ddyfnach o dderbyniaeth o ran fy nghorff a 'ngwyneb. Do'n i heb sylweddoli faint o *insecurities* yr hogan 14 oed o'n i'n dal i'w cario a faint o'n i wedi eu mewnoli. Roedd o mor ddyfn yndda i, do'n i bron ddim yn sylwi. Mi o'n i'n ei guddio efo colur, efo dillad, efo gwallt llachar, efo personoliaeth fawr, efo alcohol, ond roedd o'n dal i fodoli'n ddistaw bach yndda i. Yn ystod y pandemig doedd gen i ddim dewis ond dechrau gwerthfawrogi'r wyneb a'r corff 'ma a rhywsut, mi o'n i'n gorwedd yn yr ardd yn fy mikini heb unrhyw fath o golur yn y byd ac roedd o'n gwneud i mi deimlo'n rhydd. Mi oedd gen i dal sawl amherffeithrwydd, ond roedd gen i lefel ddyfnach o dderbyniaeth a chrediniaeth yn y ffaith fod fy ngwerth i ddim yn dod o sut ydw i'n edrych.

*

Dathliadau 4/20: Y sbliff anferthol
Rhywbeth arall wnaeth wneud i mi deimlo'n rhydd oedd diwrnod rhyngwladol *marijuana* ar yr 20fed o Ebrill. I ddathlu dyma ni'n penderfynu smocio joint mawr trwchus. Roedd hi'n fuan yn y cyfnod clo a ninnau'n dal i deimlo fel tasan ni ar wyliau, ymhell o realiti, ac roedd 'na deimlad 'ffyc it, pam ddim?' yn dew yn yr aer.

'Reit, 'dach chi'm yn cael dod i styrbio ni heno,' dywedais wrth fy rhieni. ''Dan ni'n blazio.'

'Blazio?' gofynnodd Mam.

'Smocio weed i ddathlu dwrnod marijuana.'

Edrychodd arna i. Gallai hyn fynd un ffordd neu'r llall.

'Wel byddwch yn ofalus, pan nesh i fyta space cakes, do'n i ddim mewn lle da.'

Mi o'n i wedi amau y bysa Mam yn dweud ei hunig hanes

efo *weed*, yn bwyta *space cakes* yn nhŷ un o'r cymdogion i fyny'r lôn.

'Wel, smocio 'dan ni, so jans fyddan ni'n iawn. Wela i chi'n bora.'

Ac yna aeth y dair ohonom ar y balconi. Taniais y sbliff a'i sugno mewn yn araf cyn ei basio ymlaen i Mirain ac i Elin. Wedi ambell i bwff arall, dechreuom chwerthin yn araf ac yn uchel wrth i ni deimlo fel tasan ni'n suddo i'r *deckchairs*. Roedd y dair ohonom yn wirion bost, yn chwerthin yn afreolus ac yn bwyta cymaint o Walkers Squares nes fod ganddon ni i gyd *ulcers* yn ein cegau cyn diwedd y noson.

*

Roedd y cyfnod clo yn rhyfedd. O 'nghwmpas ar-lein, roedd perthnasau yn gwibio'n sydyn drwy'r 'camau' i'r 'lefelau nesaf' (o symud fewn i 'o mai god, 'dan ni'n priodi!'); eraill yn chwalu'n deilchion, y syniad o dreulio mis arall mewn *lockdown* efo'u *other halves* yn ddigon i godi pwys ar rai, heb sôn am fywyd cyfan. Yr unig berthynas wibiodd i'r lefel nesaf yn fy mywyd i oedd fy mherthynas â'n Rampant Rabbit.

Doedd yr un dyn ar fy *radar* i, ac i ddweud y gwir, ro'n i'n hapus i beidio cael neb yn dwyn fy sylw, i ryddhau fy hun o wastraffu oriau yr wythnos yn gwneud 'ladmin'. Roedd y rheol teithio 5 milltir yn golygu fod ffeindio dyn ddim *wir* yn opsiwn chwaith ond dyma fy aberth, er lles y *greater good* yn 2020, meddyliais.

Felly roedd darganfod rhywun oedd yn fy swigen yn fendith ond yn sypréis annisgwyl. Roedd ein teuluoedd yn ffrindiau ers blynyddoedd, ein chwiorydd yn ffrindiau gorau ac er mai dim ond tri chae ac un llwybr cyhoeddus sydd rhwng ein cartrefi, doedd Paul a fi erioed wedi treulio amser efo'n gilydd gan ei fod o chwe mlynedd yn iau na fi ac wedi byw oddi cartra ers blynyddoedd. Wrth gwrs, roeddan ni'n nabod ein gilydd, ond doeddan ni'm yn *nabod* ein gilydd... dim *fel'na*.

Roedd o'n ddeniadol yn y ffordd draddodiadol, wrywaidd mae hogia sy'n chwarae rygbi yn ddeniadol, eu 'sgwyddau'n sefyll yn fawr ac yn awdurdodol wrth gerdded i fewn i unrhyw stafell neu ardd. Roedd ganddo wyneb cyfarwydd, digyfrinach efo llygaid oedd yn twinclo yng ngolau gwyn-binc dechrau'r noson, ac roedd ganddo wên gam oedd yn ei gwneud hi'n amhosib i chdi beidio gwenu'n ôl.

Dechreuodd pethau efo'r ddau deulu'n gwneud barbeciws yng ngerddi'n gilydd ar nosweithiau tanbaid, yr unig ddigwyddiad o bwys yn ein hwythnos. Datblygodd yn sgyrsiau oedd yn sblintro i gyfeiriadau gwahanol i bawb arall ac yn ddianc rownd y gongl i smocio tu ôl i gefnau pawb arall. Wedi un noson arall o farbeciwio ac yfed a dawnsio yn yr ardd, roedd hi'n amlwg fod yr atyniad yn rhywbeth nad oeddan ni'n gallu'i guddio ddim mwy.

Roedd Elin a fi'n gorwedd yn yr ardd un bore, yn torheulo yn y *paddling pool* oeddan ni wedi'i brynu yn Asda, ac yn sipian Calippo i drio cael gwared ar ein hangofyrs.

'So... chdi a Paul.'

'Be?' brathais yn ôl ar fy chwaer.

'Mae 'na... vibes,' dywedodd wrth godi ei haeliau dros ei sbectols haul.

Doedd y *vibes* ddim yn rhywbeth o'n i wedi bod isho'i wynebu, ddim yn agored ac yn gyhoeddus beth bynnag, ac roedd dweud wrth Elin yn ei wneud o'n real. Fel'ma oedd hi efo Elin: drwy ddweud wrthi roedd pethau'n cael eu sementio fel gwirionedd, mi fyswn i'n gorfod ateb ei chwestiynau, fy nghwestiynau i.

'Vibes. Oes?' gofynnais.

'Oes.'

'O GOD. Ti meddwl bo pawb 'di sylwi?'

'Wel, mae 'na sicr... vibes.'

'STOPIA DDEUD VIBES!' gwaeddais, wrth ollwng fy hun yn ddyfnach i ddŵr oer y *paddling pool*, yr haul bellach yn teimlo'n chwilboeth wrth gyffwrdd fy mochau.

'Sori. Wel, 'dach chi weld fatha bo chi jest mwynhau cwmni'ch gilydd 'de. A 'dach chi'n sbio ar 'ych gilydd... lot.'

'Ond mae o mor ifanc, Elin! Mor ifanc.'

'So what! Fuck it! Age is but a number.'

Ac mi oedd 'na ran fawr ohonaf i yn credu hynny, yn teimlo'n hollol *empowered* yn mynd efo hogyn ifanc, yn gwybod na fysa neb yn dweud dim petai o chwe mlynedd yn hŷn na fi. Ond roedd y farn heteronormatif fod y dyn i fod yn hŷn na'r ferch yn gynhenid yndda i.

'Pam nei di'm jest... cael hwyl a gweld lle mae pethau'n mynd?' gofynnodd Elin. 'Tisho Calippo arall?'

Mi ges i a Paul ddau fis yn mwynhau nosweithiau euraidd yn yr ardd, yn yfed Aperol, yn chwerthin a chyfnewid straeon, yn gweddïo'n ddistaw bach y byddai'n rhieni ni'n meddwi ac yn mynd i'w gwlâu i ni gael llonydd i smocio a siarad mwy. Roedd y sbarcs rhyngom yn hedfan yn uwch na sbarcs y tân o'n blaenau. Roeddan ni fel dau fagnet yn cael ein tynnu at ein gilydd, yr adwaith gemegol yn amlwg i bawb ei weld.

Ond 'nes i ddim wynebu'r sbarcs oedd bellach yn goelcerth gyfan yn llosgi'n llachar tan fy wythnos olaf adra. Un noson o flaen tanllwyth o dân, ar ôl wythnosau o gadw at y rheol dau fetr, doeddan ni methu cadw ein pellter ddim mwy. Plygom at ein gilydd, ein gwefusau'n cyffwrdd am y tro cyntaf, ein dwylo'n teimlo corff y llall, ac yn y foment honno diflannodd fy holl boenau. A'r hyn ddilynodd oedd wythnos o ffitio haf cyfan ynddi. Wythnos yn llawn chwerthin, *tinnies* G&T, tripiau i'r traeth, y teimlad 'na fod argae yn agor a'r rhyddhad pur, ond yn dod efo hynny, y boen yng nghefn fy meddwl y gallai hyn fod yn llanast mawr iawn hefyd.

Roedd o'n bob dim o'n i wedi bod isio mewn hogyn ers fy snog gyntaf – hogyn oedd yn cymryd diddordeb ac yn gofyn cwestiynau, yn gwneud i mi chwerthin nes fod 'na ddagrau yn fy llgadau, yn ymddangos fel fod o wir yn fy licio i ac yn tecstio nôl. Doedd o ddim yn chwarae gemau ac roedd ei gardiau yn agored ar y bwrdd. Roedd ganddo ddiddordeb.

'Paid â bod yn swil 'wan,' dywedodd wrth iddo fy ngadael am y tro olaf yn yr iard tu allan i ddrws y tŷ, ein dwylo'n gadael ei gilydd fel tasan ni mewn *slow motion*, yr un ohonom isio gollwng gafael.

Mi o'n i'n teithio yn fy ôl i Lundain y prynhawn hwnnw ac roedd y swigen gnawdol roeddan ni wedi'i chreu yn teimlo'n fregus. Mi oedd gen i lwyth o gwestiynau: Ai rhamant cyfnod clo yn unig oedd hwn? Ai'r cyfnod clo oedd yn gwneud i bethau deimlo mor amrwd, yn ein cario i'r uchelfannau? O'n i'n teimlo fel'ma achos bod 'na hogyn wedi dangos diddordeb yndda i? Roedd y ffaith fod 'na rywun mor agored am ei deimladau yn fy nychryn achos do'n i'm yn gwybod os o'n i'n medru trystio fy marn fy hun. Roedd y naid i fewn i'r tir diarth o ddod i nabod rhywun yn codi gymaint o ofn arna i ond am unwaith roedd rhaid ei wneud.

Roedd gen i fy *reservations* ond roedd y rhan fwyaf ohonyn nhw yn ymwneud efo'r ffaith ei fod o'n iau a be fysa pobl yn feddwl. Tydi hynny fyth yn sylfaen dda i unrhyw fath o berthynas, boed yn gyfeillgarwch neu'n berthynas ramantus. Mi es i'n hollol *obsessed* efo cyplau *celebrity* lle oedd y ddynas yn hŷn na'r dyn. Ryan Gosling ac Eva Mendes, 7 mlynedd; Emmanuel a Brigitte Macron, 15 mlynedd; roedd Madonna'n hŷn na'r rhan fwyaf o'i chyn-gariadon.

Mi wnes i drin y berthynas fel jôc yr eiliad gyrhaeddais i'n ôl yn Llundain, gan ddweud wrth fy ffrindiau, 'Oh, I've taken a lover! I'm dating a younger man!' Ro'n i'n cymryd pob dim yn ysgafn yn lle wynebu'r ffaith bod rhan ohonaf i wir yn ei licio fo, ond do'n i ddim yn gwybod eto pa mor gryf oedd y teimladau 'na.

Mae *vulnerability* yn rhywbeth dwi wastad wedi stryglo efo fo. Mae rhoi dy hun allan yna, chwilio am gariad a bod yn fodlon derbyn cariad yn ôl yn golygu fod rhaid bod yn agored, ac yn barod, ar brydiau, i gael dy frifo ac i wneud ffŵl ohona chdi dy hun. Ond mi o'n i wedi mynd drwy fywyd yn methu bod yn *vulnerable* ac agored, yn enwedig efo dynion achos roedd hi'n haws teimlo cysylltiad byrhoedlog.

Parheais i weld Paul pan symudodd i Lundain. Ac am 'chydig fisoedd roedd o'n amser godidog. Roeddan ni wedi'n hamgylchynu gan y swigen gnawdol sy'n rhan o'r misoedd cyntaf o ddêtio. Cyfnod gwefreiddiol, yn llawn gloÿnnod byw yn y stumog: fflachiadau o orfoledd; nosweithiau mewn bars wedi'u goleuo gyda lanterni pob lliw a theimlo'n benysgafn wrth gerdded adra yng ngolau'r lleuad.

Ond mae o hefyd yn gyfnod tu hwnt o fregus achos mae dechrau unrhyw fath o berthynas yn y byd modern yn anodd. Mi wneith y misoedd cyntaf 'na wneud i chdi amau dy hun, gwneud i chdi amau bob dim oeddach chdi'n feddwl bo chdi isio a gwneud i chdi ailgysidro be ti angen. Mi all troedio tir digidol, anwastad y sin ddêtio wneud i chdi ddifaru trafferthu yn y lle cyntaf: mi all ddod ag eiliadau tu hwnt o isel a hynny oherwydd yr holl reolau *unspoken* sydd i ddêtio modern. Ac mae dangos *vulnerability* jest yn anodd.

Mae dangos emosiynau, dim ots faint ydi dy ddiddordeb yn y person arall, yn medru bod yn *risky business* gan fod hyn yn medru gwneud i berson ymddangos yn *rhy keen*. Y peth olaf sydd ei angen ydi person sy'n glir efo'i deimladau – mi wneith hyn roi'r person arall off. Mae angen cymaint o ddirgelwch â phennod o *Poirot*.

Daw cyffro heb ei ail wrth weld neges yn ymddangos ar y sgrin, ond mae'n rhaid ymdrechu efo'r holl nerth yn y byd i beidio edrych ar y neges na'i hateb y funud honno. Mi wneith hyn wneud i rywun ymddangos yn desbret a does 'na *neb* isio ymddangos yn desbret. Mae'r tecstio di-ri hefyd yn creu teimlad o *ffug*-adnabyddiaeth a *ffug*-agosatrwydd. Nid adnabyddiaeth nac agosatrwydd ddaw efo pob tecst, ond *dwysedd*.

Ond roedd pethau yn teimlo'n wahanol efo Paul. Roedd o mor agored efo'i deimladau a'i fwriadau ac roedd o wedi 'ngalluogi i fod yr un fath, wedi 'ngalluogi i fod yn *vulnerable*; roedd o wedi 'ngalluogi i agor fyny a phlicio mymryn ar y waliau nad o'n i wedi cysidro oedd yno.

Ac yna dechreuodd y tecsts arafu. Roedd y nosweithiau efo'n gilydd yn llai rheolaidd. Mi ddaeth 'na shifft yn yr egni. Mae 'na unigrwydd dwys yn medru datblygu wrth aros am decst. Unigrwydd sy'n gwneud i chdi gwestiynu chdi dy hun, sy'n rhoi tro yn y stumog, sy'n mynnu aros yna er i chdi yfed potel o win i drio'i leddfu. Ac er dy fod yn medru dweud, er dy fod di'n gwybod a bod dy reddf yn ysu i chdi stopio gobeithio, dwyt ti ddim yn stopio dal ar y teimlad fod pethau am fod yn iawn, mai jest *momentary blip* oedd yr wythnos olaf. Mae'r rhimyn tenau o obaith yn gorchfygu pob ofn sydd gen ti, pob owns o resymeg.

Treuliais wythnos yn cerdded milltiroedd bob nos ar ôl gorffen gwaith, ddim yn bwyta achos fod y teimlad 'ma'n fy mwyta fi o'r tu fewn am allan. Siaradais ar y ffôn efo Alys neu Elin am oriau bob nos, ac yna mi fyswn i'n siarad efo Mirain ac Arthur ar y soffa yn y fflat. Roedd Alys wedi dechrau gweld rhywun tua'r un pryd ac mi fysan ni'n cydgwyno ac yn cymharu tecsts a dêts. Ond roedd ei chariad newydd hi'n gyson ac yn barchus, a dyna'r unig beth oeddan ni isio mewn gwirionedd. Dyna'r unig beth mae unrhyw un isio.

'Respect and consistency, Gwen! Dyna'r unig beth mae rywun angan yn y dyddia cyntaf wrth i chi weithio allan lle ma pethau'n mynd.'

Ceisiais resymu efo hi gan drio gweithio allan sut ar wyneb daear oedd pethau wedi gallu mynd cymaint o le. Bob noson roedd hi'r un hen stori – fi yn gwneud esgusodion, yn dweud mod i am aros un noson arall i weld os fysa fo'n tecstio gyntaf, yn pledio efo hi mod i am roi un cyfle arall iddo fo.

'Bêbs, dwi'm yn meddwl fod o isio chdi roi cyfle arall iddo fo.'

A dyma'i geiriau'n dirgrynu yn fy nghlustiau. Wrth gwrs, doedd o ddim isio cyfle arall, ddim isio parhau efo be bynnag oedd yn mynd ymlaen ac mi o'n i'n gwybod hynny yn y bôn.

'Ond dwi jest ddim yn dallt pam, Alys,' erfyniais arni. 'Be sy 'di newid? Achos dwi dal i deimlo 'run fath.'

'Dwi'm yn gwybod, bêbs. 'Di o'm byd i neud efo chdi, ma raid mai fo sy 'di cael change of heart.'

Tecstiais Paul i ddweud wrtho mod i ddim yn fodlon teimlo fel'ma ddim mwy a fod be bynnag oedd hyn drosodd. Cytunodd. A dyna'r swigen saff yn byrstio gydag un neges fer, derfynol.

'Mae o drosodd. Mae'r holl beth drosodd,' dywedais wrth Mirain ac Arthur.

Daeth y ddau ata i i 'nghysuro a gofyn sut o'n i'n teimlo.

'Dwi'm yn gwybod sut dwi'n teimlo. Gwag. Relieved. Trist. Hapus. Numb.'

'O 'nghariad i. Doedd o'm yn blydi haeddu chdi.'

'Oedd o genuine yn meddwl bod o ddim am orfod siarad efo chdi eto? Idiot.'

'A mae o am ddifaru bod yn gymaint o gachwr. Dwi'n dweud 'tha chdi, mae am ddifaru hon 'de.'

Doedd y ffaith ei fod o bosib am ddifaru ymhen misoedd neu flynyddoedd ddim yn ddigon i 'nghysuro, ond mi o'n i'n falch o glywed hynny gan ddau o bobl oedd yn golygu cymaint i mi. Dau o bobl oedd wedi 'nysgu fi sut i fod mewn perthynas, sut i garu person arall, sut i greu bywyd efo person arall heb orfod aberthu cymaint ohona chdi dy hun.

'Tisho gweld fi'n naked?' gofynnodd Mirain pan o'n i'n gorweddian ar ei gwely a hithau'n ei thywel ar ôl cael cawod. Roedd hi wastad mor guddiedig am ei chorff noeth (a minnau mor agored) ac mi o'n i'n gwybod fod hyn yn dod o le mor *selfless* er mwyn codi fy ysbryd.

Tynnodd ei thywel oddi amdani a gwneud tro araf. Astudiais ei chorff bendigedig a chododd gwên enfawr ar fy ngwyneb. Dechreuodd y ddwy ohonom chwerthin yn afreolus ac am 'chydig funudau, mi o'n i wedi llwyddo i anghofio.

Mi o'n i ar goll am wythnosau wedyn, yn methu bwyta, yn yfed gormod, yn teimlo'n hyll a heb reolaeth, yn teimlo cywilydd a siom, yn dal i gerdded milltiroedd bob nos. Dechreuais wneud storis #HuwGwynfor ar fy Instagram, yn y gobaith o ennyn rhyw newid mawr yn ei feddwl wrth iddo 'ngweld wrth ymyl *bicep* mawr un o'n ffrindiau.

Mae'n anodd dod dros rywbeth wnaeth ddim dechrau yn iawn, gan fod y person yma yn dal i fodoli yn eich pen fel sbesimen perffaith ac nid fel y person cyflawn, diffygiol ydyn nhw – ydan *ni i gyd* mewn gwirionedd. Mae 'na rywbeth tu hwnt o braf am fodoli ar dir neb heb fynd â phethau'n fwy siriys. Mae modd byw'r berthynas yn y meddwl heb orfod

237

byw'r realiti. Mi o'n i'n teimlo mor stiwpid am gael ffasiwn ymateb i rywbeth oedd ond wedi para 'chydig fisoedd. Gall y teimlad o wastraffu potensial fod yn waeth na dim. Mae o'n *killer*. Yr holl gwestiynu: be os fyswn i heb wneud hyn neu wedi gwneud rhywbeth yn wahanol? Os fysa dim ond *un* peth yn wahanol, fysa popeth yn wahanol? Mewn gwirionedd, mae'n debyg na fyddai pethau wedi gweithio allan am lwyth o resymau – oed, diddordebau, gwaith, amseru. Ond mae'r *beth os* 'na yn gallu chwarae ar y meddwl am amser maith.

'Dwi am neud chicken pie i swpar,' cyhoeddais un prynhawn Sul wrth Mirain ac Arthur. 'Pei i ddweud sori mod i 'di bod mor shit, a diolch i chi am fod mor dda.'

Treuliais drwy'r prynhawn yn paratoi swper yn araf, yn fesuredig, efo gofal a chariad a glasiad o win yn fy llaw. Mi oedd 'na gymaint o sicrwydd a chysur yn y broses o baratoi'r pryd, o weld y cennin yn meddalu fewn i'r menyn, y saws yn twchu, y pestri yn troi'n euraidd. Eisteddom rownd y bwrdd efo'n gilydd, y tri ohonom, am y tro cyntaf ers wythnosau, yn bwyta, yn chwerthin, yn mwynhau cwmni'n gilydd. Ac er ei fod o'n hynod o *cliché*, amser oedd y peth gorau i'n helpu i symud ymlaen a stopio dwelio dros y rhesymau pam. Efo pob wythnos oedd yn mynd heibio, mi oedd y gwacter yn cael ei lenwi efo rhywbeth newydd.

*

Pei deud diolch (Pei deud sori)

Bob tro dwi adra mae Elin yn mynnu mod i'n gwneud y pei 'ma. Mae o'n gallu cynhesu'r enaid ar brynhawniau gwlyb gaeafol, yn dda i leddfu hangofyr ac i ysgafnhau tor calon.

Cynhwysion
1 genhinen drwchus
Hanner blocyn o fenyn go iawn
Blawd
Halen a phupur
Lardons bacwn
Cyw iâr wedi ei dorri'n dameidiau
Jochiad o win gwyn
Jochiad golew o lefrith
Caws Cheddar
Caws Parmesan
Puff pastry

Dull
- Torrwch y cennin yn fân a'u ffrio mewn llwyth o fenyn a jochiad o win gwyn. Ychwanegwch halen a phupur yn hael.
- Ychwanegwch y bacwn a'i ffrio am 'chydig funudau gan ychwanegu mwy o fenyn os oes angen.
- Ychwanegwch y cyw iâr a'i ffrio tan ei fod wedi coginio drwyddo.
- Ychwanegwch flawd a chreu *roux*.
- Rhowch lefrith i fewn i'r gymysgedd tan fod 'na sos tew yn dechrau ffurfio.
- Ychwanegwch y ddau fath o gaws, digonedd ohono.
- Rhowch y cyfan mewn *pie dish* a gosod *puff pastry just-roll* ar ei ben. Ychwanegwch *egg wash*.
- Rhowch o'n y popty am o leiaf hanner awr tan ei fod yn frown euraidd.
- Codwch lond plât o fwyd i chi a'r bobl o'ch cwmpas. Bwytewch, bodlonwch a dal y bobl yma yn eich calon.

*

Y peth gwaethaf am orffen pethau efo rhywun, dim ots pa mor siriys oedd pethau, ydi clywed eu bod efo rhywun newydd, neu waeth, eu gweld efo rhywun newydd. Wrth gwrs, mi o'n i yn hanner disgwyl y newyddion am Paul pan ddywedodd Elin wrtha i. Do'n i ddim yn disgwyl i berson golygus yn ei ugeiniau cynnar beidio byth â mynd efo rhywun arall eto. A doeddan ni ddim hyd yn oed efo'n gilydd, dim yn iawn! Wrth gwrs, mi o'n i'n disgwyl hyn. Mi oedd 'na fisoedd wedi mynd heibio heb yr un gair; y *likes* ar Instagram oedd yr unig beth oedd yn fy atgoffa ei fod o'n berson go iawn a fod 'na *rywbeth* wedi digwydd. Mi o'n i'n disgwyl hyn.

Do'n i ddim hyd yn oed yn meddwl nac yn poeni amdano'n mynd efo rhywun arall, hynny ydi tan i mi glywed y newyddion. Mi o'n i'n meddwl mod i'n iawn, ond dyma'r geiriau yn troi fy stumog a gwneud i mi deimlo'n sâl. Roedd 'na ferch arall wedi teimlo'i gorff ar ei chroen, yn derbyn ei negeseuon, yn dominyddu ei feddyliau. Ro'n i wedi 'nghludo nôl i'r diwrnod wnaethon ni orffen a theimlais bwysau'r neges a'r distawrwydd ddilynodd unwaith eto, fel tasa'n digwydd am y tro cyntaf.

'Ti'n ocê?' gofynnodd fy chwaer

'Pwy 'di hi?'

Teipiais yr enw i fewn i Instagram i mi gael astudio ei phroffil. Es drwy'r lluniau ar ei grid (a'i *tagged photos*) gyda chrib mân fel taswn i'n bwriadu sefyll arholiad ar y pwnc. Sylwais ar ei llygaid gwyrddlas oedd yn disgleirio fel y môr ar ddiwrnod o haf, ei dillad lliwgar na fyswn i byth wedi'u gwisgo, ei ffrindiau'n chwerthin o'i hamgylch, y bars cŵl, y mynyddoedd, y traethau.

'Ti'n iawn?'

'Wel ffyc sakes, mae hi'n stunning, dydi.'

'Ti'n iawn?'

Roedd 'na ddistawrwydd am 'chydig.

'Yyy!' ebychais, o'r diwedd yn sylweddoli pam fod y newyddion wedi 'nharo gymaint – er mor blentynnaidd oedd hynny, mi o'n i isio bod y cyntaf i symud ymlaen (er bod yr arwyddion i gyd yn awgrymu ei fod o wedi gwneud yn barod).

Ychydig fisoedd yn ddiweddarach, roeddan ni'n dau yn ein holau yn Gwynfryn, yn ôl yn y lle wnaeth pob dim gychwyn. Mi fysan ni'n dal llygaid ein gilydd ar draws yr ardd yn lletchwith, yn trio cadw draw ond yn gwybod y bysan ni'n ffeindio ffordd at ein gilydd ymhen amser, y ddau fagnet tu fewn i ni yn dal yn tynnu'n gryf. Mi o'n i'n feddw ar win ac ar y teimlad fod *rhywbeth* dal yno, rhyw *unfinished business*, a chymerais y cam cyntaf, fflyrtio yn fwy agored, blincio fy llygaid. Do'n i'm yn siŵr os o'n i wir isio mynd efo fo, neu o'n i jest isio teimlo fel mod i dal yn gallu ei gael o, fel tasa hynny'n ffordd i mi grafu 'chydig o bŵer a hunan-barch yn ôl.

Y bore wedyn, roedd hi'n union fel yr haf eto ac mi o'n i'n gorwedd tra oedd o'n rhedeg ei ddwylo lawr fy nghefn fel tasa 'na ddim amser o gwbl wedi pasio. Ond mi oedd 'na amser wedi pasio. A doedd yr amgylchiadau a'r rhesymau pam heb newid. Ro'n i â 'mhen yn fy mhlu, yn methu credu mod i yn y sefyllfa 'ma eto, yn difaru ac yn teimlo fel mod i wedi cymryd cam anferthol yn ôl. Ella na jest secs oedd o iddo fo, ond roedd o'n amlwg yn golygu rhywbeth mwy i mi. Ac mi o'n i'n cicio fy hun am fod mor stiwpid.

Y diwrnod canlynol, cerddais 15 milltir ar hyd llwybr yr arfordir, yn gwrando ar albyms Taylor Swift i gyd. Ar ôl dod adra daeth Elin i'n stafell. Roedd hi'n *bystander* i berthynas Paul a fi – wedi synnu cymaint â phawb arall ond yn gefnogwr triw a byth yn beirniadu. Doedd hi ddim yn wahanol tro 'ma.

'Dwi'n teimlo fel idiot, Els. Hyd yn oed pan ti'n meddwl

mai chdi sy'n rheoli'r sefyllfa, mae hi dal mor anodd acshli bod mewn rheolaeth. Dwi'n teimlo 'tha bod o jest 'di iwsio fi, er mod i'n meddwl mai fi oedd yn iwsio fo. A 'wan mae o jest 'di pieio fi. Eto.'

Mi wnaeth Elin jest cropian i fewn i'r gwely wrth fy ochr a gafael yndda i.

"Di o'm yn ffycin haeddu chdi. He's a boy, not a man.'

'Dwi jest yn teimlo mor stiwpid.'

'Ti'm yn stiwpid o gwbl, bêbs.'

A gorweddom yno mewn distawrwydd, yn gafael yn ein gilydd gyda dealltwriaeth perffaith ddistaw tan i mi lithro fy nhroed at ei choes a chwalu'r llonyddwch.

Elin ydi'r person gorau dwi'n nabod, hi ydi'r peth mwyaf cyson yn fy mywyd, mae hi'n gwbl dragwyddol. Hi ydi'r *greatest, everlasting love of my life*, y math o gariad lle ti'n sefyll ar y soffa i weiddi dros y lle pa mor anhygoel ydi'r person 'ma ond ar yr un pryd sy'n rhywbeth sydd jest yna, yn bodoli'n dawel ac yn ddiffwdan. Does 'na neb arall dwi'n medru dweud bob dim wrthyn nhw, am y darnau tywyll, y darnau blêr, y darnau ohonaf i sy'n codi cywilydd arna i. Does 'na neb arall yn gwrando arna i fel mae hi'n gwneud, neb yn cynnig eu barn mor feddylgar, heb feirniadu. Does 'na neb yn medru gwneud i mi chwerthin fel mae hi'n gwneud, chwerthin o waelod fy mol nes mod i am bi-pi yn fy nicar. Mi ydan ni'n gallu dweud fod 'na rywbeth yn bod ar ein gilydd jest drwy un edrychiad, un tecst, y sill cyntaf mewn gair. Dwi byth yn teimlo fwy fel fi fy hun na phan dwi efo hi. Mae hi'n fy nghysylltu fi i bwy ydw i fel person ac o le dwi wedi dod. Mae hi'n dal fy nghalon yn ei chledrau: mae hi'n gwneud i mi deimlo'n saff ac i 'nghalon i deimlo'n llawn. Tydw i erioed wedi bod mor sicr o unrhyw un yn fy mywyd.

Ella bod fy mlwyddyn aur ddim wedi bod yr hyn o'n i'n

ddisgwyl iddi fod. Do'n i heb ddychmygu y byswn i'n symud adra ac yn cael ffling gwefreiddiol efo hogyn chwe mlynedd yn iau na fi. Do'n i heb ddychmygu y byswn i'n symud adra ac yn cael gwerthfawrogiad o 'ngwyneb a 'nghorff. Do'n i heb ddychmygu y byswn i'n symud adra ac yn canfod cariad newydd at Ben Llŷn, at yr ardd yn Gwynfryn, at fy rhieni, at fy chwaer, a chael dealltwriaeth ddyfnach o Mirain ac ohonaf i fy hun. Ond roedd hi'r flwyddyn fwyaf hudolus i mi ei chael. Na, doedd y flwyddyn ddim be o'n i'n ddisgwyl iddi fod, ond roedd hi'n union be o'n i angen. Mi wna i drysori fy mlwyddyn aur am byth.

Cwis: Ddylwn i decstio fo?
Na.

Os ti'n meddwl neu'n poeni y dyla chdi decstio rhywun, yna'r gwirionedd ydi na ddyla chdi ddim bod yn tecstio. Mi fyddi di'n teimlo'n hollol sicr os ydi rhywun yn licio chdi nôl.

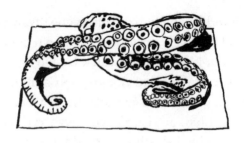

15. Sens

DEFFRÔDD Y BYD yn araf o drwmgwsg Cofid, dechreuodd Llundain droi i fod y ddinas oedd hi yn Ionawr 2020 eto, a dechreuodd fy nyddiadur lenwi unwaith eto. Cadwais fy hun yn brysur yn mynd allan efo ffrindiau, byth yn gwrthod cynnig i fynd am swper, neu i gael ticed sbâr i gìg neu i ffeindio esgus am barti. Ffrwydrodd fy mywyd cymdeithasol ac mi o'n i'n gobeithio y byddai fy mywyd carwriaethol i'n ffrwydro hefyd. Roedd 'na addewid y byddai haf 2021 fatha'r Summer of Love, yr holl bobl sengl oedd wedi colli bron i ddwy flynedd o ffwcio a dêtio yn cael y cyfle i ddod at ei gilydd i ddathlu eu rhyddid. Yn anffodus i'm bywyd carwriaethol, roedd lot o fy ffrindiau yn Llundain mewn perthynas neu'n hoyw, felly treuliais lot o nosweithiau mewn bars yn Soho ar ben podiyms neu'n sniffio *poppers* mewn sioeau drag ac yn gwirioni ar y Cwîns. Doedd 'na fyth ddiwedd i'n nosweithiau, ac mi fysa swper efo'r Clwb Cyri yn troi'n yfed Negronis i frecwast yn fflat Kyle a chario mlaen ymhell i'r prynhawn efo Ifan.

Roedd y byd yn wahanol ac roedd fy myd innau'n wahanol. Ro'n i'n dyheu i dreulio nosweithiau efo'r bobl do'n i heb eu gweld ddigon dros y cyfnod clo, yn bod yn hollol warthus efo nhw heb boeni os o'n i'n rhoi dynion strêt off efo pa mor wyllt o'n i. Ac mi o'n *i*'n wahanol, mi o'n i'n gwybod be oedd yn bwysig i mi, a doedd cael fflings diystyr ddim wir yn apelio ddim mwy. Mi o'n i isio secs, ond do'n i ddim isio deffro wrth ochr rhywun o'n i wedi'i gyfarfod mewn *haze* meddwol yn Clapham, ond doedd gen i chwaith ddim mynadd bod ar *apps* yn sweipio ac yn mân siarad efo dynion cyn penderfynu os oeddan nhw ddim yn *cringe* nac yn *creepy* ac ar y lefel iawn o *hipster* i fynd am ddiod efo nhw.

Ond erbyn hyn, mae 'na lot o gyplau yn cyfarfod ar-lein, felly roedd yn rhaid i mi wneud rhyw fath o ymdrech er cymaint o'n i'n casáu gorfod gwneud. Mi o'n i'n prysuro at fod yn 29 oed ac mi oedd hi'n hen bryd i mi ffeindio cariad, yn doedd?

Mae lot o fy ffrindiau wedi cyfarfod eu partneriaid hirdymor ar *apps* – boed hynny a nhwythau yn ymwybodol o fodolaeth y person yn barod a jest angen yr hwb o sweipio i gychwyn siarad, neu eu bod yn ddieithriaid llwyr. Y naill ffordd neu'r llall, does 'na ddim cywilydd yn y peth a tydi o ddim yn *big deal*, yn enwedig ymysg fy nghyfoedion i. Mewn ffordd mae'n agor y *dating pool* – dwyt ti ddim wedi dy gyfyngu i dy filltir sgwâr, i ffrindiau dy ffrindiau, i dy gyd-weithwyr: *the world is your oyster*. Mae Hinge a Tinder wedi 'ngalluogi i deithio'r byd.

Ond er hyn, ar ôl casgliad o ddêts cymedrol efo dynion cymedrol mi o'n i'n dechrau colli mynadd a ffydd yn y 'system'. Doedd 'na ddim byd yn bod ar y dynion 'ma, doeddan nhw jest ddim yn *iawn* i mi; mi o'n i wedi taflu'r rhwyd mor bell, mor farus yn fy ymgyrch i geisio darganfod dêt, dyn, cariad, heb wir ystyried be o'n i'n chwilio amdano, a'r nodweddion o'n i'n chwilio amdanyn nhw mewn partner rhamantus. Roedd o'n *numbers game*: mwy am y *quantity* ac nid y *quality*.

Doeddan nhw ddim yn rhoi'r gloÿnnod byw yn y bol a do'n i ddim yn gadael y dêt yn ysu i'w gweld nhw eto. Do'n i ddim yn teimlo gwefr yn gwibio drwy 'nghorff; y teimlad corfforol o *fethu* stopio gwenu fel giât, o *fethu* stopio chwerthin wrth gwestiynu os oedd y chwe awr olaf newydd ddigwydd, y cyffro a'r alcohol yn gwneud i mi deimlo'n hollol *high*. Dwi'n siŵr do'n i ddim yn gwneud i'r dynion deimlo fel'na chwaith. A jest fel o'n i'n dechrau teimlo'n ffed yp mi wnes i gyfarfod rhywun yn y byd go iawn.

Mi wnes i gyfarfod Benjamin am y tro cyntaf ar noson dyngedfennol yn Rowans – bar *karaoke* eiconig yn Finsbury Park, yn ddau lawr o hwyl a sbri a Jägerbombs. Roedd o'n ffrind i'n ffrind oedd digwydd bod allan yn yr un lle. Eisteddais wrth ei ochr wrth fwrdd picnic yn y lle smocio. Trodd ata i i gyflwyno'i hun ac yn syth bìn mi wnaeth ei lygaid mawr glas oedd yn edrych yn syth i'm llygaid wneud i mi deimlo rhyw gyffro tu hwnt i *buzz* y prosecco.

Fflachiodd fy ffôn ar y bwrdd a gwelodd fy *screensaver* – llun o Robert Pattinson a Kristen Stewart yn gwneud *shoot* i *Vanity Fair* yn 2009. Mi wnaeth fy stumog roi naid wrth glywed ei chwerthiniad am y tro cyntaf a gweld sut oedd ei wyneb a'i lygaid yn crychu wrth iddo chwerthin.

'How on earth is *Twilight* your screensaver?'

Ac yna mi o'n i'n giglo fel rhyw hogan ifanc ac roedd 'na rywbeth trydanol am y ffordd roedd top ein breichiau'n cyffwrdd, ein llygaid yn cyfarfod.

Edrychodd ar fy ffôn eto. 'I mean, how are they even doing that? She must be so uncomfortable, her back must be in agony!'

Cyn i mi feddwl be oedd yn digwydd, roeddan ni'n ail-greu y llun, fy mrest bron â dod allan o 'nhop, ei freichiau mawr cryf o 'nghwmpas. Eisteddom wrth y bwrdd picnic am weddill y noson, yn paldaruo siarad am bopeth, dim ond yn codi i nôl diodydd i'n gilydd, ein breichiau'n parhau i gyffwrdd, ein pengliniau'n brwsio'n erbyn ei gilydd.

Aethom yn ôl i fflat fy ffrind am barti, neb cweit yn barod i'r noson ddod i ben. Yn y parti dechreuais siarad efo pobl eraill oedd ddim yn barod i'r noson ddod i ben, wrth gyfnewid ambell i *look* efo Benjamin, oedd yn dweud bod gen i ddiddordeb ond mod i'm isio edrych yn rhy *keen* chwaith. Ar ôl 'chydig oriau yn y parti, penderfynais ei bod hi'n amser i mi fynd adra. Wrth i mi aros am fy Uber, dyma Benjamin yn fy nhynnu i un ochr a gofyn am fy rhif ac os o'n i awydd mynd am ddrinc; neidiodd fy stumog efo cyffro.

Tecstiodd y bore wedyn fel y gwnaeth o ddweud y bysa fo. Edrychais ar sgrin fy ffôn yn pendroni am fy ateb fel taswn i'n trio cracio cod amhosib. Tydw i erioed wedi bod yn dda am decstio hogia. Do'n i'm wir yn tecstio hogia pan o'n i'n fy arddegau ac erbyn mod i'n mynd allan doedd gan yr hogia o'n i'n snogio neu'n ffwcio ddim diddordeb mewn tecstio y diwrnod wedyn beth bynnag. Mi o'n i'n gyson yn mynd am ddynion oedd mond fy isio i am noson, a nesh i'm sylwi pa mor niweidiol oedd hynny achos rŵan do'n i methu handlo bod yn y stêj tecstio hyd yn oed.

Roedd Alys a Megan yn wych am fod yn y stêj tecstio, yn medru cynnal sgwrs dros decst am oes. Ond os oes 'na hogyn yn fy nhecstio fi, cyn i mi hyd yn oed ddarllen y neges yn iawn fy ymateb yn syth ydi 'be 'na i atab?' Mae o fel tasa fy meddwl i'n mynd yn hollol wag, a dwi'm yn cysidro pa mor hawdd fysa ateb tecst yn gofyn 'sut wt ti?' efo 'dwi'n iawn, diolch'. Dwi'n meddwl ei fod o i gyd yn deillio nôl i'r un hen beth – mod i jest ddim yn dallt hogia, bron i dri deg mlynedd i fewn i 'mywyd i. Neu o bosib, dwi dal mor ansicr am be mae dynion yn feddwl ohonaf i a wastad yn poeni y bydd fy ateb yn gwneud iddyn nhw beidio fy licio neu mod i'n defnyddio ymadrodd sy'n gwneud iddyn nhw feddwl mod i'n od.

Nath Alys ddweud wrtha i ei bod hi'n amhosib i bob un tecst fod yn ffyni neu gynnwys *banter* – weithiau maen nhw jest yn goro bod yn 'chydig bach o slafdod er mwyn cadw'r momentwm.

'Weithiau ma'r tecsts cynta jest yn purely functional sti,' meddai. 'Neith pethau lifo'n haws pan ti'n nabod nhw'n well. Meddylia am y tecstio 'ma fel setting the groundwork, fel a means to an end – dêt.'

'Nes i drio cadw geiriau Alys yn fy mhen pan o'n i'n tecstio Benjamin dros y dyddiau nesaf. *Purely functional; setting the groundwork; a means to an end.*

Yna gofynnodd Benjamin os o'n i ffansi ei gyfarfod un noson.

Roedd 'na jest un broblem efo Benjamin ac roedd hi'n uffar o broblem i mi. Roedd o'n fy mwyta i'n fyw; mi o'n i off fy mwyd a bob dim. Roedd Benjamin fwy neu lai yr un taldra â fi – ella mod i 'chydig bach yn dalach na fo.

Yn union fel pan o'n i'n obsesio dros y ffaith mod i'n hŷn na Paul, mi wnes i ddechrau obsesio efo'r ffaith mod i'n dalach na Benjamin. Roedd yr un teimlad yn dew yndda i – fel tasa'n rhywbeth annaturiol – doedd merch ddim i fod yn dalach na'r dyn. Yn amlwg, mae hyn yn rhyw fath arall o *internalised misogyny* achos be uffar sy'n bod ar ddynas sy'n dalach na dyn? Mi fyswn i'n ffeindio cyplau enwog lle roedd y ferch yn dalach na'r dyn fel tasa hynny'n golygu mod i ddim yn gwneud rhywbeth anghywir a mod i'n cael *seal of approval* cymdeithasol: Jamie Cullum a Sophie Dahl, Tom Holland a Zendaya. Mae'r *mindset* yn hollol *fucked up* ac mae o'n hynod niweidiol. Mi o'n i'n cysidro peidio mynd ar ddêt efo boi o'n i rili wedi mwynhau ei gwmni oherwydd mod i o bosib yn dalach na fo – yn sicr yn dalach na fo mewn *heels*. Mae o hefyd yn ychwanegu at y naratif dinistriol fod merch i fod yn llai na dyn ac mae hynny'n hurt bost.

Erbyn diwedd yr wythnos ganlynol, mi o'n i'n eistedd dros ffordd i Benjamin mewn tafarn yng nghanol Llundain, yn sipian gwin coch oedd o wedi'i archebu i mi. Hedfanodd yr oriau wrth i ni chwerthin, cyfnewid straeon a chymharu ein Spotify Wrapped.

Mewn ffordd, roedd mynd ar ddêt efo fo'n hawdd achos mi oedd o'n teimlo fel bod rhywun wedi ei fetio fo'n barod. Doedd o ddim am fod yn *complete and utter dick* neu mi fysa fy ffrind wedi'n rhybuddio i. Ac roedd 'na ryw ffantasi'n ffurfio'n barod am fynd ar ddybl dêts.

'Are you hungry? I think there's a good tapas restaurant down there.'

Mae gen i reol dim bwyta ar y dêt cyntaf fel arfer, ond sut o'n i'n medru gwrthod?

Cerddom i lawr y stryd fach garegog i'r bwyty tapas, ei law yn cyffwrdd y pant yng ngwaelod fy nghefn wrth iddo agor y drws i mi a'm harwain i fewn. Ro'n i'n eistedd dros ffordd iddo wrth fwrdd pren cul wedi'i oleuo gyda chanhwyllau bach, â cherddoriaeth Sbaeneg yn lladd mân siarad y cyplau eraill ar y byrddau cul o'n cwmpas. Mi archebon ni fwyd môr a *chorizo*, llwyth o batatas bravas a galwyni o Falbec oedd yn cael ei dollti o garáff. Cyrhaeddodd octopws i'n bwrdd a chyn iddo gael cyfle i feddwl mod i ddim yn ddiwylliedig, roedd fy ngheg i'n llawn *tentacles* nerthol.

Ar ôl golchi'r octopws i lawr, dyma'r sgwrsio'n parhau ac yna plygodd ar draws y bwrdd a rhoi uffar o snog i mi. Roedd ei wefusau'n anghyfarwydd ac yn seimllyd, ei geg yn gynnes ac yn fy nhynnu i fewn. Doedd gen i ddim cywilydd mod i'n snogio mor agored uwchben llond bwrdd o fwyd Sbaenaidd, roedd y cyffro a'r hud wedi fy ngorchfygu. Er bod y noson yn teimlo mor aeddfed, roedd ei snogio fo'n gwneud i mi deimlo fel hogan ifanc eto.

Cerddom i'r stesion gan chwerthin ac eistedd tu allan yn aros am drên olaf y ddau ohonom, yn snogio ac yn siarad am yn ail. Eisteddais ar y trên yn *methu* stopio gwenu fel giât, yn *methu* stopio chwerthin wrth gwestiynu os oedd y chwe awr olaf newydd ddigwydd, y cyffro a'r alcohol yn gwneud i mi deimlo'n hollol *high*. Dim *fireworks* ydi bob dim, ond Iesu, mae'n deimlad heb ei ail pan ti'n eu cael. Roedd o'n teimlo fel y dêt gorau mi ei gael erioed.

Roedd y tecsts 'Ti adra'n saff bêb?' a 'DEUD BOB DIM!' a 'Sut athi?' wedi pentyrru i fewn i'm *notifications* erbyn y bore, ond do'n i ddim ond yn gallu gweld un swigen werdd ar fy ffôn:

'I really enjoyed last night. Let's do it again.'

Ac yna mi o'n i'n gorwedd yn fy ngwely yn gwenu, yn chwerthin ac yn cicio 'nghoesau o dan y cwilt, yn methu codi i fynd i 'ngwaith oherwydd do'n i ddim isio wynebu realiti a chwalu'r teimlad godidog 'ma. Am y tro cyntaf ers oes, mi o'n i'n teimlo'r cyffro yn gwibio drwy 'ngwythiennau. Dim yn aml wyt ti'n cael dêt sydd yn cynnau tân tu fewn i chdi, sy'n gwneud i chdi ysu i weld y person arall eto.

Ond er yr holl deimladau, y cyffro a'r ffaith mod i o bosib yn *licio*'r person 'ma, mi oedd hi dal yn anodd cadw momentwm ar y dechrau. Mae 'na gymaint sydd ddim yn cael ei ddweud, pethau, o bosib, nad ydi rhywun yn gallu eu dweud. Mae'n haws bod yn *aloof* ac yn gaeëdig yn lle bod yn onest, er y bysa gonestrwydd yn brifo llai yn y pen draw, yn atal yr holl orfeddwl a darllen i fewn i negeseuon. Gwaeth na hynny ydi darllen i fewn i'r amser rhwng negeseuon – gall oriau deimlo fel dyddiau.

Mi fyswn i'n mynd drwy bum cam galar wrth aros am decst:

Gwadu

Mae'n rhaid fod o'n brysur. Mae'n rhaid fod o ddim yn un o'r bobl 'na sydd ar ei ffôn bob munud. Mae o'n *free spirit*. 'Di o ddim yn dympio fi. Mae o wedi dweud fod ei fywyd o'n *manic*.

Gwylltineb

Tydi o heb ateb tecst ers neithiwr, ond mae wedi bod *online* ac wedi postio stori ar Instagram. Efo hogan *blonde*. Does ganddo fo ddim dau funud i ateb neges gen i? Ond eto, mae o'n gallu bwyta *oysters* efo dynas arall. Mae o'n *dickhead*. Dwi methu credu y bysa rhywun fel fo yn dympio rhywun *fel fi*; wedi'r cwbl, roedd o'n blydi lwcus i gael rhywun *fel fi*. Oedd o rhy fyr p'run bynnag.

Bargeinio

Os dwi ddim yn sbio ar fy ffôn am awr rŵan, mi fydd o wedi tecstio nôl pan dwi'n sbio nesaf.

Tristwch

Mi o'n i'n rili licio hwn 'fyd, mi oeddan ni wir wedi clicio. 'Nes i wneud rhywbeth o'i le? 'Nes i ddod drosodd rhy *keen*? O'n i'n gofyn gormod yn disgwyl tecsts nôl? Ella mod i'n rhy dal iddo fo.

Derbyn

Another one bites the dust! Ofnadwy o siomedig, ond dyna fo. Mi gofia i amdano fel y boi octopws a diolch iddo am stori dda a 'chydig bach o *self-growth*.

Ar ôl derbyn ella mod i ddim am glywed gan Benjamin eto, mi fyswn i'n sweipio ar Hinge fel taswn i am ddial arno. Ac yna, mi fyswn i'n derbyn neges ganddo ac efo'r neges mi fysa'r teimladau 'na i gyd yn diflannu a'r teimlad *fuzzy* o dderbyn neges gan y person o'n i'n licio yn dychwelyd. Weithiau dwi'n genfigennus o genhedlaeth fy rhieni. Roeddan nhw'n cyfarfod drwy ffrindiau mewn tafarn neu glwb rygbi lleol, yna'n codi'r ffôn am sgwrs ac i wneud cynlluniau i gyfarfod yn y lle hwn ar yr amser yna a dros y dyddiau wedyn roeddan nhw'n cael edrych ymlaen at weld y person. Yna mi fysan nhw'n cyfarfod ac yn dod i nabod ei gilydd ar y dêt, dros swper a glasiad o rywbeth chwerw. Ar ôl hynny mi fysan nhw'n ffonio'i gilydd eto ac yn gwneud yr un peth tan iddyn nhw briodi. Doedd 'na ddim o'r gorfod gesio be oedd y llall yn feddwl os oeddan nhw'n defnyddio *emoji* bawd neu'n cymryd awr neu ddiwrnod i ateb neges.

Cawsom ail ddêt ac roedd yr ail yn well na'r cyntaf. Aethom am swper i fwyty Eidalaidd yn Marylebone oedd yn cael ei redeg gan deulu Eidalaidd. Roedd y goleuadau'n isel, roedd 'na winoedd yn bentyrrau ar y silffoedd uchel oedd yn gorchuddio'r waliau a doedd 'na ddim cerddoriaeth yn cael ei chwarae, dim ond lleisiau cwsmeriaid llon yn atseinio ar hyd y stafell. Roedd acen y gweinydd mor gryf, roedd o fel petai'n actio bod yn Eidalwr, ei wyneb yn goleuo wrth iddo adael i ni wybod am y *truffle pasta* oedd yn costio £55 am fowlen.

Dyma ni'n archebu *olives*, *bruschetta* a dau basta gwahanol a rhannu'r cwbl. Roedd ein cyd-nerfusrwydd oedd i'w deimlo mor gryf ar y dêt cyntaf wedi'i ddistyllu fymryn erbyn rŵan ac roedd ein pengliniau'n cyffwrdd o dan y bwrdd, crechwen barhaus ar ein gwynebau wrth i ni helpu'n hunain i basta'n gilydd. Roeddan ni'n siarad am yn ail, gormod i'w ddweud, ac mi o'n i mor farus, isio gwybod bob dim am y dyn 'ma o 'mlaen i. Pwy oedd o'n yr ysgol? Pwy oedd y merched oedd wedi torri ei galon? Calonnau pwy oedd o wedi eu torri? Sut berson oedd ei fam? Sut oedd o'n yfed ei de?

Wrth gerdded adra mi o'n i'n gwenu o glust i glust yn dychmygu'r dyfodol – yn methu peidio â gadael i'r pen cymylog fynd i ryw fyd dychmygol lle roeddan ni'n mynd allan efo'n gilydd. Roedd 'na gymaint o addewid efo Benjamin yn y byd go iawn ond ro'n i'n barod wedi creu fersiwn dychmygol ohono. O'n i wir isio i bethau fynd yn bellach efo hwn neu o'n i wedi disgyn i fewn i'r un trap â phob tro arall o'n i wedi bod efo rhywun? Yn jest mwynhau y teimlad o gael fy licio, yn cario mlaen efo rhywbeth achos mod i'n licio sylw? Mae'r llinell mor anodd i'w throedio pan mae dy hunan-werth wastad wedi dod o'r hyn mae dynion yn feddwl ohona chdi.

*

Parhaom i weld ein gilydd am 'chydig fisoedd, gan gyrraedd y stêj lle o'n i'n hapus iddo 'ngweld i yn fy slipars, yn fwy sicr mod i'n ei licio ac yn mwynhau'r nosweithiau domestig yn ogystal â'r rhai gwyllt. A dyna pryd ddaeth y clincar, un noson wrth i mi baratoi pasta Anti Einir iddo fo yn fy nghegin.

'You're very hard to read.'

Edrychais arno. Sut o'n i wedi cael dyn arall yn dweud hyn wrtha i?

'I don't think I'm hard to read but if there's anything you do want to know, just ask,' atebais gan geisio cadw'n llais yn niwtral a throi fy nghefn wrth ddal ati i dorri *chorizo*.

Mae dechrau gweld rhywun yn gallu codi lot o gwestiynau amdana chdi dy hun a'r pethau ti'n poeni amdanyn nhw fwyaf: pam fod y dynion 'ma i gyd yn dod i'r un casgliad?

Mod i'n oeraidd ac yn anodd fy narllen.

'Ti jest yn mysterious, bêb,' dywedodd fy chwaer dros y ffôn y bore wedyn.

'Dwi'n emotionally unavailable,' atebais innau. 'Pam bo literally bob un hogyn yn deud hyn? A mae genna i intimacy issues! A dwi'm yn gwybod be dwi isho.'

'Ti ond yn nabod y boi mae ers 'chydig fisoedd. Ti'm yn nabod o! Be mae'n ddisgwyl? Ti'm yn open book efo neb – os 'di o methu handlo cymryd amsar i ddod i nabod chdi, wel 'na fo 'de. A hefyd ti 'di gwahodd o i'r fflat a neud swpar ac o'dd o 'di dod â brwsh dannadd efo fo – 'di'r boi'n thick ne wbath? Mae hynna gyd yn eitha obvious i fi.'

Ond mi o'n i'n dal i feddwl fod 'na rywbeth yn bod arna i. Mi o'n i'n meddwl mod i wir wedi gwella ac yn llawer mwy agored ers Tristan a Paul. Roedd Alys wastad yn fy nghanmol am y *self-growth* ar ôl Paul.

'Paid â gadael i dy hun gau fyny rŵan. Ti 'di agor fyny mor dda sti.'

Mi o'n i'n gwybod mod i'n byw yn fy mhen yn aml, ond do'n i heb sylwi pa mor gaeëdig ac anodd i'w ddarllen o'n i'n ymddangos i bawb arall.

Mi o'n i'n trio fy ngorau yn fama. Mae bod yn agored ar y dechrau, rhoi dy hun ar y lein – i ddêtio, i garu, i archwilio posibilrwydd efo person arall – yn ofnadwy o anodd. Os o'n i am fod yn *emotionally available* roedd rhaid i mi fod yn agored ac yn barod i gael fy mrifo. Yr unig beth oedd yn fy nal i'n ôl oedd yr ofn. Roedd rhaid i mi fod yn ddi-ofn.

Cawsom fisoedd o wynfyd pur, o ddod i nabod ein gilydd, o chwerthin, o fynd allan am swper, o goginio a golchi llestri, ond yn fuan iawn dechreuodd yr esgusodion bentyrru wrth i ni drefnu pryd oeddan ni am weld ein gilydd nesaf. Roedd o'n rhy brysur, roedd ei fywyd o'n *manic*, roedd ganddo lot yn mynd mlaen a doedd o methu 'ngweld i am fis cyfan.

Mae 'na bwynt yn cyrraedd lle ti'n gorfod gofyn i chdi

dy hun faint yn hirach wyt ti'n fodlon aros i'r person 'ma dy decstio di, gwneud ymdrech efo chdi, dy licio di nôl. Neu i dy licio di gymaint â ti'n haeddu cael dy licio ac i roi amser i chdi. Mi o'n i'n fodlon rhoi fy amser iddo fo, yn fodlon aildrefnu nosweithiau ac yn fodlon rhoi nosweithiau premiwm iddo er mwyn cael ei weld, ac yn aros ac aros iddo fo drefnu noson heb gysidro fod yr ateb o 'mlaen i'n blwmp ac yn blaen: os fysa ganddo fo ddigon o ddiddordeb, yna mi fysa fo'n gwneud mwy o ymdrech.

Faint ddylai rhywun gyfaddawdu ar y dechrau? Mae hi mor hawdd dal ar y geiriau sydd *yn* cael eu dweud fel dal ar fwi mewn storm: 'ti'n golygu lot i fi', 'dwi'n licio chdi', 'dwi isio dy weld di'. Ond pan does 'na ddim gweithred yn dilyn y geiriau, faint o bwysa ddylid ei roi ar y geiriau hynny? Os nad ydi rhywun yn *dangos* i chdi dy fod di'n golygu rhywbeth, wyt ti'n golygu unrhyw beth mewn gwirionedd?

Er yr holl hwyl, yr holl amser o'n i wedi'i dreulio'n meddwl amdano fo, yn meddwl am faint oedd o'n meddwl amdana i, o'n i'n fodlon gwastraffu mwy o fy amser? Mi all deimlo fel boddi mewn môr o siom achos mi oedd y person yma'n gwneud i mi deimlo'n benysgafn ac yn rhoi pilipalas yn fy mol. Ond mewn achos fel'ma mae'n rhaid trio bod yn gryf achos dyna pryd mae rhywun yn derbyn llai na maen nhw'n ei haeddu. Mae'n rhy hawdd rhoi dy hun yn ail pan ti'n licio'r person ac yn meddwl fod 'na gysylltiad.

Ac er fod 'na wythnosau wedi pasio, mi oedd 'na dal ran ohonaf i yn aros am decst ganddo. Mi fyswn i'n perswadio fy hun bod ei fywyd o *genuinely* yn *manic*. Oedd y ffaith fod o'n dweud ei fod o dal i'n licio fi yn ddigon i wneud i mi aros? Ac ydi rhywun wir yn rhy brysur i ateb un tecst? Ydi rhywun yn brysur bob un noson o'r wythnos? Ar ôl mis o aros amdano, yn paratoi fy hun i ganslo fy mhlaniau ar y funud olaf rhag ofn ei fod o'n rhydd, roedd o wedi troi fyny ym mharti fy ffrind a ffrind i ffrind iddo fo – a hynny ar nos Wener. Doedd bosib ei fod o mor brysur â hynny felly? Cefais dro yn fy mol wrth ei stydio'n cerdded tuag ata i, wrth sylwi ar ei gôt newydd, ei drainers cyfarwydd, ei wallt yn fyrrach na'r tro dwythaf i mi'i weld o.

Daeth ata i i siarad yn y lle smocio ar ochr y stryd, fy ffrindiau'n ei heglu hi'n ôl i fewn i mi gael llonydd, eu wincs a'u crechwenau yn fy ngalfaneiddio. Am y tro cyntaf erioed, mi o'n i'n medru dweud mod i'n haeddu gwell na rhywun oedd ddim yn tecstio am wythnosau ac yna'n troi fyny ym mharti fy ffrind.

Dechreuom siarad ac roedd y sgwrs yn llifo'n braf, yn gwneud i'm stumog i neidio. Gofynnodd os o'n i awydd mynd am ddrinc arall.

'Cause I really do like you, Gwen, I've just been shit at making it happen.'

A'r peth oedd, doedd Benjamin ddim yn foi drwg, fel yr holl hogia oedd wedi ymddangos am ambell i ffling drwy gydol fy mywyd, ond doedd o ddim yn foi da chwaith. Mae'r bar mor isel nes bod boi sydd ddim yn dy drin di'n ddrwg yn teimlo'n ddigon da. Er mod i'n dal i deimlo ychydig bach yn *giddy* o'i gwmpas, mi o'n i isio mwy na hynny: mi o'n i isio ac mi o'n i'n haeddu rhywun oedd yn medru rhoi amser i mi. Dyna'r lleiaf fedr rhywun ei wneud.

'You know what, Benjamin, I don't want to see you again actually. I don't enjoy not knowing where I stand and then having you turn up at my friend's party. And you have been shit. And I don't want to be with someone who makes *me* feel like shit. So you can get in the bin, actually.'

Cerddais yn ôl i fewn i'r bar a thollti gwydriad mawr o win i mi fy hun wrth i freichiau fy ffrindiau afael amdana i a fy nhynnu fewn i'w cylch clyd, cynnes i ymuno yn ôl yn y sgwrs.

Do'n i ddim isio teimlo'n ansicr, ddim isio poeni am pryd fyswn i'n gweld ei enw'n fflachio ar fy sgrin heb sôn am boeni os fyswn i'n ei weld o. Flynyddoedd ynghynt fyswn i heb wrando ar fy ngreddf o gwbl, ond yn hytrach wedi cario mlaen efo be bynnag oedd yn digwydd, fyntau yn rheoli'r sefyllfa a finnau jest yn oddefol achos mod i'n mwynhau y teimlad o gael fy licio. Roedd hi wedi cymryd dros ddegawd i mi sylweddoli fod rhoi fy hun gyntaf yn opsiwn.

Cerddais oddi wrtho y noson honno yn teimlo gwefr. Nid yr un wefr â dêt llwyddiannus, nid yr un wefr â neges yn ymddangos ar sgrin fy ffôn, nid yr un wefr â chyffwrdd gwefusau rhywun am y tro cyntaf. Ond ella'i bod hi'n wefr well. Roedd dewis fi fy hun yn teimlo'n well na setlo am rywbeth llai nag o'n i'n ei haeddu. Roedd hi'n wefr oedd yn teimlo fel tasa'r hyn oedd yn pwyso arna i ers misoedd yn codi o'r diwedd: mi o'n i'n rhydd. Ac mi o'n i' teimlo'n ffantastig.

*

Pethau mae pobl wedi eu gofyn i mi
- Pam ti'n sengl?
- Pryd wyt ti am ffeindio dyn?
- Ti'n lesbian?
- Sut wyt ti am ffeindio gŵr yn gwneud hynna?
- Ydi hi'n amsar i chdi setlo lawr bellach?
- Faint o secs wyt ti'n gael?
- Ti'n meddwl 'sa chdi'n ddistawach y bysa dynion yn licio chdi fwy?
- Pam bo chdi'n gwneud dy wallt yn lliwia gwirion fel'na?
- Ti'n meddwl bo chdi'n rhy wyllt i gael cariad?
- Tisho plant?

- Ti'n meddwl neith 'na ddyn gymryd chdi pan ti'n gwneud pethau fel'na?
- Ti'n cofio mynd efo'r boi 'na neithiwr?
- Ti'n cofio dangos dy frestia neithiwr?
- Ti'n edrach yn loud. Ti'n loud, dwyt?
- Ti angan y drinc 'na?
- Ti angan prynu'r headband gliterog 'na?
- Ti am decstio fo?
- Ti'n nyts, dwyt?
- Ti am fod yn fwy agored 'wan?
- Ti'n emotionally unavailable?
- Ti'm yn teimlo 'tha bo chdi'n methu allan 'chos ti'm efo cariad?
- Ti am fynd allan yn edrach fel'na?
- Plenty more fish, does?

16. Sgen i'm syniad

Pethau sy'n bwysig i mi yn 29 oed

- Gwerthfawrogi'r bobl wych sydd yn fy mywyd i'n barod
- Gwneud yn siŵr mod i'n ffonio'n rhieni yn aml
- Bod yn ferch, chwaer a ffrind cydwybodol,
  ffyddlon, sy'n bresennol
- Ail gyfres *Bridgerton*
- Cael gwallt neis
- Gwisgo SPF
- Mwynhau a llwyddo yn fy ngwaith
- Gosod *boundaries*
- Sgwennu i mi fy hun, a dim i blesio pobl eraill
- Byw bywyd i mi fy hun, a dim i blesio pobl eraill

MAE BRON IAWN pob un o fy ffrindiau agosaf i mewn perthynas hirdymor a dwi'n ofnadwy o hapus drostyn nhw. Dwi'n caru cariad, a dwi wrth fy modd yn cael dathlu cariad fy ffrindiau, wrth fy modd yn mynd i'w priodasau, wrth fy modd yn cyfarfod eu plant. Mae rhai o ddyddiau gorau fy mywyd wedi cael eu treulio yn dathlu mewn priodasau ac mae 'na gymaint o elfennau o'r diwrnod dwi'n eu caru: y nerfusrwydd cyffrous wrth i mi wneud fy ffordd i'r Capel, pan dwi'n gweld y briodferch am y tro cyntaf, y *speeches*, dawnsio efo tei y *best man* o amgylch fy mhen, dwi wrth fy modd efo pob eiliad o'r diwrnod. Tydi'r hapusrwydd dwi'n deimlo drostyn nhw ddim yn blasu'n chwerw neu wedi ei liwio â chenfigen am fy mod i'n sengl. Tydw i ddim yn teimlo fel mod i'n cael fy ngadael ar ôl. Dwi'n hollol sicr yn fy hapusrwydd drostyn nhw.

Mae 'na ddau fath gwahanol o gwpwl: cyplau sy'n hapus i wneud pethau efo person sengl a chyplau sydd ond yn gwneud pethau efo cyplau eraill. Gall y pethau yma gynnwys gwyliau, *dinner parties*, nosweithiau allan, penwythnosau i ffwrdd. Tydi rhai cyplau ddim isio cymdeithasu efo pobl sengl am ei fod o am wneud eu tripiau yn ddrytach neu amharu ar falans y bwrdd; fel petai pobl sengl am wenwyno pawb efo'u sengl-rwydd neu am drio dwyn eu cariadon. Dywedodd rhywun wrtha i ei bod hi ddim isio mynd allan ddim mwy a'i bod hi ond isio mynd i swpera efo cyplau eraill. Gwnaeth y sylw i mi deimlo fel mod i'n byw ar ricyn isaf cymdeithas – fel tasa fy mywyd i'n ddibwys, fel mod *i*'n ddibwys a mod i ddim yn haeddu cael bod allan efo cwpwl (er mod i'n byw efo cwpwl!). Sylwadau difeddwl fel'na sy'n gwneud i berson sengl deimlo'n unig. Mae fy mywyd i'n edrych yn wahanol ond tydi o ddim yn golygu ei fod o'n llai pwysig.

Dwi wrth fy modd yn gweld cariad rhwng dau berson yn blaguro a dwi wrth fy modd yn gweld sut mae pobl yn cynnal eu cariad dros amser. Ac er bod y ffordd dwi'n gweld cariad a'r byd wedi ei ddylanwadu'n gryf gan ffilmiau rhamantus a datganiadau mawreddog, dwi'n gwybod mod i ddim yn fodlon setlo am rywun sydd ddim yn gwneud i mi deimlo tân yn fy mol, sydd ddim yn fodlon dangos parch a ffyddlondeb distaw tuag ata i. Mae'r syniad o orfod setlo am rywun yn gwneud i mi deimlo panig mwy na'r ffaith o fod ar fy mhen fy hun. Dwi o'r diwedd yn gwbl fodlon yndda i fy hun, ddim angen neb i wneud i mi deimlo'n well amdana i fy hun. Ond dim fel'na mae cymdeithas yn ei gweld hi.

Cwestiwn dwi wedi'i ofyn i'n hun yn gyson ar adegau gwahanol drwy fy mywyd ydi: be sy'n bod arna i? Tydw i erioed wedi gallu cario perthynas dros y llinell derfyn i fewn i dir swyddogol, wastad yn disgyn ar yr hyrdl olaf, weithiau'n baglu ar bwrpas. Os fysa ffling byrhoedlog yn dod i ben, fy ymateb naturiol oedd cwestiynu be oedd yn bod arna i yn syth – fy mhersonoliaeth, fy nghorff, fy ngwyneb, heb gysidro dim byd arall. Y peth olaf fyswn i'n gysidro fysa fod y person arall ddim yn iawn i mi, neu mod innau ddim yn iawn iddyn nhw, a fyswn i byth yn meddwl am eu hedrychiad na'u personoliaeth nhw.

Roedd y ffordd o'n i'n actio efo pob hogyn ro'n i'n ei fachu yn union hynny – actio. Mi fyswn i'n gwneud fy hun yn llai, yn plygu pob ffordd i ffitio i fewn i'w bywydau neu'n ysu iddyn nhw fy licio i gymaint nes mod i'n stopio mynegi unrhyw farn – yn dal i fod mor oddefol ac *adaptable*. Mi fyswn i wastad yn *go-with-the-flow* er mwyn ymddangos yn cŵl, er mwyn trio'u perswadio nhw mai fi oedd y person oeddan *nhw* isho. Ac mae cyfarfod pobl ar-lein yn mynd i fwydo'r teimlad 'ma fwy am ei fod o mor arwynebol – mi wyt ti'n gwneud yr un peth ti wedi cael dy ddysgu i beidio'i wneud: beirniadu rhywun cyn ei nabod. Mewn gwirionedd, am ba hyd wyt ti'n aros efo rhywun achos eu bod nhw'n ddel? Mae 'na gymaint mwy i berthynas na'r ffordd mae dy bartner di'n edrych. Mae 'na gymaint mwy i bobl na'r ffordd maen nhw'n edrych. Tydw i erioed wedi peidio bod yn ffrindiau efo rhywun oherwydd y ffordd maen nhw'n edrych, felly pam fod o'n wahanol pan mae'n dod at bartneriaid rhamantus?

Unwaith wyt ti o gwmpas dy ugeiniau hwyr, mae'r

pwysau a'r disgwyliadau yn teimlo'n drymach. Os wyt ti'n ferch o oedran penodol mi wneith cymdeithas dy frandio fel methiant, neu ddim yn ddigon tenau, del, byr, tal, *curvy* – neu'n *ormod* os wyt ti'n sengl achos erbyn dy ugeiniau hwyr dyla bo chdi wedi setlo lawr bellach. Mae cymdeithas wedi ei chynllunio, hyd heddiw, ar gyfer cyplau heterorywiol – priodi a chael plant ydi'r pethau sy'n cael eu dathlu fwyaf yn ein cymdeithas.

O oedran ifanc, mae'r delfrydau heteronormatif confensiynol mewn cymdeithas yn adeiladu tuag at fod mewn cwpwl: yn y cyfryngau 'dan ni'n ddarllen, y ffilmiau 'dan ni'n wylio, hyd yn oed yn y teganau 'dan ni'n chwarae efo nhw. O oedran ifanc mae merched yn cael eu rhaglennu i ymddwyn a dyheu i fod yn *care-givers*. Ac os ydyn nhw am fod yn famau, maen nhw'n amlwg angen gŵr. Mae cymdeithas wedi ei seilio ar wneud i ferched deimlo mai'r unig ffordd o fyw ydi drwy fod mewn cwpwl, drwy fod yn un hanner i berson arall. Yn amlwg, does 'na uffar o ddim byd yn bod ar hynny. Be dwi'n drio'i ddweud ydi ei bod hi'n bosib cael bywyd sy'n llawn cariad ac ecstasi a boddhad heb orfod bod mewn cwpwl, os mai dyna mae rhywun isho.

Ac mae'r syniad fod bywyd merch yn ddibwrpas os nad ydi hi isio priodi a chael plant yn hurt bost (ac mae'r syniad nad ydi hi'n ddynas os tydi hi ddim yn cael plant yn fwy hurt fyth). Yn *When Harry Met Sally*, mae Sally'n dweud: 'And it's not the same for men!' Ac mae hynny'n gwbl wir. Tydi cymdeithas ddim yn beirniadu dynion mor hallt am fod yn sengl yn bell i fewn i'w tridegau, neu eu pedwardegau hyd yn oed. Ac os ydyn nhw, does 'na neb yn eu trin fel tasa'u bywydau drosodd neu eu bod yn chwilio'n ddi-baid am wraig neu'n aros i gael plant. Does 'na neb yn eu trin fel methiant – maen nhw jest wedi penderfynu cael y bywyd 'na.

Mae'r syniad dy fod wedi methu fel merch os does gen ti ddim cariad yn hollol wirion; mae o'n bwydo fewn i'r syniad fod gan ferch ddim rôl neu ddim dewis yn y mater; mai nhw ydi'r rhai sy'n cael eu dewis gan ddynion – yn debyg i'r ffordd o'n i'n ymddwyn drwy gydol fy arddegau a'n ugeiniau cynnar. Roedd fy rôl i'n *passive*, a bron nad oedd gen i rôl o gwbl achos mod i'n shifftio ac yn newid fy anghenion i, gyda phob hogyn neu ddyn o'n i'n ymwneud ag o.

Ar ôl i Benjamin a fi ddod i ben, mi o'n i ar y ffôn efo Alys yn cwyno mod i'n sengl.

'Ydw i am ffeindio rywun? Dwi'n teimlo fatha bo fi am fod yn sengl am byth.'

'Wel, wt ti isio ffeindio rywun? Wt ti isio cariad?'

Roedd o'n gwestiwn do'n i erioed wedi'i ofyn i mi fy hun o ddifri. Do'n i erioed wedi ystyried os o'n i acshli isio cariad, erioed wedi gadael i mi fy hun gwestiynu be o'n i wir isio o berthynas neu bartner rhamantus: mi o'n i isio cariad er mwyn i mi gael dweud wrth bobl fod gen i gariad, er mwyn i mi gael mynd i briodasau fy ffrindiau efo cariad, er mwyn cael presantau neis bob Dolig. Mi o'n i wedi 'nghyflyru i feddwl mai bod mewn perthynas, bod yn gariad i rywun, medru mynd i lefydd efo cariad oedd *the be all and end all*. Ond do'n i erioed wedi meddwl sut beth fysa acshli cael cariad a sut fysa'r bywyd dyddiol o gael cariad yn gweithio i mi.

Ond mae bod yn sengl yn opsiwn hefyd. Ac mae o'n opsiwn da, *fulfilling*. Mae fy mywyd i'n llawn hwyl a hapusrwydd a tydw i ddim yn crio fewn i'n Sauvignon Blanc bob noson. Mae'r ferch sengl yn cael ei mytholegu gan gymdeithas – gan ddynion yn enwedig – mi ydan ni un ai yn byw ein bywydau yn crio ar y soffa'n bwyta Ben & Jerry's, yn cwyno am y ffaith ein bod ni'n sengl wrth ein holl ffrindiau sydd â chariadon, *neu* mi ydan ni *out on the town* yn yfed coctels mewn gwisgoedd *revealing*, yn ffwcio dyn gwahanol bob noson o'r wythnos. Tydi merch sengl methu jest byw ei bywyd. Mae bod yn sengl wedi 'ngwneud i'n *punchline* i lot o jôcs, y rhan fwyaf ohonyn nhw i'n jôcs fy hun. Ond tydi'r ffaith mod i'n sengl ddim yn jôc a tydi o ddim yn rheswm arall i wneud hwyl am fy mhen i. I ddweud y gwir, y ffaith mod i'n sengl ydi un o'r pethau lleiaf doniol amdana i.

Treuliais flynyddoedd o 'mywyd yn teimlo nad o'n i'n ddigon da achos mod i'n sengl, achos do'n i heb sylweddoli fod bod ar ben fy hun, yn sengl, yn annibynnol, yn rhywbeth oedd yn iawn i mi fod neu i mi fod isio bod. Tydi cymdeithas ddim yn dweud wrth bobl heterorywiol fod bod yn sengl yn opsiwn ymarferol, yn enwedig i ferched ac yn enwedig i rywun oedd wedi treulio ei bywyd yn chwilio am ei hunan-werth gan ddynion. Does 'na ddim llawer o bobl yn edrych ar fywyd a chysidro fod bod yn sengl yn opsiwn a'i fod o'n well na setlo am bartner siomedig, sydd ddim cweit yn iawn iddyn nhw. A phwy a ŵyr os ga i gariad neu berthynas hirdymor un diwrnod? Os bydd gen i un, dwi isio fo i fi fy hun, ac nid i blesio fy rhieni, fy ffrindiau neu gymdeithas nac i 'ngwneud i, a fy mywyd i'n fwy *palatable* i gymdeithas. Dwi isio cariad i gyfoethogi bywyd, i ychwanegu mwy o sbarc, nid achos mod i'n teimlo pwysau oherwydd mod i ar fin troi'n 30 oed. Dwi'n agored i gariad rhamantus, dwi isio iddo fo fod yn rhan o dapestri fy mywyd ond dwi ddim isio iddo fo fod yr hyn sydd am fy niffinio. Mi fydd cariad wastad yna a gyda lwc ac amser, gall ddigwydd, ar unrhyw adeg o dy fywyd – pan ti'n 16 neu'n 86. A does 'na fyth amser cywir i syrthio mewn cariad, dim ots be mae cymdeithas yn ddweud. Cyn belled fod cariad ata chdi dy hun yn parhau, mi fydd pethau'n iawn.

*

Sgen i'm syniad am lot o bethau. Sgen i'm syniad sut i newid ffiws, sgen i'm syniad sut i wneud *meringue* sy'n galed ar y tu allan ac yn fflyffi ar y tu fewn, sgen i'm syniad sut mae'n teimlo i fynd ar wyliau efo cariad am y tro cyntaf a phoeni am orfod cachu o'i flaen. Sgen i'm syniad sut mae'n teimlo i gael colled sy'n troi dy fyd â'i ben i lawr. Sgen i'm syniad os mai dyma'r ffordd ddylwn i fod yn byw bywyd. Sgen i'm syniad os dwi wedi gwneud y penderfyniadau cywir. Weithiau sgen i'm syniad pam dwi'n gwneud y pethau dwi'n eu gwneud.

Ond mae 'na rai pethau mae gen i syniad da amdanyn nhw. Mae fy ngwallt yn fy siwtio'n well yn hir; mae fy stumog yn fy ngwerthfawrogi fi fwy pan dwi ddim yn bwyta pasta saith gwaith yr wythnos. Dwi'n hitio fy *sweet spot* tua phedwar glasiad o brosecco i fewn i'r sesh. Mae fy chwaer yn hoples yn y boreau. Mae well gan fy nhad siarad ar Facetime nag ar ffôn. Mae Mam yn sicr o boeni a gweiddi os oes un ohonan ni'n dreifio yn gynt na 50 milltir yr awr. Mae Alys yn berson sy'n licio cynllun pendant; os oes gan Mirain broblem, mae'n rhaid aros iddi fod yn barod i'w rhannu. Mae Arthur yn sicr o dynnu'i sanau o fewn chwe deg eiliad o gyrraedd nôl i'r fflat.

Ac un peth dwi'n hollol sicr ohono ydi fy ffrindiau. Fel rhywun sydd wedi bod yn sengl drwy'r rhan fwyaf o'i bywyd, tydw i ddim yn teimlo'n anlwcus neu bod fy mywyd i'n wag mewn unrhyw ffordd achos mae fy ffrindiau i wastad wedi bod yna i mi, wedi cyfoethogi fy mywyd bob cam o'r ffordd. Tydi fy ffrindiau erioed wedi 'ngadael i lawr, erioed wedi torri 'nghalon i. Maen nhw wastad wedi 'nghefnogi fi hyd yn oed pan do'n i'm yn gallu cefnogi fy hun. Maen nhw *yna* i mi ac maen nhw'n parhau i fod *yna* i mi, dro ar ôl tro. Maen nhw wedi fy achub, ar adegau pan do'n i ddim yn gwybod mod i angen fy achub.

Gwn, cyn sicred â'r haul yn gwawrio ar ddechrau pob

diwrnod newydd, y gwneith fy ffrindiau fy nghefnogi pan dwi'n gwneud penderfyniadau a chamgymeriadau gwirion. Mi wnawn nhw wrando arna i, chwerthin efo fi, dweud mod i'n haeddu gwell, tawelu fy meddwl i, dweud mai fi ydi'r person gorau yn y byd. Mi wnawn nhw afael yn fy llaw a fy annog ymlaen, heb feirniadu na dwrdio. Mi wnawn nhw yrru calonnau dros decst a threulio oriau yn siarad ar y ffôn efo fi. Ac os digwyddith unrhyw beth iddyn nhw, mi fydda i yna, yn glust agored. Mi wna i eistedd yn y car efo nhw a gadael iddyn nhw grio. Dim ots be fydd rhaid i mi'i wynebu, boed yn ddagrau dros hogyn o Ben Llŷn neu'n golled aruthrol, dwi'n gwybod, heb unrhyw os yn y byd, y gwneith y ffrindiau gwych, gwirion 'ma fy nghodi o'r gwaelodion a 'ngharo i drwy'r fflamau.

Am flynyddoedd mi o'n i mor *obsessed* efo ffurfio cyswllt byrhoedlog efo dyn, fel tasa hynny am wneud i mi deimlo'n gyflawn ac am roi pwrpas i mi, nes mod i wedi anghofio am yr holl gysylltiadau oedd wedi eu gwreiddio'n ddyfn yndda i yn barod. Am flynyddoedd mi o'n i mor *obsessed* efo cariad rhamantus, efo'i ganfod, efo'i gael, efo'i deimlo, mi o'n i'n anghofio am y cariad o'n i'n deimlo tuag at bobl a phethau oedd reit o dan fy nhrwyn i: fy ffrindiau, fy chwaer, fy rhieni, straeon fy nain, geiriau ar bapur, caneuon Laura Marling, Caerdydd, coginio ar brynhawn Sul, traeth Pwllheli yn y haf. Roedd o wastad wedi bod yna o dan fy nhrwyn, yn fy amgylchynu mewn cocŵn cynnes. Tydi cariad ddim angen cael ei weiddi drwy'r megaffon bob amser, mae o'n medru bod yn rhywbeth sy'n llosgi'n ddistaw ac yn ffyddlon, a byth yn bygwth diffodd.

*

30 gwers mewn 29 mlynedd

1. Mae te melys ac awyr iach yn medru gwneud byd o les i dy les, ond mae'n bwysicach siarad.

2. Paid â chymharu dy fywyd efo bywyd rhywun arall achos mae cwrs bywyd pawb yn wahanol. Mae 'na gymaint na fedri di ei reoli, felly tria fyw bywyd sy'n driw i chdi dy hun.

3. Paid â byw bywyd yn trio cyrraedd y cerrig milltir nesaf erbyn hyn a hyn o oed achos mae 'na gymaint o bethau'n medru newid. Mae pobl yn newid. Mae pobl yn mynd yn sâl. Mae pobl yn cael damweiniau. Dwyt ti ddim angen ffeindio cariad cyn i chdi droi'n 21. Dwyt ti ddim angen gwybod yn union pa swydd fyddi di'n wneud erbyn i chdi fod yn 25. Dwyt ti ddim angen priodi cyn bo chdi'n 30.

4. Gwisga be bynnag ffwc ti isho'i wisgo. A gwisga i chdi dy hun, nid i blesio dyn, nid i blesio rhieni dy gariad.

5. Paid â gwastraffu amser efo rhywun sy'n gwneud i chdi deimlo'n ansicr, efo rhywun sydd ddim yn gadael i chdi wybod lle ti'n sefyll, efo rhywun sy'n gwneud i chdi amau dy hun a dy deimladau. Mi wyt ti'n haeddu rhywun sy'n fodlon rhoi amser i chdi.

6. Paid â gwneud Instagram Stories i drio gwneud rhywun yn jelys.

7. Dwyt ti ddim angen bod mewn perthynas ramantus i fyw bywyd cyflawn. Mae cariad rhamantus yn cael ei werthu i gymdeithas fel rhywbeth sydd am dy wneud di'n gyflawn. Tydi o ddim. Mae 'na berthnasau 'run mor bwysig o dy gwmpas di'n barod.

8. Dylai *mayonnaise* fod yn *full fat*. A fydd un pot fyth yn ddigon i'r bwrdd.

9. Tydi siâp dy gorff a dy bwysau ddim yn diffinio dy werth.

10. Dwyt ti methu gwneud i rywun dy licio di'n ôl.

11. Rwyt ti'n fwy na dy fethiannau.

12. Weithiau mae'n well peidio trio dallt y pethau sy'n digwydd i ni, ond yn hytrach trio dallt y ffordd 'dan ni'n ymateb i'r pethau sy'n digwydd.

13. Mae gwin yn helpu i leddfu ac anghofio poen am 'chydig ond mae'n rhaid wynebu gwirionedd yn y pen draw.

14. Dylai menyn fod wedi'i halltu yn ddi-ffael.

15. Cofia ddweud *rhywbeth*.

16. Mi wneith *fairy lights* drawsnewid unrhyw stafell i fod yn *party-ready*.

17. Rhyddha dy hun o'r syniad fod yr hyn mae pobl eraill yn feddwl ohona chdi'n bwysig. Mae 'na lwyth o bobl am gael barn ac os wyt ti'n poeni gormod am be maen nhw'n feddwl, mi wnei di golli dy hun.

18. Mae *periods* yn normal. Mae'n bwysig siarad amdanyn nhw: yn uchel ac yn fywiog – efo'n tadau, efo'n brodyr, ein meibion, ein ffrindiau.

19. Tydi pawb ti'n gyfarfod neu'n garu ddim am fod yn dy fywyd di am byth, ac mae hynny'n iawn.

20. Mi wneith pestri *just-roll* y tro.

21. Tydi dy *relationship status* di ddim yn bwysig, a tydi o'n sicr ddim yn jôc.

22. Mi wneith dy berthnasau agosaf flaguro ac egino wrth i chdi fynd yn hŷn. Mi wneith perthnasau eraill dawelu. Mae hynny'n iawn a tydi o ddim yn golygu eu bod nhw am fod yn llai pwysig, mae o jest yn golygu eu bod yn bwysig mewn ffordd wahanol.

23. Weithiau yr unig beth wneith helpu ydi bowlen o basta efo menyn a chaws a llwyth o halen a phupur.

24. Paid â gadael i ofn dy ddal di nôl.

25. Tydi faint o gariadon neu bartneriaid rhywiol ti wedi'u

cael ddim yn dy ddiffinio di. Mae cymdeithas yn rhoi lot gormod o bwysigrwydd ar hyn pan tydi o'n golygu dim.

26. Tydi hi byth rhy hwyr. Mae'n iawn cymryd amser i feddwl.

27. *Dance it out.*

28. Cana nerth dy ben yn y car.

29. Mae ffrindiau yn wych. Mi wnawn nhw dy godi pan ti ar dy isaf, mi wnawn nhw ddawnsio efo chdi tan oriau mân y bore, mi wnawn nhw fynd efo chdi i fwytai drud i ddathlu dy ben-blwydd ac mi fyddan nhw yna i chdi bob cam o'r ffordd. Gafaela ynddyn nhw'n dynn.

30. Ti'n bwysig. Ti'n rili, rili pwysig i lot o bobl. Paid â gadael i neb wneud i chdi deimlo'n wahanol.

Hefyd o'r Lolfa:

£9.99

£8.99

Holwch am bris argraffu!
www.ylolfa.com